A MAÇÃ
NO ESCURO

lispector

A MAÇÃ NO ESCURO

POSFÁCIO DE
ROSISKA DARCY DE OLIVEIRA

ROCCO

Copyright © 2019 *by* Paulo Gurgel Valente

Texto posfácio de Rosiska Darcy de Oliveira

Direitos desta edição reservados à
EDITORA ROCCO LTDA.
Rua Evaristo da Veiga, 65 – 11º andar
Passeio Corporate – Torre 1
20031-040 – Rio de Janeiro, RJ
Tel.: (21) 3525-2000 – Fax: (21) 3525-2001
rocco@rocco.com.br | www.rocco.com.br

Printed in Brazil/Impresso no Brasil

Preparação de originais
Pedro Karp Vasquez

Projeto gráfico
Victor Burton e Anderson Junqueira

CIP-Brasil. Catalogação na publicação.
Sindicato Nacional dos Editores de Livros, RJ.

L753m   Lispector, Clarice, 1920-1977
       A maçã no escuro / Clarice Lispector. -
   1ª ed. – Rio de Janeiro: Rocco, 2020.

       Inclui posfácio
       ISBN 978-85-325-3186-5
       ISBN 978-85-8122-783-2 (e-book)

       1. Romance brasileiro. I. Título.

20-62961   CDD-869.3
                 CDU-82-31(81)

Meri Gleice Rodrigues de Souza – Bibliotecária CRB-7/6439

O texto deste livro obedece às normas do Acordo
Ortográfico da Língua Portuguesa.

Impressão e Acabamento: Gráfica Santa Marta.

PRIMEIRA PARTE

Como se faz um homem
11

SEGUNDA PARTE

Nascimento do herói
137

TERCEIRA PARTE

A maçã no escuro
223

Posfácio
389

"Criando todas as coisas, ele entrou em tudo. Entrando em todas as coisas, tornou-se o que tem forma e o que é informe; tornou-se o que pode ser definido e o que não pode ser definido; tornou-se o que tem apoio e o que não tem apoio; tornou-se o que é grosseiro e o que é sutil. Tornou-se toda espécie de coisas: por isso os sábios chamam-no o Real."

VEDAS (UPANIXADE)

PRIMEIRA PARTE

COMO SE FAZ UM HOMEM

1

esta história começa numa noite de março tão escura quanto é a noite enquanto se dorme. O modo como, tranquilo, o tempo decorria era a lua altíssima passando pelo céu. Até que mais profundamente tarde também a lua desapareceu.

Nada agora diferenciava o sono de Martim do lento jardim sem lua: quando um homem dormia tão no fundo passava a não ser mais do que aquela árvore de pé ou o pulo do sapo no escuro.

Algumas árvores haviam ali crescido com enraizado vagar até atingir o alto das próprias copas e o limite de seu destino. Outras já haviam saído da terra em bruscos tufos. Os canteiros tinham uma ordem que procurava concentradamente servir a uma simetria. Se esta era discernível do alto da sacada do grande hotel, uma pessoa estando ao nível dos canteiros não descobria essa ordem; entre os canteiros o caminho se pormenorizava em pequenas pedras talhadas.

Sobretudo numa das alamedas o Ford estava parado há tanto tempo que já fazia parte do grande jardim entrelaçado e de seu silêncio.

No entanto, de dia a paisagem era outra, e os grilos vibrando ocos e duros deixavam a extensão inteiramente aberta, sem uma sombra. Enquanto o cheiro era o seco cheiro de pedra exasperada que o dia tem no campo. Ainda nesse mesmo dia Martim ficara de pé na sacada procurando, com inútil obediência, não perder nada do que se passava. Mas o que se passava não era muito: antes de começar a estrada que se perdia em suspensa poeira de sol, apenas o jardim nada mais que contemplável; compreensível e simétrico do alto da sacada; emaranhado quando se fazia parte dele – e esta lembrança o homem há duas semanas guardava nos pés com aplicação cuidadosa, conservando-a para um uso eventual. Por mais atenção, no entanto, o dia era inescalável; e como um ponto desenhado sobre o mesmo ponto, a voz do grilo era o próprio corpo do grilo, e nada informava. A única vantagem do dia é que na extrema luz o carro se tornava um pequeno besouro que facilmente alcançaria a estrada.

Mas enquanto o homem dormia o carro se tornava enorme como é gigantesca uma máquina parada. E de noite o jardim era ocupado pela secreta urdidura com que o escuro se mantém, num trabalho cuja existência os vaga-lumes inesperadamente traem; certa umidade também denunciava o labor. E a noite era um elemento em que a vida, por se tornar estranha, era reconhecível.

Foi nessa noite que, atingindo o hotel vazio e adormecido, o motor do carro se sacudiu. Lentamente o escuro se pusera em movimento.

Em vez de acordar e diretamente ouvir, foi através de um sono ainda mais profundo que Martim passou para o outro lado da escuridão e ouviu o ruído que as rodas fizeram cuspindo areia seca. Depois seu nome foi pronunciado, destacado e limpo, de algum modo agradável de se ouvir. Era o alemão quem falara. No sono Martim fruiu o som do próprio nome. Em seguida o arrebatado grito de uma ave, cujas asas haviam sido espantadas na sua imobilidade, esse modo como o espanto parece com a grande alegria.

Quando o silêncio se refez dentro do silêncio, Martim adormeceu ainda mais longe. Embora no fundo do sono alguma coisa ecoasse difícil, tentando se organizar. Até que, sem nenhum sentido e livre do incômodo de precisar ser compreendido, o ruído do carro se refez na sua memória com as minúcias mais finamente discriminadas. A ideia do carro despertou um aviso suave que ele não entendeu de pronto. Mas que já espalhara pelo mundo um vago alarme, cujo centro irradiador era o próprio homem: "assim, pois, eu", pensou seu corpo se comovendo. Continuou deitado, remotamente gozando.

Há duas semanas aquele homem viera para o hotel, encontrado no meio da noite quase sem surpresa, de tal modo a exaustão tornava tudo possível. Era um hotel vazio, só com o alemão e o criado, se criado era. E durante duas semanas, enquanto Martim recuperava as forças num sono quase ininterrupto, o carro continuara parado numa das alamedas, com as rodas enterradas na areia. E tão imóvel, tão resistente ao hábito de incredulidade do homem e ao seu cuidado em não se deixar ludibriar, que Martim terminara finalmente por considerá-lo à sua disposição.

Mas a verdade é que já naquela noite de pés cambaleantes – quando ele enfim se deixara cair meio morto numa cama verdadeira com verdadeiros lençóis – já naquele instante o carro representara a garantia de nova fuga, caso os dois homens se mostrassem mais curiosos pela identidade do hóspede. E este tombara confiante no sono como se ninguém jamais conseguisse tirar de sua firme garra, que prendia apenas o lençol, a roda imaginária de um volante.

O alemão, no entanto, nada lhe havia perguntado e o criado, se o era, mal o olhara. A relutância com que o tinham aceito não vinha da desconfiança, mas do fato do hotel não ser mais hotel havia muito tempo – há tanto tempo quanto estava inutilmente à venda, explicara-lhe o alemão, e, para não ter um ar suspeito, Martim balançara a cabeça sorrindo. Enquanto não tinham construído a estrada nova, era por ali que passavam os carros, e o casarão isolado não poderia estar melhor situado como pouso forçado para pernoites. Quando a nova estrada fora traçada e asfaltada a cinquenta quilômetros dali, desviando para longe o curso de passagem, o lugar todo morrera e não havia mais motivo de alguém vir a precisar de hotel na zona agora entregue ao vento. Mas apesar da indiferença aparente dos dois homens, a obstinada procura de segurança de Martim se ancorara naquele carro sobre o qual também as aranhas, tranquilizadas pela imobilidade envernizada, haviam executado o aéreo trabalho ideal.

Era esse carro que em plena noite se desenraizara com rouquidão.

Dentro do silêncio de novo intato, o homem agora olhou estupidamente o teto invisível que no escuro era tão alto quanto o céu. Largado de costas na cama, tentou num esforço de prazer gratuito reconstituir o ruído das rodas, pois enquanto não sentia dor era de um modo geral prazer que ele sentia. Da cama não via o jardim. Um pouco de bruma entrava pelas venezianas abertas, o que se denunciou ao homem pelo cheiro de algodão úmido e por uma certa ânsia física de felicidade que a cerração dá. Fora apenas um sonho, então. Cético, embora, ele se ergueu.

Nas trevas nada viu da sacada, e nem sequer adivinhou a simetria dos canteiros. Algumas manchas mais negras que o próprio negrume indicaram o provável lugar das árvores. O jardim não passava ainda de um esforço de sua memória, e o homem olhou quieto, adormecido. Um ou outro vaga-lume tornava mais vasta a escuridão.

Esquecido do sonho que o guiara até a sacada, o corpo do homem achou bom se sentir saudavelmente de pé: é que o ar suspenso mal alterava a escura posição das folhas. Ali, pois, deixou-se ficar, dócil, atordoado, com a sucessão de quartos desocupados atrás de si. Sem emoção aqueles quartos vazios repetiam-no e repetiam-no até se apagarem aonde o homem já não se alcançava mais. Martim suspirou dentro de seu largo sono acordado. Sem insistir demais, tentou atingir a noção dos últimos quartos como se ele próprio se tivesse tornado grande demais e espalhado, e, por algum motivo que já esquecera, precisasse obscuramente se recolher para talvez pensar ou sentir. Mas não conseguiu, e estava muito aprazível. Assim ele ficou, com o ar cortês de um homem que levou uma pancada na cabeça. Até que – como quando um relógio para de bater e só então nos adverte que antes batia – Martim percebeu o silêncio e dentro do silêncio a sua própria presença. Agora, através de uma incompreensão muito familiar, o homem começou enfim a ser indistintamente ele mesmo.

Então as coisas passaram a se reorganizar a partir dele próprio: trevas foram sendo entendidas, ramos começaram lentamente a se formar sob o balcão, sombras se dividiram em flores ainda irresolutas – com os limites ocultos pelo viço imóvel das plantas, os canteiros se delinearam cheios, macios. O homem grunhiu aprovando: com certa dificuldade acabara de reconhecer o jardim que nessas duas semanas de sono constituíra em intervalos a sua irredutível visão.

Foi nesse momento que uma lua desfalecida perpassou uma nuvem em grande silêncio, em silêncio derramou-se sobre pedras calmas, desaparecendo em silêncio na escuridão. A cara enluarada do homem se dirigiu então para a alameda onde o Ford estaria imóvel.

Mas o carro desaparecera.

O corpo inteiro do homem subitamente despertou. Num relance astuto seus olhos percorreram a escuridão toda do jardim – e, sem um gesto de aviso, ele se virou para o quarto em leve pulo de macaco.

Nada porém se mexia no oco do aposento que de escuro se tornara enorme. O homem ficou resfolegando atento e inutilmente feroz, com as mãos avançadas para o ataque. Mas o silêncio do hotel era o mesmo da noite. E sem limites visíveis, o quarto prolongava no mesmo exalar-se a escuridão do jardim. Para se despertar o homem esfregou várias vezes os olhos com o dorso de uma das mãos enquanto deixava a outra livre para a defesa. Foi inútil sua nova sensibilidade: nas trevas os olhos totalmente abertos não viram sequer as paredes.

Era como se o tivessem depositado solto num campo. E enfim ele acordasse de um longo sonho do qual haviam feito parte um hotel agora desmanchado num chão vazio, um carro apenas imaginado pelo desejo, e sobretudo tivessem desaparecido os motivos de um homem estar todo expectante num lugar que também este era expectativa.

De real só lhe restou a sagacidade que o fizera dar um pulo para indistintamente se defender. A mesma que o levava agora a raciocinar com inesperada lucidez que se o alemão tivesse ido denunciá-lo levaria algum tempo para ir e voltar com a Polícia.

O que ainda o deixava temporariamente livre – a menos que o criado tivesse sido encarregado de vigiá-lo. E nesse caso o criado, se o era, estaria neste mesmo instante à porta daquele mesmo quarto com o ouvido atento ao menor movimento do hóspede.

Assim pensou ele. E findo o raciocínio, ao qual chegara com a maleabilidade com que um invertebrado se torna menor para deslizar, Martim mergulhou de novo na mesma ausência anterior de razões e na mesma obtusa imparcialidade, como se nada tivesse a ver consigo mesmo, e a espécie se encarregasse dele. Sem um olhar para trás, guiado por uma escorregadia destreza de movimentos, começou a descer pela sacada apoiando pés inesperadamente flexíveis na saliência dos tijolos. Na sua atenta remotidão o homem sentia perto da cara o cheiro malévolo das heras quebradas como se nunca o fosse esquecer. Sua alma agora apenas alerta não distinguia o que era ou não importante, e a toda operação ele deu a mesma consideração escrupulosa.

Num pulo macio, que fez o jardim asfixiar-se em suspiro retido, ele se achou em pleno centro de um canteiro – que se arrepiou todo e depois se fechou. Com o corpo advertido o homem esperou que a mensagem de seu pulo fosse transmitida de secreto em secreto eco até se transformar em longínquo silêncio; seu baque terminou se espraiando nas encostas de alguma montanha. Ninguém ensinara ao homem essa conivência com o que se passa de noite, mas um corpo sabe.

Ele esperou um pouco mais. Até que nada aconteceu. Só então tateou com minúcia os óculos no bolso: estavam inteiros. Suspirou com cuidado e finalmente olhou em torno. A noite era de uma grande e escura delicadeza.

2

Aquele homem andou léguas deixando o casarão cada vez mais para trás. Procurou andar em linha reta e às vezes se imobilizava um segundo agarrando com cautela o ar. Como andava nas trevas não poderia sequer adivinhar em que direção deixara o hotel. O que o guiava no escuro era apenas a própria intenção de andar em linha reta. O homem bem poderia ser um negro, tão pouco lhe servia a claridade da própria pele, e ele só sabia quem era pela sensação em si próprio dos movimentos que ele próprio fazia.

Com a mansidão de um escravo, ele fugia. Certa doçura o tomara, só que ele vigiava a própria submissão e de algum modo a dirigia. Nenhum pensamento perturbava sua marcha constante e já insensível, senão de vez em quando a ideia mal aclarada de que talvez estivesse andando em círculos, com a desconcertante possibilidade de se achar de novo diante das paredes do hotel.

Sempre, além do chão que os passos alcançavam, era a escuridão. Já caminhara horas, o que pôde calcular pelos pés grossos de cansaço. Só descobriria onde se delineava o horizonte quando o dia raiasse e dissolvesse as brumas. Como a escuridão ainda se mantinha tão colada aos olhos inutilmente abertos, terminou por concluir que escapara do hotel não de madrugada, mas em plena noite. Tendo dentro de si o grande espaço vazio de um cego, ele avançava.

Já que não precisava de olhos, experimentou andar de olhos fechados, pois numa precaução generalizada ele economizava o que podia. De olhos cerrados pareceu-lhe que rodava em torno de si próprio numa tontura não de todo desagradável.

À medida que caminhava o homem sentia nas narinas aquela aguda falta de cheiro que é peculiar a um ar muito puro e que se mantém distinta de qualquer outra fragrância que também se possa sentir – e isso o guiava como se seu único destino fosse encontrar-se com o mais fino do fundo do ar. Mas seus pés tinham a milenar desconfiança da possibilidade de pisar em alguma coisa que se mova – os pés apalpavam a moleza suspeita daquilo que aproveita a escuridão para existir. Pelos pés ele entrou em contato com esse modo de ceder e poder ser moldado que é por onde se entra no pior da noite: na sua permissão. Não sabia onde pisava, se bem que através dos sapatos que se haviam tornado um meio de comunicação, ele sentisse a dubiedade da terra.

O homem nada poderia fazer senão esperar que a primeira penumbra lhe revelasse um caminho. Enquanto isso poderia dormir no chão que, distanciado pelas trevas, lhe pareceu inalcançável. Já não mais atiçado pelo perigo, desaparecera a sagacidade que lhe seria agora apenas um entrave. E de novo o embrutecimento suave o dominava. O chão era tão longe que, abandonando o corpo, este por um instante experimentou a queda no vácuo. Mal porém tocara numa terra que aos pés se esquivara, e esta instantaneamente se desencantou em algo resistente, cujas duras rugas estáveis pareciam as do céu da boca de um cavalo. O homem estirou as pernas e encostou a cabeça. Agora que se imobilizara, o ar afiara-se e doía extremamente limpo. O homem não estava com sono mas no escuro não saberia o que fazer da grande vigília. Além do mais não tinha assunto.

A essa altura já se havia habituado à música estranha que de noite se ouve e que é feita da possibilidade de alguma coisa piar e da fricção delicada do silêncio contra o silêncio. Era um lamento sem tristeza. O homem estava no coração do Brasil. E o silêncio fruía a si mesmo. Mas se a brandura era o modo como se ouvia a noite, para a noite a brandura era a sua própria aguda espada, e na brandura a noite toda estava contida. O homem não se deixou enfeitiçar pela delícia que sentiu na suavidade; adivinhava que léguas além a escuridão sabia que ele estava ali. Manteve-se pois em espreita, tendo sob um perfeito controle os meios de comunicação da noite.

Várias vezes tentou se ajeitar numa posição mais confortável. Tomava um cuidado impessoal consigo mesmo como se fosse um embrulho. Mas embaixo era o chão definitivo, em cima a única estrela, e o homem se sentia acordado pelas duas coisas acordadas na escuridão. A cada movimento seu, o rosto ou as mãos encontravam algo enérgico que depois de empurrado voltava em leve golpe contra ele. Apalpou com dedos sábios: era um galho.

Um instante a mais, no entanto, e rudemente o sono o assaltou na posição mais inesperada: com uma das mãos protegendo os olhos e a outra mantendo afastada a folhagem áspera.

O homem dormiu com atenção durante horas. Exatamente as horas que durou a formação de um pensamento, qualquer que tivesse sido, pois ele não podia mais se alcançar sem ser através da agudez do sono. Do momento em que fechara os olhos a vasta ideia inarticulável começou a se formar – e tudo funcionou tão perfeito que ela encheu, sem hiato e sem precisar recuar uma só vez para se corrigir, o sono de que ele precisava para pensar. Enquanto dormia não gastava do pouco que ele se tornara, mas sacava de alguma coisa como de sua raça de homem, o que era indistinto e satisfatório. Através dessa coisa feita de rugido ele atingia muito: sua boca estava grossa de boa e nutritiva saliva. Assim, quando o último passo de seu futuro se completou, Martim mexeu-se na dureza do chão. Não abrira ainda os olhos mas ao sentir o próprio entorpecimento reconheceu-se, e com relutância entendeu que estava acordado.

Na verdade sobre as finas pálpebras já sentira com dor o grande peso do dia.

Mas numa desconfiança sem motivo inteligível ele aparentemente achou mais prudente comunicar-se com a situação através do tato: de olhos fechados, deslizou dedos graduais pela terra que agora, em sinal promissor, que ele não entendeu mas aprovou, lhe pareceu menos fria e menos compacta. Com esta garantia primária, abriu afinal os olhos.

E uma claridade bruta cegou-o como se ele tivesse recebido na cara uma onda salgada de mar.

Estonteado, de boca aberta, aquele homem estava infantilmente sentado no meio de uma extensão deserta que se perdia de vista para todos os lados. Era uma luz estúpida e seca. E ele estava sentado como um boneco imposto no meio daquela coisa que se impunha.

O lugar onde se achava era longe de ser confuso como no escuro seus pés dormentes haviam imaginado. Inquietado, seu corpo não soube se havia ou não de sentir prazer nessa descoberta. Com cautela constatou as poucas árvores dispersas pela distância. O infinito chão era seco e avermelhado. Não se tratava de um mato como ele calculara pelo galho que lhe batera no rosto. Tinha por acaso adormecido perto de um dos raros arbustos do descampado.

Sentado, olhava no entanto em guarda: é que se o silêncio faz parte natural da escuridão, ele não contara com a veemente mudez do sol. Sempre experimentara o sol com vozes. Manteve-se pois imóvel para não assustar o que quer que fosse. Era um silêncio como se fosse acontecer alguma coisa que um homem não percebe, mas as poucas árvores se balançavam e os bichos já tinham desaparecido.

Sabiamente levando em conta a própria limitação que o tornava mais indefeso que um coelho, ele então esperou de cabeça erguida como se uma atitude de isenção o tornasse invisível. Também isso ninguém lhe ensinara. Mas em duas semanas aprendera como é que um ser não pensa e não se mexe e no entanto está todo ali. Depois, com a minúcia da prudência, começou a olhar quase sem mover a cabeça, apenas inclinando-a imperceptivelmente para trás, a fim de tornar mais largo o seu campo de visão.

E o que Martim viu foi uma estendida planície vagamente em subida. Muito além começava um declive suave que, pela graça de suas linhas, prometia deslizar para um vale ainda invisível. E no fim do silêncio do sol, havia aquela elevação adoçada pelo ouro, mal discernível entre brumas ou nuvens baixas, ou talvez pelo fato do homem não ter ousado pôr os óculos. Ele não sabia se era montanha ou apenas névoa iluminada.

Garantido então pela vastidão da distância que afastava qualquer iminência, o homem foi aos poucos trazendo o olhar para o que o rodeava de um modo mais pessoal.

Na extensão calma, um ou outro arbusto empalhado pela imobilidade final do sol. Espalhadas, algumas árvores rígidas. Uma ou outra rocha maior se erguia perpétua.

Então o homem desfez a tensão do corpo: não havia perigo. Tratava-se de uma extensão tranquila e leal, toda à superfície de si mesma. E sem nenhuma armadilha – senão a curta e dura sombra que se cavava junto de cada coisa que ali tinha sido posta. Mas não havia perigo. Na verdade nem se poderia imaginar que aquele lugar tivesse um nome ou fosse sequer conhecido por alguém. Era apenas o grande espaço vazio e inexpressivo onde, por conta própria, erguiam-se pedras e pedras. E aquela claridade enérgica que o alarmara não passava da outra face do silêncio. Mesmo assim, em extrema franqueza, tanto a claridade quanto o silêncio olhavam de cara exposta para o céu.

O silêncio do sol era tão total que seu ouvido, tornado inútil, experimentou dividi-lo em etapas imaginárias como num mapa para poder gradualmente abrangê-lo. Mas logo depois da primeira etapa o homem começou a rolar no infinito, o que o sobressaltou em advertência. O ouvido, tornando-se mais modesto, tentou pelo menos calcular em que terminaria o silêncio: em casas? em algum bosque? e o que seria mesmo a mancha ao longe – uma montanha ou apenas o escurecimento que vem do acúmulo de distâncias? Seu corpo doía.

Mas pondo-se de pé o homem inesperadamente retomou toda a estatura do próprio corpo. O que lhe deu automaticamente certa empáfia como se, ao erguer-se, ele tivesse inaugurado o descampado. E apesar dos ombros curvos, sentiu-se dominando a extensão e disposto a segui--la. Embora estivesse cego pela luz: ali nenhum de seus sentidos lhe valia, e aquela claridade o desnorteava mais do que a escuridão da noite. Qualquer direção era a mesma rota vazia e iluminada, e ele não sabia que caminho significaria avançar ou retroceder. Na verdade, em qualquer lugar onde o homem experimentou se pôr de pé, ele próprio se tornou o centro do grande círculo, e o começo apenas arbitrário de um caminho.

Mas desde que, há duas semanas, aquele homem experimentara o poder de um ato, parecia também ter passado a admitir a estúpida liberdade em que se achava. Sem um pensamento de resposta, pois, suportou imóvel o fato de ele ser o único próprio ponto de partida.

Então, como se contemplasse pela última vez antes de partir o lugar onde sua casa fora incendiada, Martim olhou o grande vazio ensolarado. Ele bem viu. E ver era o que podia fazer. O que fez com certo orgulho, de cabeça erguida. Em duas semanas tinha recuperado um orgulho natural e, como uma pessoa que não pensa, tornara-se autossuficiente.

Em breve seus passos pausados e repetidos formaram uma marcha monótona. Milhares de passos ritmados que o aturdiram e o levaram por eles mesmos para a frente, entorpecido, agigantado pelo cansaço, agora avançando com um ar de idiota contente. Até que, se parasse, cairia. Mas avançava cada vez mais poderoso. À medida que o tempo passava, o sol ficava mais redondo.

Fora para o lado do mar que aquele homem pretendera ir, antes mesmo de ter encontrado por feliz acaso o hotel. Mas – sem mapa, conhecimento ou bússola – embrenhara--se terra adentro. Ora como se qualquer caminho terminasse fatalmente em costa aberta, o que era uma verdade, mas difícil de ser atingida por pés; ora como se na realidade ele não tivesse a menor pretensão de ir a algum lugar determinado. Depois, com a continuação aplainadora de noites e dias – e aliar-se à continuação, grudando a esta o corpo inteiro, havia-se tornado o secreto objetivo desde que ele fugira – com a continuação de noites e dias o homem terminara por esquecer o motivo pelo qual quisera encontrar o mar. Quem sabe, talvez não fosse por nenhum motivo de ordem prática. Talvez fosse apenas para que, chegando finalmente ao mar, num instante de obscura beleza, ali ele tivesse chegado.

Qualquer porém que tivesse sido o motivo, esquecera-o. E andando sem parar, o homem coçou violentamente a cabeça com duros dedos: tinha um gosto danado de ter esquecido. O que não impedia que mesmo agora – se na semivigília dos passos ele fechava os olhos cuja umidade a luz já secara – mesmo agora a visão do antigo desejo se concretizasse. Quando cerrou os olhos viu de súbito água verde a se rebentar em penhascos e a salgar-lhe o rosto quente. Então passou a mão pelo rosto e sorriu misteriosamente ao sentir a barba dura apontar, o que também era alguma coisa promissora e satisfatória; sorriu numa careta de falsa modéstia, e apressou ainda mais os passos. Guiava-o a suavidade dos brutos, a mesma que faz com que um bicho ande bonito.

Mas às vezes, àquele corpo que os passos haviam tornado mecânico e leve, um mar deserto já nada mais dizia. E procurando em si, só Deus sabe para quê, o contato com um desejo mais intenso – ele conseguiu ver o mar cheio da extrema altura dos mastros e do estertor das gaivotas! gaivotas de entranhas gritando seu hálito de sal, o alvoroçado mar dos que partem, a maré que leva adiante. Eu te amo, disse seu olhar para uma pedra, porque o súbito mar de gritos perturbara profundamente suas próprias entranhas, e desse modo ele olhou a pedra.

Um quilômetro além o homem porém já esquecera essa forma de mar, cujo esforço de invenção na verdade o deixara exausto. E tropeçando apressado nos cascalhos, estendeu em grande apelo os braços para o desejo de um mar noturno, cujo rumor desenrolaria enfim a espessura que existe no silêncio. Seus ouvidos ocos tinham sede, e o rumor primário do mar seria o que menos comprometeria o modo cauteloso como ele se tornara apenas um homem caminhando. Porque estendera abruptamente os braços, perdeu o equilíbrio e quase caiu – seu coração pulou em espanto várias vezes. A vida inteira aquele homem tivera medo de um dia levar uma queda numa ocasião solene. Pois havia de ser naquele momento que, perdendo a garantia com que um homem fica sobre dois pés, ele se arriscou à penosa acrobacia de voar desajeitado. Boquiaberto, olhou em torno porque certos gestos se tornam aterrorizantes na solidão, com um valor final neles mesmos. Quando um homem cai sozinho num campo não sabe a quem dar a sua queda.

Pela primeira vez desde que se pusera a caminhar, ele parou. Já não sabia sequer ao que estendera os braços. No coração sentia a miséria que existe em levar uma queda.

Recomeçou então a andar. Mancar dava uma dignidade a seu sofrimento.

Mas com a interrupção ele perdera uma velocidade essencial que então procurou compensar substituindo-a por uma espécie de violência íntima. E como precisava ter à frente algo que o esperasse – de novo o mar se rebentou em fúria num penhasco.

Chegar um dia ao mar era, porém, algo de que ele agora só usava a parte de sonho. Não pensava um instante sequer em agir de modo a que a visão feliz se tornasse uma realidade. Nem mesmo se soubesse que passos o levariam ao mar, ele agora os daria – tanto fora aos poucos se descartando com sabedoria instintiva de tudo o que pudesse mantê-lo entravado por um futuro, pois futuro é faca de dois gumes, e futuro molda o presente. Com o correr dos dias também outras ideias tinham ficado gradualmente para trás como se, à medida que o tempo não definindo o perigo o tornasse maior, o homem fosse se despojando do que pesa. E sobretudo do que ainda pudesse mantê-lo preso ao mundo anterior.

Até que agora – sem nenhum desejo, cada vez mais leve, como se também a fome e a sede fossem um desprendimento voluntário de que ele estava começando aos poucos a se envaidecer – até que agora ele avançava enorme no campo, olhando ao redor de si com uma independência que lhe subiu em prazer grosseiro para a cabeça, e começou a tonteá-lo em felicidade. "Hoje deve ser domingo" – chegou mesmo a pensar com certa glória, e domingo seria o grande coroamento de sua isenção. Hoje deve ser domingo! pensou com súbita altivez como se o tivessem ofendido na honra.

Tratava-se de seu primeiro pensamento claro desde que deixara o hotel. Na verdade, desde que fugira, era o primeiro pensamento que não tinha mera utilidade de defesa. De início, aliás, Martim até não soube o que fazer com ele. Apenas agitou-se à novidade, e coçou-se voraz sem parar de andar. Então, aprovando-se com ferocidade e acompanhando o pensamento com um encorajamento rouco, repetiu: hoje deve ser domingo.

Aparentemente devia ser mais uma constatação indireta de si próprio do que do dia da semana, pois, sem parar um segundo de caminhar, ele completou o radiante e seco olhar ao que acabara de chamar de "domingo" com um apalpamento desajeitado dos bolsos. Sem nenhuma razão, senão a do próprio cansaço, estava caminhando cada vez mais depressa. Na verdade agora mal conseguia se acompanhar. E excitado nessa competição com seus próprios passos –

olhou em torno com inocente deslumbramento, a cabeça fervendo de sol.

Sem contar os dias passados não havia motivo para achar que seria domingo. Martim então parou, um pouco embaraçado pela necessidade de ser compreendido, da qual ele ainda não se livrara.

Mas a verdade é que o descampado tinha uma existência limpa e estrangeira. Cada coisa estava no seu lugar. Como um homem que fecha a porta e sai, e é domingo. Além do mais, domingo era o primeiro dia de um homem. Nem a mulher fora criada. Domingo era o descampado de um homem. E a sede, libertando-o, dava-lhe um poder de escolha que o inebriou: hoje é domingo! determinou categórico.

Então sentou-se numa pedra e muito teso ficou olhando. O olhar não esbarrou em nenhum obstáculo e errou num meio-dia intenso e tranquilo. Nada o impedia de transformar a fuga numa grande viagem, e estava disposto a fruí-la. Olhava.

Mas há alguma coisa numa extensão de campo que faz com que um homem sozinho se sinta sozinho. Sentado numa pedra, o fato final e irredutível – é que ele estava ali. Então, com súbito desvelo, sacudiu amoroso a poeira do paletó. De um modo obscuro e perfeito ele próprio era a primeira coisa posta no domingo. O que o tornava precioso como uma semente, ele tirou um fiapo do paletó. No chão sua sombra preta e definida delimitava sem engano favorável até onde ele era. Ele mesmo era o seu primeiro marco.

Se bem que, além de tentar se limpar por mera questão de decência, o homem não pareceu ter a menor intenção de fazer alguma coisa com o fato de existir. Estava era sentado na pedra. Também não pretendia ter o menor pensamento sobre o sol.

Era nisso pois que dava a liberdade. Seu corpo grunhiu com prazer, o terno de lã lhe dava pruridos no calor. A ilimitada liberdade o deixara vazio, cada gesto seu repercutia como palmas na distância: quando ele se coçou, esse gesto rolou diretamente para Deus. A coisa mais desapaixonadamente individual acontecia quando uma pessoa tinha a liberdade. No começo você é um homem estúpido tendo a mais a grande solidão. Depois, um homem que levou uma bofetada na cara e no entanto sorri beato porque ao mesmo tempo a bofetada lhe deu de presente uma cara que ele não suspeitava. Depois, aos poucos, você começa, sonso, a fazer casa e a tomar as primeiras intimidades impudicas com a liberdade: você só não voa porque não quer, e quando se senta numa pedra é porque em vez de voar sentou-se. E depois?

Depois, como agora, o que Martim sentado experimentava era uma orgia muda na qual havia o virginal desejo de aviltar tudo o que é aviltável; e tudo era aviltável, e esse aviltamento seria um modo de amar. Estar contente era um modo de amar; sentado, Martim estava muito contente.

E depois? Bem, só mesmo o que aconteceria depois é que iria dizer o que aconteceria depois. Por enquanto o homem fugido ficou sentado na pedra porque se quisesse poderia não se sentar na pedra. O que lhe dava a eternidade de um pássaro pousado.

Depois do que, Martim se ergueu. E sem questionar o que fazia, ajoelhou-se diante de uma árvore seca para examinar seu tronco: não parecia mais precisar de raciocinar para resolver, tinha-se desembaraçado disso também. Tirou pois um pedaço de casca meio solta, esmigalhou-a entre os dedos com uma atenção um pouco afetada, agindo como diante de um público. E tendo sido este o seu estudo do modo peculiar como aquilo que se desconhece se organiza, Martim ergueu-se como a uma ordem e continuou a marcha.

Foi mais além que estacou diante do primeiro passarinho.

Desenhado na grande luz estava um passarinho. Como Martim estava livre, essa foi a questão: na luz o passarinho. Com o zelo minucioso a que já estava se habituando, ele se pôs incontinenti a trabalhar gulosamente com esse fato.

O passarinho negro estava pousado num ramo baixo, à altura de seus olhos. E impedido de voar pelo olhar abrutalhado do homem, mexia-se cada vez menos à vontade, tentando não encarar o que estava para lhe acontecer, alternando nervosamente o apoio do corpo numa ou noutra pata. Assim os dois ficaram se defrontando. Até que com mão pesada e potente o homem pegou-o sem machucá-lo, com a bondade física que tem uma mão pesada.

O pássaro tremia todo na concha da mão sem ousar piar. O homem olhou com uma curiosidade grosseira e indiscreta a coisa na sua mão como se tivesse aprisionado um punhado de asas vivas. Aos poucos o pequeno corpo dominado deixou de tremer e os olhos miúdos se fecharam com uma doçura de fêmea. Agora, contra os dedos extremamente auditivos do homem, somente a batida diminuta e célere do coração indicou que a ave não morrera e que o aconchego a resignara enfim a descansar.

Espantado com a perfeição automática do que lhe estava acontecendo, o homem rosnou olhando para o pequeno bicho – a satisfação fê-lo rir alto, com a cabeça inclinada para trás, o que fez sua cara defrontar o grande sol. Depois deixou de rir como se isso tivesse sido uma heresia. E compenetrado com sua tarefa, a mão semicerrada deixando de fora apenas a cabeça dura e aguda da ave, o homem recomeçou a andar com muita força tomando conta do companheiro. A única coisa que nele pensava era o ruído dos próprios sapatos ecoando na cabeça que o sol agora tranquilamente incendiava.

E em breve, com a sequência dos passos, de novo o gosto físico de estar andando começou a tomá-lo, e também um prazer mal discernido como se ele tivesse ingerido uma droga afrodisíaca que o fizesse querer não uma mulher, mas responder ao tremor do sol. Nunca estivera tão perto do sol, e andava cada vez mais depressa segurando à frente de si a ave como se fosse levá-la antes que o correio fechasse. A vaga missão o inebriava. A leveza que vinha da sede de repente tomou-o em êxtase:

– É, sim! disse alto e sem sentido, e parecia cada vez mais glorioso como se fosse cair morto.

Olhou em torno de si para o círculo perfeito que, num horizonte estarrecido, o céu de luzes fazia ao se unir a uma terra cada vez mais suave, cada vez mais suave, cada vez mais suave... A suavidade incomodou o homem com um prazer de cócega, "é, sim!", e ele livre, libertado pelas suas próprias mãos – pois de súbito pareceu-lhe que fora isso o que lhe sucedera há duas semanas.

Então repetiu com inesperada certeza: "é, sim!" Cada vez que dizia essas palavras estava convencido de que aludia a alguma coisa. Fez mesmo um gesto de generosidade e largueza com a mão que segurava o passarinho, e magnânimo pensou: "eles não sabem a que estou me referindo".

Depois – como se pensar tivesse se reduzido a ver, e a confusão de luz tivesse tremido nele como em água – ocorreu-lhe em refração confusa que ele mesmo esquecera ao que aludia. Mas estava tão obstinadamente convencido de que se tratava de algo da maior importância, embora tão vasto que já não lhe era mais discernível, que respeitou com altivez a própria ignorância e aprovou-se feroz: "é, sim".

– Você não sabe mais falar?!

O homem estacou boquiaberto. Como se lhe tivesse sido jogado à frente, reviu o rosto impaciente de mulher que uma vez assim o interpelara só porque ele não lhe respondera. Da primeira vez a frase soara como uma frase entre outras – enquanto bondes se arrastavam e o rádio ininterrupto tocava e a mulher sem cessar ouvia o rádio com desfastio e esperança, e ele um dia quebrara o rádio enquanto os bondes se arrastavam, e no entanto o rádio e a mulher nada tinham a ver com a minuciosa raiva de um homem que provavelmente já tinha em si o fato de que um dia teria que começar pelo exato começo, ele que agora começava pelo domingo.

Mas desta vez a simples frase irritada, ao soar no vermelho silêncio do descampado, fê-lo estacar com tal perplexidade que o passarinho acordou mexendo asas aflitas na sua mão. Aparvalhado, Martim olhou-o, espantado de ter um pássaro na mão. A embriaguez do sol fora subitamente cortada.

Sóbrio, ele olhou com modéstia a coisa na sua mão. Depois olhou o descampado dominical com suas pedras silenciosas. Estivera dormindo profundamente enquanto andara e pela primeira vez acordava. E como se nova onda de mar se rebentasse contra as rochas, a claridade se impôs.

O homem olhou dócil o passarinho. Sem comando próprio, seus dedos agora inocentes e curiosos deixaram-se obedecer aos movimentos extremamente vivos da ave, e abriram-se inertes: o pássaro voou numa faísca de ouro como se o homem o tivesse lançado. E empoleirou-se inquieto na pedra mais alta. De lá olhava o homem, piando sem cessar.

Por um instante paralisado, Martim olhou-o e olhou as próprias mãos que, vazias, o olhavam atônitas. Recuperando-se, porém, correu furioso para o passarinho, e assim o perseguiu por algum tempo, o coração batendo de cólera, os sapatos impacientes tropeçando nos pedregulhos, a mão se arranhando numa queda que fez uma pedrinha rolar em vários pulos secos até emudecer...

A quietude que se seguiu foi tão oca que o homem procurou ouvir ainda um último baque da pedra para calcular a profundidade do silêncio onde ele a lançara.

Até que uma vaga de grande luz desfez a tensão da expectativa, e Martim pôde olhar a mão. Esta ardia, e o sangue porejava fino. Esquecido da perseguição, muito interessado agora, seus lábios secos chuparam o arranhão com uma avidez de carinho como uma pessoa que está só. Ao mesmo tempo que lhe despertou a sede, o sangue na boca deu-lhe uma atitude guerreira que logo em seguida passou.

Quando o homem enfim ergueu os olhos, o passarinho perturbado o esperava como se só tivesse lutado porque pretendia ceder. Martim estendeu a mão ferida e pegou-o com uma firmeza sem esforço. Dessa vez a ave agitou-se menos e, reconhecendo o antigo abrigo, acomodou-se para adormecer. Com o leve peso a carregar, o homem continuou sua marcha entre pedras.

– Não sei mais falar, disse então para o passarinho, evitando olhá-lo por uma certa delicadeza de pudor.

Só depois pareceu entender o que dissera, e então olhou face a face o sol. "Perdi a linguagem dos outros", repetiu então bem devagar como se as palavras fossem mais obscuras do que eram, e de algum modo muito lisonjeiras. Estava serenamente orgulhoso, com os olhos claros e satisfeitos.

Então o homem se sentou numa pedra, ereto, solene, vazio, segurando oficialmente o pássaro na mão. Porque alguma coisa estava lhe acontecendo. E era alguma coisa com um significado.

Embora não houvesse um sinônimo para essa coisa que estava acontecendo.

Um homem estava sentado. E não havia sinônimo para nenhuma coisa, e então o homem estava sentado. Assim era. O bom é que era indiscutível. E irreversível.

É verdade que aquela coisa que lhe estava acontecendo tinha um peso a se suportar – ele bem reconheceu o peso familiar. Era como o peso dele próprio. Embora fosse alguma coisa ímpar: aquele homem parecia não ter mais nada equivalente a pôr no outro prato da balança. Vagamente ele conhecia isso. No seu antigo apartamento às vezes tivera esse incômodo misturado com prazer e atenção – que sempre resultara em alguma decisão que nada tinha a ver com o sentimento embaraçador. Nunca o sentira, é verdade, com essa nitidez final de descampado. No que era ajudado pela própria sombra que o delimitava sem equívocos no chão.

Aquela coisa que ele estava sentindo devia ser, em última análise, apenas ele mesmo. O que teve o gosto que a língua tem na própria boca. E tal falta de nome como falta nome ao gosto que a língua tem na boca. Não era, pois, nada mais que isso.

Mas, a essa coisa, uma pessoa ficava um pouco atenta; e ficar atenta a isso, era ser. Assim, pois, no seu primeiro domingo, ele era.

O que, no entanto, começou a ficar um pouco intenso. O homem então se mexeu inconfortável na pedra, respondendo fisicamente à imaterialidade da própria tensão, como faz uma pessoa que se perturbou. E se assim fez era porque, embora não se conhecesse, era familiar a ele mesmo a ponto de saber como responder. Isso porém não bastou. Olhou então ao redor, como quem procura o contraponto de uma mulher. Mas não havia um sinônimo sequer para um homem sentado com um pássaro na mão.

Então, paciente e digno, esperou que a coisa passasse sem que ele ao menos a tocasse.

É que aquele homem sempre tivera uma tendência a cair na profundidade, o que um dia ainda poderia levá-lo a um abismo: por isso sabiamente tomou a precaução de abster-se. Sua contenção, à crosta facilmente quebrável da profundidade, lhe deu o prazer da contenção. Sempre fora um equilíbrio difícil, o seu, o de não cair na voracidade com que vagas e vagas o esperavam. Todo um passado estava apenas a um passo da extrema cautela com que aquele homem procurava se manter apenas vivo, e nada mais – assim como o animal brilha apenas nos olhos, mantendo atrás de si a vasta alma intocada de um animal. Então, sem tocá-la, ele se dispôs a esperar impassível que a coisa passasse.

Antes que passasse, ele involuntariamente a reconheceu. Aquilo – aquilo era um homem pensando... Então com infinito desagrado, fisicamente atrapalhado, ele se lembrou no corpo de como é homem pensando. Homem pensando era aquilo que, ao ver algo amarelo, dizia com esforço deslumbrado: essa coisa que não é azul. Não que Martim tivesse chegado propriamente a pensar – mas o reconhecera como se reconhece na forma das pernas imóveis o possível movimento. E mais que isso ele reconheceu: essa coisa na verdade estivera durante toda a fuga com ele. Fora apenas por desleixo que quase a deixara agora se alastrar.

Então, sobressaltado, como se em alarme tivesse reconhecido a volta insidiosa de um vício, teve tal repugnância pelo fato de ter quase pensado que apertou os dentes em dolorosa careta de fome e desamparo – virou-se inquieto para todos os lados do descampado procurando entre as pedras um meio de recuperar a sua potente estupidez anterior que para ele se havia tornado fonte de orgulho e domínio.

Mas o homem estava perturbado: então não seria uma pessoa capaz de dar dois passos livres sem cair no mesmo erro fatal? pois o velho sistema de inutilmente pensar, e de mesmo comprazer-se em pensar, tentara voltar: sentado na pedra com o passarinho na mão, por descuido até prazer ele tivera. E, se se descuidasse um minuto mais, recuperaria numa só golfada sua existência anterior: quando pensar fora a ação inútil e o prazer apenas vergonhoso. Desamparado, mexeu-se na pedra quente: parecia procurar um argumento que o protegesse. Precisava defender o que, com enorme coragem, conquistara há duas semanas. Com enorme coragem, aquele homem deixara enfim de ser inteligente.

Ou fora-o realmente alguma vez? a dúvida feliz fê-lo piscar os olhos com grande esperteza – pois se ele conseguisse se provar que nunca tinha sido inteligente, então se revelaria também que seu próprio passado fora outro, e se revelaria que alguma coisa no fundo dele próprio sempre fora inteiro e sólido.

"Na verdade", pensou então experimentando com cuidado esse truque de defesa, "na verdade apenas imitei a inteligência assim como poderia nadar como um peixe sem o ser!" O homem se mexeu contente: imitei? mas sim! Pois se, imitando o que seria ganhar o primeiro lugar no concurso de estatística, ele ganhara o primeiro lugar no concurso de estatística! Na verdade, concluiu então muito interessado, apenas imitara a inteligência, com aquela falta essencial de respeito que faz com que uma pessoa imite. E com ele, milhões de homens que copiavam com enorme esforço a ideia que se fazia de um homem, ao lado de milhares de mulheres que copiavam atentas a ideia que se fazia de mulher e milhares de pessoas de boa vontade copiavam com esforço sobre-humano a própria cara e a ideia de existir; sem falar na concentração angustiada com que se imitavam atos de bondade ou de maldade – com uma cautela diária em não escorregar para um ato verdadeiro, e portanto incomparável, e portanto inimitável, e portanto desconcertante. E enquanto isso, tinha alguma coisa velha e podre em algum lugar inidentificável da casa, e a gente dorme inquieta, o desconforto é a única advertência de que se está copiando, e nós nos escutamos atentos embaixo dos lençóis. Mas tão distanciados estamos pela imitação que aquilo que ouvimos nos vem tão sem som como se fosse uma visão que fosse tão invisível como se estivesse nas trevas que estas são tão compactas que mãos são inúteis. Porque mesmo a compreensão, a pessoa imitava. A compreensão que nunca fora feita senão da linguagem alheia e de palavras.

Mas restava a desobediência.

Então – através do grande pulo de um crime – há duas semanas ele se arriscara a não ter nenhuma garantia, e passara a não compreender.

E sob o sol amarelo, sentado numa pedra, sem a menor garantia – o homem agora se rejubilava como se não compreender fosse uma criação. Essa cautela que uma pessoa tem de transformar a coisa em algo comparável e então abordável, e, só a partir desse momento de segurança, olha e se permite ver porque felizmente já será tarde demais para não compreender – essa precaução Martim perdera. E não compreender estava de súbito lhe dando o mundo inteiro.

Que era inteiramente vazio, para falar a verdade. Aquele homem rejeitara a linguagem dos outros e não tinha sequer começo de linguagem própria. E no entanto, oco, mudo, rejubilava-se. A coisa estava ótima.

Então, para começo de conversa, a pessoa se sentava na pedra no domingo.

E de tal modo, com perverso gosto, o homem se sentia agora longe da linguagem dos outros que, por um atrevimento que lhe veio da segurança, tentou usá-la de novo. E estranhou-a, como um homem que escovando sóbrio os dentes não reconhece o bêbedo da noite anterior. Assim, ao remexer agora com fascínio ainda cauteloso na linguagem morta, ele tentou por pura experiência dar o título antigamente tão familiar de "crime" a essa coisa tão sem nome que lhe sucedera.

Mas "crime?" A palavra ressoou vazia no descampado, e também a voz da palavra não era sua. Então, finalmente convencido de que não seria capturado pela linguagem antiga, ele experimentou ir um pouco mais longe: sentira por acaso horror depois de seu crime? O homem apalpou com minúcia sua memória. Horror? e no entanto era o que a linguagem esperaria dele.

Mas também horror se tornara palavra de antes do grande pulo cego que ele dera com o seu crime. O pulo tinha sido dado. E o salto fora tão grande que terminara se transformando no único acontecimento com o qual ele podia e queria lidar. E até os motivos do crime haviam perdido a importância.

A verdade é que o homem com sabedoria abolira os motivos. E abolira o próprio crime. Tendo certa prática de culpa, sabia viver com ela sem ser incomodado. Já cometera anteriormente os crimes não previstos pela lei, de modo que provavelmente considerava apenas dureza da sorte ter há duas semanas executado exatamente um que fora previsto. Uma boa educação cívica e um longo treinamento de vida o haviam adestrado a ser culpado sem se trair, não seria uma tortura qualquer que faria com que sua alma se confessasse culpada, e muito seria necessário para fazer um herói finalmente chorar. E quando isso acontece é um espetáculo deprimente e repugnante que não suportamos sem nos sentirmos traídos e ofendidos: quem nos representa é imperdoável. Acontece que, por circunstâncias especiais, em duas semanas aquele homem se tornara um duro herói: ele representava a si mesmo. A culpa não o atingia mais.

"Crime"? Não. "O grande pulo" – estas sim pareciam palavras dele, obscuras como o nó de um sonho. Seu crime fora um movimento vital involuntário como o reflexo do joelho à pancada: todo o organismo se reunira para que a perna, de súbito incoercível, tivesse dado o pontapé. E ele não sentira horror depois do crime. O que sentira então? A espantada vitória.

Fora isso: ele sentira vitória. Com deslumbramento, vira que a coisa inesperadamente funcionava: que um ato ainda tinha o valor de um ato. E também mais: com um único ato ele fizera os inimigos que sempre quisera ter – os outros. E mais ainda: que ele próprio se tornara enfim incapacitado de ser o homem antigo pois, se voltasse a sê-lo, seria obrigado a se tornar o seu próprio inimigo – uma vez que na linguagem de que até então vivera ele simplesmente não poderia ser amigo de um criminoso. Assim, com um único gesto, ele não era mais um colaborador dos outros, e com um único gesto cessara de colaborar consigo mesmo. Pela primeira vez Martim se achava incapacitado de imitar.

Sim. Naquele instante de espantada vitória o homem de repente descobrira a potência de um gesto. O bom de um ato é que ele nos ultrapassa. Em um minuto Martim fora transfigurado pelo seu próprio ato. Porque depois de duas semanas de silêncio, eis que ele muito naturalmente passara a chamar seu crime de "ato".

É verdade que a sensação de vitória lhe durara apenas uma fração de segundo. Logo depois ele não tivera mais tempo: num ritmo extraordinariamente perfeito e lubrificado, seguira-se o profundo entorpecimento de que ele tinha precisado para que nascesse esta sua inteligência atual. Que era grosseira e esperta como a de um rato. Nada além disso. Mas pela primeira vez utensílio. Pela primeira vez sua inteligência tinha consequências imediatas. E de tal modo se tornara posse total sua que ele pudera habilidosamente especializá-la em garanti-lo, e em garantir sua vida. Tanto que instantaneamente passara a saber como fugir como se tudo o que tivesse feito até agora na vida diária não tivesse sido senão ensaio indistinto para a ação. E então aquele homem se tornara finalmente real, um rato verdadeiro, e qualquer pensamento dentro dessa inteligência nova era um ato, embora rouco como de voz ainda nunca usada. Era pouco o que ele era agora: um rato. Mas enquanto rato, nada nele era inútil. A coisa era ótima e profunda. Dentro da dimensão de um rato, aquele homem cabia inteiro.

Sim; tudo isso se seguira ao crime a um tal ponto de perfeição que Martim não tivera sequer tempo de pensar no que fizera. Mas antes – durante uma fração de segundo – antes a vitória. Porque um homem um dia tinha que ter a grande cólera.

Ele a tivera. E pela primeira vez, com candura, admirara-se a si mesmo como um menino que se descobre nu ao espelho. Aparentemente, com o acúmulo de pensamentos de bondade sem a ação da bondade, com o pensamento de amor sem o ato de amor, com o heroísmo sem o heroísmo, sem falar de certa crescente imprecisão de existir que terminara se tornando o impossível sonho de existir – aparentemente aquele homem terminara por esquecer que uma pessoa pode agir. E ter descoberto que na verdade já tinha involuntariamente agido, dera-lhe de repente um mundo tão livre que ele se estonteara na vitória.

Aquele homem não se questionara sequer se havia quem pudesse agir sem ser por intermédio de um crime. O que teimosamente sabia, apenas, é que um homem tinha que ter um dia a grande cólera.

– Eu era como qualquer um de vocês, disse então muito subitamente para as pedras pois estas pareciam homens sentados.

Dito isto, Martim de novo mergulhou num silêncio total como meditação. Estava rodeado de pedras. O vento que soprava ardente transpassava-o como ao descampado. Oco e tranquilo, ele olhou a luz oca e tranquila. O mundo era tão grande que ele estava sentado. Por dentro tinha o vazio ressonante de uma catedral.

– Imaginem – recomeçou então inesperadamente quando estava certo de que nada mais tinha a lhes dizer – imaginem uma pessoa que tenha precisado de um ato de cólera, disse para uma pedra pequena que o olhava com um rosto calmo de criança. Essa pessoa foi vivendo, vivendo; e os outros também imitavam com aplicação. Até que a coisa foi ficando muito confusa, sem a independência com que cada pedra está no seu lugar. E não havia sequer como fugir de si porque os outros concretizavam, com impassível insistência, a própria imagem dessa pessoa: cada cara que essa pessoa olhava repetia em pesadelo tranquilo o mesmo desvio. Como explicar a vocês – que têm a calma de não ter futuro – que cada cara tinha falhado, e que esse fracasso tinha em si uma perversão como se um homem dormisse com outro homem e assim os filhos não nascem. "A sociedade estava tão chata", como disse minha mulher – lembrou-se o homem sorrindo com muita curiosidade. Havia um erro e não se sabia onde estava. Uma vez eu estava comendo num restaurante, contou o homem animando-se de súbito. Não, não, estou mudando de assunto! descobriu surpreendido, pois seu pai é que sempre tivera certa tendência a mudar de assunto e mesmo na hora de morrer havia virado o rosto para um lado.

– Imaginem uma pessoa – continuou então – que não tinha coragem de se rejeitar: e então precisou de um ato que fizesse com que os outros a rejeitassem, e ela própria então não pudesse mais viver consigo.

O homem riu com os lábios ressecados ao usar o truque de se mascarar sob o título de outra pessoa, o que no momento lhe pareceu muito bom como golpe de esperteza; então ficou satisfeito como sempre que conseguia enganar alguém. Talvez tivesse vaga consciência de que estava representando e se vangloriando, mas fingir era uma nova porta que, no primeiro esbanjamento de si mesmo, ele podia se dar ao luxo de abrir ou fechar.

– Imaginem uma pessoa que era pequena e não tinha força. Ela na certa sabia muito bem que toda a sua força reunida, tostão por tostão, só seria suficiente para comprar um único ato de cólera. E na certa também sabia que esse ato teria que ser bem rápido, antes que a coragem acabasse, e teria mesmo que ser histérico. Essa pessoa, então, quando menos esperava, executou esse ato; e nele investiu toda a sua pequena fortuna.

Bastante espantado com o que acabara de pensar, o homem se interrompeu com curiosidade: "então foi isso o que me aconteceu?" Era a primeira vez que lhe ocorria.

É verdade que até agora ele não tivera sequer tempo de pensar no seu crime. Mas, abordando-o enfim neste instante, abordara-o de um modo que faria com que nenhum tribunal o reconhecesse. Estaria ele descrevendo seu crime como um homem que pintasse num quadro uma mesa – e ninguém a reconhecesse porque o pintor a pintara do ponto de vista de quem está embaixo da mesa?

Que é que aquele homem, em duas semanas apenas, terminara por fazer do próprio crime?

Ainda se perguntou com uns restos de escrúpulo: "foi isso mesmo o que me aconteceu?" Mas um segundo depois era tarde demais: se esta não era a verdade, passaria a sê-la. O homem sentiu com alguma gravidade que este instante era muito sério: de agora em diante era unicamente com esta verdade que ele passaria a lidar.

O que lhe escapou era se explicara desse modo seu crime porque assim realmente acontecera – ou se porque todo ele estava pronto para esse tipo de realidade. Ou, mesmo, se estaria dando falsas razões por mera esperteza de fugitivo que se defende. Mas um longo passado de embotamento tendencioso não lhe permitia ainda saber em que lugar de si seus dedos sentiriam a veia responder como esta responde quando se toca na verdade do sonho. E por enquanto ele era alguém ainda muito recente, de modo que tudo o que disse não somente lhe pareceu ótimo, como ele caía, deslumbrado apenas pelo fato de ter conseguido caminhar sozinho.

Na verdade, nesse instante, sua única ligação direta com o crime concreto foi um pensamento de extrema curiosidade: "como é que isso pôde acontecer a mim?" Sentia-se inferior aos acontecimentos que ele criara com o crime. Pois rebentara com seu hábito de vida, infelicidade que só costuma acontecer com os outros. E de súbito não eram somente palavras que lhe tinham acontecido. Martim estava sinceramente espantado pelo fato da desgraça também o ter atingido e – mais que isto – que ele estivesse por assim dizer à altura dela. Tinha certa vaidade de enfim lhe ter acontecido o crime até então apenas dos outros.

O homem continuou a olhar a mesa de baixo para cima – e o que importava é que ele a reconhecia. É verdade que a fome também tornava qualquer esforço seu muito penoso; as pedras, no entanto, aguardavam intransigentes um prosseguimento. Então, para fazê-lo repousar, sua cabeça sabiamente se enevoou um pouco.

Depois do que, Martim recomeçou mais devagar e procurou pensar com muito cuidado pois a verdade seria diferente se você a dissesse com palavras erradas. Mas se você a disser com as palavras certas, qualquer pessoa saberá que aquela é a mesa sobre a qual comemos. De qualquer modo, agora que Martim perdera a linguagem, como se tivesse perdido o dinheiro, seria obrigado a manufaturar aquilo que ele quisesse possuir. Ele se lembrou de seu filho que lhe dissera: eu sei por que é que Deus fez o rinoceronte, é porque Ele não via o rinoceronte, então fez o rinoceronte para poder vê-lo. Martim estava fazendo a verdade para poder vê-la.

Oh, é bem possível que ele estivesse mentindo para as pedras. Sua única inocência, ao lado do hábito tendencioso de mentir, estava em que ele ignorava em que ponto exato estava a sua mentira. Então, diante dessa ambiguidade, sua cabeça defensivamente se enevoou ainda mais. E, por um pequeno truque que trouxera de antes do grande pulo, ele se tornou um ingênuo.

Refeito, então, recomeçou o seu sermão para as pedras:

– Com um ato de violência essa pessoa de quem estou falando matou um mundo abstrato e lhe deu sangue.

E isso ele disse com a resignação estoica de quem já deu um jeito de fazer com que a ênfase não esteja mais em mentir ou falar a verdade. Aquele homem acabara de se desprender definitivamente. Depois do que, ficou muito satisfeito olhando. A coisa estava ficando cada vez melhor. De baixo para cima, ele reconhecia cada vez mais a mesa.

E agora, sentado na pedra com um passarinho na mão, com a boca seca de sede, com os olhos ardendo – depois de seu crime, aquele homem nunca mais precisaria de nenhuma revolta. Desta hora em diante teria a oportunidade de viver sem fazer o mal porque já o fizera: ele era agora um inocente.

Quem sabe se com seu crime impremeditado nem pretendera ir tão longe. Mas também isso lhe viera: ele se tornara um inocente. E, por Deus, jamais pretendera tanto: mas também se livrara de uma certa piedade sufocadora pois ele agora já não era mais um culpado – "se é que você está me entendendo", pensou com fatuidade compenetrada, pois ele se livrara da grande culpa materializando-a. E agora, que enfim fora banido, estava livre. Ele era enfim um perseguido. O que lhe dava todas as possibilidades dos que se desesperam. "Matei vários coelhos numa só cajadada", disse.

As grandes e pequenas pedras esperavam. Martim estava muito confiante porque, não sendo seu auditório mais inteligente que ele, ele se sentiu à vontade. Aliás aquele homem nunca tivera auditório, por estranho que parecesse. É que nunca se lembrara de organizar sua alma em linguagem, ele não acreditava em falar – talvez com medo de, ao falar, ele próprio terminar por não reconhecer a mesa sobre a qual comia. Se agora falava é que não sabia para onde ia, nem sabia o que ia lhe acontecer, e isso o colocava no próprio coração da liberdade. Sem mencionar o fato de que a sede o excitava como um ideal.

Além do mais, o auditório improvisado não tinha cultura, e ele então abusou dele assim como se habituara sadiamente a abusar de um inferior e a ser abusado por superiores. Sua própria falta de cultura sempre o encabulara, ele costumara fazer interminavelmente uma lista sempre renovada dos livros que pretendera ler mas sempre aparecia obra nova e isso o embaraçava, ele que não dava sequer conta dos jornais; pretendera até se aprofundar em "psicologia coletiva" já que sempre lidara com números e já que sempre fora um homem que facilmente imitava a inteligência: mas nunca tivera tempo, sua mulher o arrastava para o cinema, para onde ele ia com alívio.

As pedras esperavam. Algumas eram arredondadas e mortas como pedras da lua; eram de algum modo vesgas, pacientes, aquelas crianças. Mas as outras eram pedrarias do sol e olhavam direto. "Como joias", pensou, pois ele sempre tivera uma tendência geral a comparar coisas com joias. As pedras esperavam a continuação do que ele começara a pensar. De vez em quando elas tinham um relance de extrema vida que transmitia ao homem um doloroso impulso de felicidade vazia. "Acho", pensou ele de repente, "que até morrer serei sempre muito feliz".

O sol lhe doía fundo na cabeça, e o homem se forçou de novo a falar porque sentira em si uma dura facilidade – como quando se tem alguma coisa a dizer embora não se saiba de que modo, mas quando esse mínimo de inspiração nos dá força para a busca difícil. Mesmo ele queria falar porque não há uma lei que impeça um homem de falar.

E por enquanto o que fascinava Martim era qualquer ausência de impedimentos. Além do mais, ele bem sabia que o mundo era tão grande que em breve ele seria mesmo obrigado a se restringir. As pedras esperavam, vindas de todas as partes para a conspiração – para a qual ele trazia, como um viajante, as últimas notícias. Umas pedras eram pequenas e infantis, outras grandes e pontudas, todas sentadas no comício da inocência. Era um auditório desigual onde se misturavam infância e maturidade.

– Infância e maturidade, disse-lhes então de repente. No entanto houve uma época em que o mundo era liso como a pele de uma fruta lisa. Nós, os vizinhos, não a mordíamos porque seria fácil morder, e havia tempo. A vida naquele tempo ainda não era curta. E enquanto isso – as árvores cresciam. As árvores cresciam como se não houvesse no mundo senão árvores crescendo. Até que o sol escureceu, gente se aproximou, poços se multiplicaram e os mosquitos saíam do coração das flores: estava-se crescendo. Era-se maduro. Era mais rico e amedrontador, de algum modo tornou-se muito mais "vale a pena". As noites tornaram-se mais longas, pai e mãe foram renegados, havia uma sede ruim de amor. O reinado era o do medo. E não bastava mais ter nascido: era o heroísmo nascendo. Mas a eloquência soava mal. As pessoas se chocavam no escuro, toda luz desorientava cegando, e a verdade só servia para um dia. Todas as nossas dificuldades esbarravam logo com uma solução. Estávamos perdidos com as soluções que nos antecediam, para falar a verdade o mundo nos antecedia a cada passo. Em poucos segundos uma ideia se tornava original: quando víamos uma fotografia com sombra e luz e paralelepípedos molhados pela chuva, exclamávamos unânimes e cansados: esta é muito original. Tudo estava profundo e podre, pronto para o parto, mas a criança não nascia. Não digo que não era bom – era ótimo! mas era como se a pessoa só pudesse olhar, e sábado de noite seria aquele inferno de vontade generalizada se não houvesse pôquer. No entanto nada parava jamais, trabalhava-se mesmo de noite. O poder tornara-se grande; as mãos inteligentes. Todos eram poderosos, todos eram tiranos e eu nunca deixei ninguém pisar no meu pé, minha astúcia se tornou grande com auxílio de certa prática. Embora houvesse os que, apesar de maduros, tinham – "tinham como uma lepra a infância devorando o peito".

Esta última frase o homem disse com vaidade porque lhe pareceu que organizara com alguma perfeição as palavras. Certamente o que fez Martim experimentar essa perfeição foi o fato de suas palavras terem de algum modo ultrapassado o que ele quisera dizer. E, embora se sentindo ludibriado por elas, preferiu o que dissera ao que realmente pretendera dizer, por causa do modo muito mais certo como as coisas nos ultrapassam. O que também lhe deu, no mesmo instante, uma impressão de fracasso; e de resignação ao modo como acabara de se vender a uma frase que tinha mais beleza que verdade. A primeira coisa que ele estava esbanjadoramente comprando com seu novo dinheiro era um público – mas este já o forçara a uma verdade organizada. O que o desapontou com alguma curiosidade. É que só uma vez, anteriormente, ele falara: tinha bebido e fizera um discurso numa casa alegre onde as mulheres também pareciam joias sentadas porque já era de madrugada e o trabalho terminara, e elas eram infantis e maduras.

– Sim, embora houvesse os que tinham a infância no peito, como se somente na memória estivesse o nosso futuro – informou ele às pedras. Mas também é verdade que os momentos de doçura eram muito intensos. E também é verdade que uma música ouvida antigamente podia fazer parar toda a máquina e estatelar por um instante o mundo. "Um minuto de silêncio", dizia o rádio de minha mulher, "pela morte do general". Havia um mal-estar danado nesse instante, ninguém se olhava embora não conhecêssemos o general. Era-se infeliz com toda a força da virilidade. Não havia aliás outro modo de ser adulto, e a gente gozava e aproveitava, ninguém era tolo. É verdade que de vez em quando alguém falava excepcionalmente baixo. Pois todos vinham correndo dos cantos mais opostos para ouvir a voz baixa. Mas a verdade é que todos sofriam por não poder dar um depoimento e por não assinar também.

– Mas – disse o homem um pouco ofendido com a naturalidade impassível com que as pedras aceitariam o que quer que ele lhes dissesse, ele tinha prática dos estrangeiros que "nada têm a ver com isso" e apenas tiram fotografias – mas o mundo também não era só isso! disse-lhes patriota. Havia também outras coisas muito boas! e era por isso que, muito do que aguentar, se queria tanto, oh como nós queríamos! E mesmo havia paredes descascando, disse o homem um pouco distraído perdendo o pé. Havia casas que ainda não tinham sido vendidas, e muita gente ainda não estudava línguas, disse ele com inveja dos que estudavam línguas. E mesmo – quando se atingia certo grau muito intenso de cansaço, como se tirássemos os sapatos, subitamente descortinava-se o mundo inteiro à frente. E mesmo uma vez ou outra – talvez porque se tivesse aberto a porta errada – entendia-se! O que fazia com que às vezes de novo não houvesse senão árvores crescendo, altas e tranquilas. E, sobretudo, sobretudo havia as crianças se levantando de nossos campos de batalha, frutos puros e fatais do amor ruim.

Depois que Martim disse o que tinha a dizer, apesar de estar satisfeito, sentiu-se cansado, como se houvesse um erro em alguma coisa que ele dissera – e ele fosse obrigado a fazer toda a infinita soma de algarismos de novo. Em algum ponto não identificável, aquele homem ficara preso num círculo de palavras. "Esquecera de informar alguma coisa?" As pedras iam certamente ter uma impressão falsa. Para quem nunca viu uma cabeleira, um fio de cabelo não era nada, e tirado de sua água, o peixe era apenas uma forma.

Por honestidade ele quis lhes esclarecer que sabia que era o sol que inchava suas palavras, e as tornava tão esturricadas e grandes; e que era o sol insistente, com seu silêncio insistente, que o fazia querer falar. Mas também sabia que se mencionasse o próprio cansaço, as pedras imediatamente deixariam de ouvir, porque afinal só as pessoas em pleno gozo de suas faculdades é que tinham direito, o que é muito justo. Mas como era importante para ele próprio o que ele lhes estava dizendo, e como não poderia lhes explicar que o cansaço estava apenas lhe servindo de instrumento, Martim preferiu não tocar no assunto.

Enquanto isso, continuava a sentir com incômodo que esquecera de dizer alguma coisa essencial, sem a qual as pedras nada entenderiam. O quê? Ah. "Que o tempo ia, enquanto isso, passando." Enquanto aquilo tudo, o tempo ia afortunadamente passando.

Esquecera também outra coisa? Esquecera de lhes dizer o que talvez invalidasse o seu direito de falar: que não tendo tido vocação, e sendo portanto livre de apelos, ele nunca se especializara realmente num desejo, e portanto jamais tivera um ponto de partida – o que certamente invalidava o modo como ele estava representando os outros para as pedras.

Bem, esquecera também de lhes dizer – mas isso não lhes diria porque seria logo mal interpretado e malvisto – que ele sempre aproveitara do que pudera aproveitar, pois nunca fora um tolo. Que dissera a um amigo que o negócio era mau, fizera ele próprio o negócio e ganhara uns bons cobres e sentira aquele bom triunfo no peito, insubstituível por qualquer outro prazer, e que faz com que um homem ame os seus semelhantes através do fato de tê-los vencido. Esquecera de contar que, prometendo uma vez casar, não deixara sequer o seu novo endereço. Mas, essa patifaria, só quem vive entende. E a pessoa se sente logo incompreendida quando explica. E assim o tempo ia afortunadamente passando, com os cachorros cheirando as esquinas.

O fato é que, depois que o homem se lembrou de tudo isso, começou a achar sua vida passada muito boa, e uma espécie de nostalgia encheu seu peito. Mas, também isso, só quem vive entende. Que poderia ele afinal dizer, e que uma pedra entendesse? "Que o tempo ia afortunadamente passando", pois tempo era o duro material da pedra.

O tempo ia afortunadamente passando. Até que acontecia como a comida que de dia se comeu e depois se vai dormir e no meio da noite a pessoa acorda vomitando. O tempo ia afortunadamente passando.

Mas, com o tempo passando, ao contrário do que seria de esperar, ele fora se tornando um homem abstrato. Como a unha que realmente nunca consegue se sujar: é apenas ao redor da unha que está o sujo; e corta-se a unha e não dói sequer, ela cresce de novo como um cacto. Ele fora se tornando um homem enorme. Como uma unha abstrata. Que se concretizava quando ocasionalmente ele fazia alguma vileza.

Sim, fora isso o que aos poucos começara a suceder – espantou-se o homem. Ao contrário de um natural apodrecimento – que seria obscuramente aceitável por um ser orgânico perecível – sua alma se tornara abstrata, e seu pensamento era abstrato: ele poderia pensar o que quisesse, e nada aconteceria. Era a imaculabilidade. Havia uma certa perversão em se tornar eterno. Seu próprio corpo era abstrato. E as outras pessoas eram abstratas: todos se sentavam nas cadeiras do cinema escuro, vendo o filme. Na saída do cinema – mesmo não esquecendo o doce vento que nos aguardava, e que nem sequer podeis imaginar pois nada tem a ver com o estúpido sol de que uma pedra é vítima e do qual passou a ser feita – na saída do cinema, ao doce vento, havia um homem em pé pedindo esmola, então dava-se a esmola abstrata sem olhar o homem que tem o nome perpétuo de mendigo. Depois ia-se dormir em camas abstratas que se sustentavam no aéreo por quatro pés; amava-se com alguma concentração; e dormia-se como uma unha que cresceu demais. Nós éramos eternos e gigantescos. Eu, por exemplo, tinha um vizinho enorme.

Tudo correndo tão bem! Cada vez mais purificado.

Mas no meio da noite de repente se acordava vomitando, perguntando-se entre uma náusea e outra – no meio da fantasmagórica revolução que é uma luz acesa na noite – o que é que durante o dia se comera que pudesse ter feito tanto mal. A unha cada vez maior, já não se podia fechar direito as mãos.

– Até que um dia, então, um homem se concretiza na grande cólera, disse-lhes Martim como se estivesse encarnando a própria lógica.

Até que um dia um homem saía para o mundo "para ver se é verdade". Antes de morrer, um homem precisa saber se é verdade. Um dia enfim um homem tem que sair em busca do lugar comum de um homem. Então um dia o homem freta o seu navio. E, de madrugada, parte.

– Quem é que nunca desejou viajar? disse Martim tentando penosamente transformar o que pensara em algo que ele próprio pudesse compreender: uma mesa onde se põem pratos em cima.

– Imaginem um homem..., disse então voltando com muita sensualidade à terceira pessoa.

Foi quando, entregue ao jogo, de repente tomou consciência deste com um choque de reconhecimento. Pois sentado na pedra, o que ele estava fazendo não era senão: pensar. Ele se tornara de novo um triângulo ao sol, talvez emblema desencarnado para as pedras desencarnadas, mas não para o rato vivo que ele queria ser.

Com um choque o homem olhou para as pedras que agora não passavam de pedras, e ele de novo não passava de um pensamento. Por um instante desamparado, por si mesmo preso em flagrante, o homem olhou para os lados. Mas já tinha avançado a tal ponto que não saberia como se livrar do vício inútil senão com o auxílio viciado de outro pensamento. Por um instante ele ainda procurou esse pensamento – o que mostrava até que ponto ainda se socorria do fato de ser a unha que risca a toalha e com a mesma unha apaga o que foi inscrito.

Mas no instante seguinte ele notou o processo. E porque aquele homem parecia não querer nunca mais usar o pensamento nem para combater outro pensamento – foi fisicamente que de súbito se rebelou em cólera, agora que enfim aprendera o caminho da cólera. Seus músculos se comprimiram selvagemente contra a imunda consciência que se abrira ao redor da unha. Ilógico, lutava primitivamente com o corpo, torcendo-se numa careta de dor e de fome, e com voracidade ele todo tentou se tornar apenas orgânico.

Quando a histeria da sede se acalmou, o suor escorria pelo rosto. Sua testa estava gelada, o esforço físico da luta deixara-o fraco e tonto. O sol rebentava fagulhas nas pedras. Débil, de estômago seco, Martim nunca vira nada tão brilhante como o sol quando brilha. O descampado branco de luz o rodeava. O silêncio tinha um estrondo dentro de si. Aquela luz ele vagamente reconheceu: era a luz excessiva de que ele vivera enquanto fora um homem.

Cansado, respirou fundo. Ainda um espasmo tardio o percorreu em cólica. E afinal o último movimento frenético estacou como uma convulsão de cavalo. Quando abriu a mão que duramente se contorcera – viu então que o passarinho estava morto.

O homem espiou-o. Até as pernas já pareciam velhas e estremeciam leves à brisa. O bico era duro. Sem a ânsia, a ave.

De novo a cólera do homem acabara de se tornar um crime. Olhou o pássaro com atenção. Estava admirado consigo mesmo. É que ele se tornara um homem perigoso. De acordo com as leis de caça, um animal ferido se torna um animal perigoso. Olhou o passarinho a quem amara. Matei-o, pensou curioso.

Então, como se tivesse feito alguma coisa definitiva, o homem sóbrio e tranquilo ergueu-se da pedra. O que havia de enlevo incontrolável num ato é que todo ato o ultrapassava. Com alguma relutância obrigou-se a se erguer, e quisesse ou não era forçado a ir agora de encontro à recompensa do que ele próprio criara. Devagar levantou-se, evitando pensar que matara exatamente o que mais amara.

E como se tivesse sobrevivido à morte do pássaro, impeliu-se a olhar o mundo naquilo que ele próprio acabara de o reduzir:

O mundo era grande.

Nesse mundo a verdura crescia sem sentido e pássaros famélicos voavam como num domingo. A árvore que ele viu era de pé. Na beleza do silêncio, a árvore. Foi assim que o homem profundamente viu. Olhou face a face a minúcia com que a beleza da árvore era inútil. Trezentas mil folhas tremiam na árvore tranquila. O ar tinha tanta graça excedente que o homem desviou os olhos. No duro chão empinavam-se os arbustos. E as pedras.

Era o que lhe restara.

Aquele homem ali em pé não percebia que lei comandava o vento áspero e o faiscar silencioso das pedras. Mas ter deposto as armas de homem entregava-o sem defesa à harmonia imensa do descampado. Também ele puro, harmonioso, e também ele sem sentido.

O que o surpreendia era a extraordinária paz do inferno. Nunca o imaginara com este silêncio que escutava cada gesto seu. Nem com a ingênua perseverança de uma árvore.

Nem com este sol enorme ao alcance da mão. Não essa coisa que não precisava dele e à qual ele acabara de se agregar como mais um astro.

Em seguida, visto o que uma pessoa pode ver, Martim depositou com alguma polidez o passarinho sob a grande árvore. A derradeira coisa a esquecer tinha sido morta.

Então recomeçou a andar como se soubesse para onde ia. Os passos ocupavam-no.

3

De tardinha Martim começou a imaginar – pela qualidade da terra mais fina e pelo encontro eventual de árvores com frutas – que se aproximava talvez de algum povoado. Tentou comer uma das frutas desconhecidas que, verdes e sem sumo, apenas lhe arranharam a boca ávida. Mas um ar mais fresco soprava, e trazia cheiro de água corrente. A terra ali era mais negra. E o encontro de samambaiaçu lhe deu uma sensação de molhado que arrepiou em lubricidade suas costas secas.

O próprio silêncio se tornara diferente. Embora o homem não percebesse nenhum som, os passarinhos voavam mais agitados como se ouvissem o que ele não ouvia. O homem parou atento. Havia um deslocamento de ar como se um dinossauro se transladasse lento em alguma parte do globo.

E, continuando a andar, por vezes o vento lhe trazia um clamor vago, uma reivindicação mais intensa. Era um alarme de vida que delicadamente alertou o homem. Mas com o qual ele nada soube fazer como se visse uma flor se entreabrir e apenas olhasse.

Martim mal e mal constatou a própria sensação, tendo o cuidado de não constatar demais e deixar de perceber.

O desfeito alarido lhe chegava como se de muito longe lhe soprassem perto do ouvido: foi esta a obscura noção de distância que ele teve, e parou farejando. Embaraçadamente entregue ao recurso de si mesmo, parecia tentar usar o próprio desamparo como bússola. Experimentou calcular se estaria perto ou infinitamente longe daquilo que acontecia em algum lugar. Mal parava, e de novo o silêncio do sol se refazia e o desorientava.

Provavelmente aquela coisa para a qual, incerto, o homem caminhava era apenas criada pela sua ânsia. E aquele modo intenso de querer se aproximar – pois solto no campo de luz o que aquele homem parecia apenas querer era obscuramente se aproximar – na certa seu modo desajeitado de querer se aproximar não passava de um substituto à sua ausência de linguagem. Quem sabe se "querer" seria de agora em diante a sua única forma de pensar. Martim continuou a avançar, sem se dar conta de que apressava os passos em direção a nada mais que a uma alusão do vento.

Até que inesperadamente este lhe trouxe de novo, numa conquista de sua própria extrema atenção, a mesma espécie de desabitada estridência como se a claridade de tão insistente se tivesse tornado audível. O homem então estacou, anulando-se cauteloso. E o rosto inteiro procurou captar o rumo dessa outra qualidade de silêncio. Mas então só o ar vazio bateu nos seus cabelos. Sua acuidade auditiva parecia ter alcançado uma graça de invenção – mas exatamente quando sua receptividade se tornou a mais fina, ele nada teve a ouvir.

Como a brisa soprava da esquerda, ele concentradamente se desviou do caminho que seguia – e muito aplicado, com a minuciosidade de um artesão, procurou andar de modo a sempre senti-la em pleno rosto. Foi assim que seu rosto tateante procurou seguir o caminho aberto no ar e que prometia – o quê? O vento, o vento talvez. O homem não tinha nenhum plano formado e, como arma, parecia ter apenas o fato de estar vivo. Na tarde mais tranquila, ele agora caíra numa clarividência vazia e humildemente intensa que o deixava corpo a corpo com o pulso mais íntimo do desconhecido. Sua vontade continuou a avançar.

Agora, gradativamente mais sistemático, cada vez que o vento principiava a lhe bater apenas numa das faces ou já na nuca, o homem, paciente como um burro, corrigia a direção dos passos até sentir a boca de novo batida pela umidade. E era apenas desse modo que de vez em quando novamente a calma ressonância o atingia como se ele a tivesse criado. Sua luta dura e sutil ameaçava prolongar-se indefinidamente.

Mas quando aquele homem chegou ao alto da encosta – como se tivesse enfim captado uma ilusão perseguida a vida inteira e tocado na sua própria embriaguez, subitamente capturado por um redemoinho de finíssima alegria – o ar se abria em vento turbilhonante e livre. E ele se achou em pleno alarido que era tão inapreensível como se este fosse o som do poente.

Ele não errara, pois! O que era? era o vento apenas. O que era? mas era o alto de uma montanha. Seu coração bateu como se ele o tivesse engolido. Ele, o homem, desembarcara.

Era uma atmosfera de júbilo. De vazio e vertiginoso júbilo, como acontece inexplicavelmente a um homem no alto de uma montanha. Ele nunca estivera tão perto da promessa que parece ter sido feita a uma pessoa quando esta nasce. Estupidificado, ele abriu várias vezes a boca como um peixe. Parecia ter atingido aquela coisa que uma pessoa não sabe pedir. Aquela coisa a que obscuramente ele só poderia dizer: consegui. Como se tivesse provocado o mais fundo de uma realidade imaginada. Às vezes a pessoa estava tão ávida por uma coisa, que esta acontecia, e assim se formava o destino dos instantes, e a realidade do que esperamos: seu coração, ansioso por bater amplo, batia amplo. E como para um pioneiro pisando pela primeira vez em terra estranha, o vento cantava alto e magnífico.

Com que sentido o homem cansado o percebeu, não se sabe dizer, talvez com a aguda sede e com sua derradeira desistência e com a nudez de sua incompreensão: mas havia júbilo no ar. Que na verdade lhe foi tão inassimilável quanto aquele azul quase inventado do céu e que, como todo azul suavíssimo, terminou por tonteá-lo em glória tola e em nobre glória. A armadura interior do homem faiscou. Inatingível, sim, mas havia júbilo no ar como lhe tinha sido prometido alguma vez em procissões ou em algum rosto quieto de mulher ou na ideia de um dia alcançar que termina por precipitar o alcance. E àquele homem, que era um exagerado, pareceu que por assim dizer trabalhara duramente para chegar a essa coisa valiosa e inútil. Seria um sorriso imbecil o seu, se um espelho o refletisse.

Foi só então que Martim percebeu que estivera andando no planalto imenso de uma serrania, cujas primeiras ingremidades ele certamente havia galgado durante a noite, julgando dificuldade sua o que fora a dificuldade de uma subida nas trevas; e, mais tarde, tomando como cansaço seu o que na verdade fora uma aproximação gradativa do sol. Mas o que importava é que ele chegara. A veemente felicidade do céu aumentava em peso o coração estranho. Havia uma gravidade em estar ali que ele próprio não compreendia. Mas a cujo sentido desconhecido ele correspondeu com o rosto que um homem tem quando o vento e o silêncio lhe batem no rosto. De algum modo, pois, não era mentira! Porque, vacilante de cansaço, ele ali estava de pé como se um homem tivesse uma profecia dentro de si. De pé, com as pernas enraizadas de cansaço, com uma trêmula avidez dentro de si como um homem que vai aprender a ler. E à beira de sua mudez, estava o mundo. Essa coisa iminente e inalcançável. Seu coração faminto dominou desajeitado o vazio.

Era um tempo surpreendente. O homem afortunadamente nem sequer tentou compreendê-lo. Talvez o que houvesse nele fossem apenas ecos do que ouvira dizer: "que do alto de uma montanha a gente descortina".

Só que ele não descortinou nada. E se, no seu entorpecimento, grosseiramente reconheceu aquele instante na montanha, foi apenas porque uma pessoa reconhece o que deseja. Na linguagem não havia uma palavra sequer que desse nome ao fato de, no agigantamento de si próprio, ele ter alcançado o alto da montanha. Então Martim disse alto:

– Aqui estou, disse ele, e no coração de alguma coisa.

Pelo menos fisicamente tentou com alguma dignidade manter-se ao nível do que encontrara: aprumou-se em toda a sua acordada altura. O que não aguentou muito tempo. E se sentou no chão.

Sentado no chão, o país era muito bonito. Um princípio de poente pairava num esgar de claridade imobilizada. A harmonia – uma harmonia imensa e sem sentido – rodava com sua cabeça vazia. O sol estremecia fixo com uma punição de vitral. Agora que Martim estranhamente provocara a própria chegada, não sabia o que fazer. Assim, pois, o homem ficou sentado, submisso, respirando. Era verdade, então. Muito mais cedo do que ele podia entender, mas era obstinadamente verdade.

Até que tudo se esverdeou. Uma transparência pacificara-se no descampado sem deixar uma mancha mais clara. Então a cabeça oca pela sede subitamente se acalmou.

– Que luz é essa, pai? Que luz é essa? perguntou com voz rouca.

– É a do fim do dia, meu filho.

E assim era. A luz se transcendera em grande mistério.

4

Com a nova limpidez da visibilidade, o torpor do homem desapareceu. E como se agora sua energia estivesse a seu próprio alcance e medida, ele se ergueu sem nenhum esforço. Uma alerteza impessoal o tomara como a de um tigre de patas macias. Agora ele era real e silencioso.

Quando chegou ao ponto da encosta de onde só poderia descer, divisou a casa rodeada de terras verdes lá embaixo, como a seus pés, mas num tamanho diminuto que lhe deu uma ideia da verdadeira distância. Começou então a descer o declive, suavemente encorajado nas costas pelo próprio declive. Guiado pela sede como único pensamento, o homem não sentiu os passos progressivos e achou-se enfim no mesmo nível do seguinte: a casa distante, um outro homem que ao longe estava sentado sob uma árvore, vários cachorros espalhados pelo chão.

Agora Martim viu o casarão em pé de igualdade: era maior do que pensara e havia um denso agrupamento de árvores escuras, ele não podia saber a que espaço da casa, mas certamente apenas aos fundos desta. O fim escuro do bosque se confundiu com a própria distância, e moveu-se para a frente e para trás aos seus olhos, como para um homem que pisa em terra firme depois do alto-mar.

Com a leveza do cansaço, como se usasse sapatos de tênis, ele avançava. Uma elegância astuciosa já o tomara: ele estava se preparando para defrontar gente. E quanto mais se aproximava, mais reconhecia aquele quieto tumulto de vida que horas antes ele farejara e ao qual parecia ter dado o nome íntimo de "ideal" – e que agora, mesmo ainda não dividido em sons, lhe era familiar. Sem a falsa alegria do alto da encosta, que se tornara apenas morto passado, e sem nenhuma promessa; mas assegurador como um lugar onde há água. Sua tontura radiosa do alto da encosta já se transformara em sede apenas, e em indistinta esperteza. É verdade que o roxo céu altíssimo ainda o embebedava um pouco.

Ele avançava flexível. A essa altura sua cabeça vazia já não lhe era mais de nenhum socorro. Na verdade seu avanço parecia ser guiado unicamente pelo fato daquele homem estar entre terra e céu. E o que o sustentava era a impessoalidade extraordinária que ele alcançara, como um rato cuja única individualidade é aquilo que ele herdou de outros ratos. Essa impessoalidade, o homem a manteve em leve repressão de si próprio como se soubesse que, do momento em que se tornasse ele mesmo, cairia emborcado no chão. A própria extrema individualidade que ele tinha alcançado na montanha não devia ter sido senão um espasmo da cega totalidade com que ele avançava: levitado pelo cansaço, transladava-se sem sentir os pés tocarem no chão, tendo como único ponto fixo a esperá-lo a nítida casa cada vez maior, cada vez maior. Muito erguida dentro daquela finura de ar que a envolvia e que seria, por mais intocável, o que tanto prenderia aquele homem àquele lugar.

Embora soubesse que os cães inquietos já o haviam pressentido, postou-se atrás de uma árvore para observar. Afastando ramos podia investigar bem a situação da casa, agora totalmente visível. O que o confundia é que, bem maior que a casa, era a formiga na folha perto do olho que espiava, emoldurando – equestre, ruiva, monumento de um instante – a sua visão. Martim sacudiu várias vezes a cabeça até se libertar do tamanho que a monstruosa formiga tomara.

O andar mais alto da casa não acompanhava a extensão maior do andar térreo, e alteava-se em canhestra torre. Martim, na sua vida anterior, aprendera a almejar torres; sentiu, pois, uma grande satisfação. À beira da casa, tufos de margarida formaram a seus olhos cansados nuvens amareladas e vacilantes.

Mas se com a aproximação a casa ganhara em nitidez, perdera a síntese anterior da distância. E de detrás da árvore o olhar do homem não conseguiu reunir numa única visão a falta de lógica do que via: um alpendre coberto de telhas, janelas que o simples cálculo não lhe ajudou a descobrir para onde poderiam dar, portas que estavam entreabertas para ele nada perceber senão a sombra criada pela distância; cercas delimitando cantos que não seriam cantos se não houvesse as cercas arbitrárias. Via-se que aquilo tudo se fizera aos poucos, acrescentando-se à mercê da necessidade ou da fantasia. Era um lugar pobre e pretensioso. Ele gostou logo.

Dando-se conta do que poderia haver de suspeito em estar escondido atrás da árvore, o homem afinal se expôs. Sem sentir, abrira um pouco os braços demonstrando que era indefeso. E à medida que avançava – recebido pelos cachorros que agora latiam furiosos – percebeu de longe a figura indistinta movendo-se no alpendre.

Já perto dele, porém, estava o homem sentado no chão sob a árvore. O homem comia, e o cheiro de comida fria nauseou Martim de desejo. Seu rosto se tornou urgente, tímido e vil como quando uma cara implora. O cheiro voltou-lhe cru ao nariz, ele quase vomitou de nojo, tão puro estava de comida. Mas seu corpo ganhara um impulso novo, os passos difíceis o ultrapassaram – e em breve ele estava à frente do homem, olhando-o com minuciosa sofreguidão.

Sem interromper o mastigar, o trabalhador olhava fixamente para os próprios pés descalços como se deliberadamente não visse o estranho. Com a agudez que a fome dera à sua percepção, Martim não se deixou ludibriar: uma comunicação muda se estabelecera entre ambos como dois homens numa arena, e aquele que não o olhava aguardava para poder saltar. Um leve prazer de raiva tomou então Martim, em vaga promessa de luta que ele só conseguiu manter por um instante. Ter tido uma sensação de força cobriu sua testa de suor frio. Uma alegria levíssima pôs-lhe algum cinismo no rosto.

– De quem é este sítio? perguntou cedendo afinal ao silêncio mais poderoso do outro.

O homem descalço não estremeceu sequer. Afastou devagar o prato, enxugou a boca farta:

– Isto tudo é dela, disse lento fazendo um gesto com a cabeça, e Martim, seguindo com os olhos franzidos a direção apontada, viu agora de mais perto a figura no alpendre. Sou daqui também, acrescentou o homem acompanhando a informação com um falso bocejo.

Quem fizesse o primeiro movimento dúbio teria dado direito ao outro. A tarde estava linda, clara.

– Eu me perdi, disse Martim suave.

– Saindo de Vila muita gente se perde por aqui, disse o outro ainda mais suave.

– De Vila?

– De Vila Baixa, disse o homem apontando vagamente a cabeça para a esquerda, e pela primeira vez erguendo os olhos com uma desconfiança declarada.

Martim olhou, e à esquerda nada havia senão a infinita extensão de terra, o céu mais baixo e mais sujo. Sentindo-se examinado, tornou-se ainda mais macio:

– Foi o que me aconteceu, disse. Vou voltar para Vila Baixa. Mas antes queria um pouco d'água. Quero água! disse-lhe então arriscando-se totalmente.

O homem olhou-o com fixidez. Em trégua de luta, mediu a sede do outro. No seu olhar não havia misericórdia mas humano reconhecimento – e, como se as duas lealdades se encontrassem, olharam-se limpos nos olhos. Que aos poucos foram se enchendo de alguma coisa mais pessoal. Não era ódio – era um amor ao contrário, e ironia, como se ambos desprezassem a mesma coisa.

– Só lá dentro, disse afinal o trabalhador.

Ergueu-se com uma dificuldade fingida e uma lentidão deliberada. De pé, por um instante os estranhos se mediram com o olhar. A raiva mútua fez com que se olhassem e nada tivessem a se dizer. Embora um permitisse a raiva no outro como inimigos que se respeitam antes de se matarem. Mais fraco que a tranquila potência do outro, Martim foi o primeiro a desviar os olhos. O outro aceitou sem tirar proveito. Martim, de novo experimentando o cálido contato de uma aversão, começou a andar rumo à casa, seguido a certa distância pelo vencedor e sentindo na nuca a sua ameaça calma.

Os cães rosnavam indecisos, contendo o esfogueteamento e a alegria de uma luta. A tarde toda, aliás, era de uma grande alegria tranquila. Um cachorro manco se agregou penoso aos outros, numa aflita expectativa de inválido. Tudo era suave e estimulantemente perigoso, no fundo ninguém parecia se impressionar com o que estava acontecendo, e todos apenas gozavam a mesma oportunidade. As coisas rodavam um pouco, felizes fora de hora. Por Deus, nunca vi nada tão redondo, pensou o homem entontecido. Um cão mais negro de repente afundou a tarde como se Martim tivesse caído num buraco insuspeito. Foi esse cão que o alertou vagamente e pareceu lhe lembrar outras realidades. Ele se sentia tão leve que estava mesmo precisando amarrar uma pedra no pescoço. Então forçou-se com dificuldade a lembrar-se. Mas, para a sua própria desvantagem, o lugar era bonito demais, e para a sua própria desvantagem ele estava se sentindo bem – o que lhe tirava da percepção a sua principal utilidade de luta.

O sítio ou fazenda não era muito grande, se se considerasse apenas a parte coberta de trabalho: algumas casinholas quebradas, o curral, o campo lavrado. Mas seria enorme se também se contasse com as terras largadas que, em alguns pontos, só para assinalar posse, a cerca mal traçada delimitava. O verde das árvores se balançava sujo, folhas novas espiavam entre as empoeiradas.

As raízes eram grossas e cheirosas naquele fim de tarde – e provocaram em Martim uma inexplicável fúria de corpo como um amor indistinto. Faminto que estava, os cheiros o excitavam como a um cachorro esperançoso. A terra, numa promessa de doçura e submissão, parecia friável – e Martim, aparentemente sem outra intenção que a do contato, abaixou-se e quase sem interromper os passos tocou-a um instante com os dedos. Sua cabeça se tonteou ao contato delicioso da umidade, ele se apressou de boca aberta. Mais perto da casa, viu que o alpendre estava agora vazio. O telhado do curral caía aos pedaços, parecia em certos pontos sustentado apenas pela própria altura do gado invisível, cujos movimentos revolviam lentamente a luz vazia.

A água da lata enferrujada escorreu de sua boca para o peito, ensopou a roupa dura de poeira. Do curral veio de novo um tranquilo mover-se de patas. O sol desaparecera, e uma claridade infinitamente delicada dava a cada coisa a sua calma forma final. Uma casinhola à parte tivera uma porta, cuja lembrança não existia mais senão nos gonzos vazios. Martim molhava o rosto e os cabelos – e mais adiante estava a coberta tosca de garagem...

Tendo chegado ao tenso limiar do impossível, Martim recebeu o milagre como o único passo natural ao seu encontro. Não havia como não aceitar o que acontecia pois para tudo o que pode acontecer um homem nascera. Ele não se perguntou se o milagre era a água que o encharcava até a saturação, ou o caminhão sob a garagem de lona, ou a luz que se evaporava da terra e da boca iluminada dos cães. Como um homem que alcança, ali estava ele exausto, sem interesse nem alegria. Estava envelhecido como se tudo o que lhe pudesse ser dado já viesse tarde demais.

Sob a coberta, o caminhão velho mas perfeitamente limpo e cuidado. E os pneus? ocorreu-lhe. Seus olhos míopes não distinguiam os detalhes dos pneus. A dificuldade, enchendo-o da dúvida da esperança, rejuvenesceu-o. Depositou fascinado e lento a lata na terra e, com os cílios gotejando, examinou o caminhão, abaixou-se para olhar os pneus calculando suas possibilidades em termos de quilômetros.

– Que é que o senhor deseja, perguntou uma voz baixa e serena.

Sem susto nem pressa, Martim voltou o corpo todo. E seu rosto defrontou um rosto inquisitivo de mulher. Atrás de si, sentiu o homem parado em guarda. Acercou-se do alpendre, gingando devagar. A fome acendia-lhe os olhos em grande malícia, os lábios escuros sorriram rachando. Ao pé do alpendre, o chão estava coberto de papoulas púrpuras, caídas e amontoadas. Aquela visão pareceu ao homem a da fartura e da abastança. Olhou as flores vivas, umas despetaladas, outras ainda por abrir, em desperdício tranquilo: seus olhos piscaram de cobiça. Percebia tudo ao mesmo tempo, gingando, gozando a limpidez dos olhos que era a da própria luz.

Mas, sem que soubesse de onde, aparecera de alguma parte uma mulata moça de cabelos enrolados em cachos, e que ali se postara com olhos rápidos, rindo. Não só Martim não sabia de onde ela viera, como em que momento aparecera – o que fez com que ele tomasse cautelosa consciência da possibilidade de outras coisas estarem também lhe escapando. Os cachorros haviam se aproximado arfando, sem coragem de atacar. O vento e o silêncio os rodeavam. O homem sungou o cinturão.

– Então, que é que o senhor deseja.

– Eu estava olhando, respondeu sem pudor.

E aprumou o torso fazendo um esforço de ser citadino.

– Disto eu sei, disse a mulher no alpendre.

– Ele estava com sede, é o que diz, falou o homem atrás de Martim, e a mulher ouviu-o sem no entanto desviar os olhos do estrangeiro.

– Já bebi, disse este com alguma candura, apontando a lata vazia. O sol estava quente, acrescentou mudando a posição das pernas.

Martim tinha uma qualidade de cujo gozo não usufruía porque essa qualidade era ele próprio – uma qualidade a que, em determinadas circunstâncias favoráveis, poucas mulheres resistiriam: a da inocência. O que despertava certa cobiça corrupta numa mulher que é sempre tão maternal e gosta de coisas puras. Salvaguardada a pureza, a mulher era um ogre. A mulher do alpendre olhou-o então com muita frieza:

– Que o senhor bebeu, eu também sei.

De algum modo tudo o que ainda iria suceder àquela mulher já estava acontecendo naquele instante. Ele o percebeu do seguinte modo indireto: passou a mão pela testa.

O excesso de água bebida borbulhava dentro dele, e deu-lhe uma náusea que se confundiu com uma avidez de sono ou de vômito, e a seu rosto uma bondade de sofrimento, como uma auréola:

– Bem, disse então Martim virando-se sem pressa, adeus.

Vitória pareceu despertar:

– Que é que o senhor queria?

O olhar de ambos se cruzou e se penetrou sem que um encontrasse nada no outro, como se os dois já tivessem visto muitos outros rostos. Ambos pareciam saber por experiência que aquela era uma das muitas cenas a serem esquecidas. E como se ambos soubessem o que significa essa capacidade de isenção, sem se dar conta do motivo, um procurou calcular a idade do outro. A mulher há muito passara dos cinquenta. O homem estava pelos seus quarenta.

A mulata esperava rindo. Parte da cabeça do homem continuou teimosamente ocupada em procurar determinar o elo que lhe escapara: em que momento a mulata aparecera?

O que fez com que de novo ele perdesse outro elo importante: passos miúdos se tinham aproximado e Martim mal teve tempo de distinguir a figura de uma menina preta antes que esta se escondesse como um pássaro dentro de uma moita.

Os cachorros arfavam de língua quente à mostra.

– Eu estava procurando trabalho, respondeu Martim preparando-se para ir embora. Há trabalho aqui?

– Não.

Olharam-se nos olhos sem receio.

– O jardim está precisando, disse ele à medida que se afastava, e já de costas para a mulher.

– O senhor é jardineiro?

– Não, voltou-se ele em vaga expectativa.

De novo olharam-se. Por um instante pareceu-lhes que para sempre estariam ali se defrontando, tão definitiva era a posição de cada um; os cachorros ali. Martim ouviu uma risadinha de criança ou de mulher. Olhou para a mulata mas esta estava séria, com os olhos quentes. A sebe se mexera com a criança dentro.

– Quem lhe mandou? perguntou Vitória.

– Ninguém, disse o homem, e se ainda se mantinha de pé era sustentado pela rubra tranquilidade das papoulas.

– Que é que o senhor sabe fazer?

– Mais ou menos tudo.

– Estou perguntando sua profissão, disse um pouco áspera.

– Ah.

Nova risadinha soou perto dele. Então, muito estimulado pelo aplauso, ele sungou o cinturão preparando-se para dar uma resposta engraçada ou para mover-se. Mas não disse nada e continuou parado. Parecera-lhe, com muita inteligência, que o único modo de não cair no chão seria ficar parado, e que seria estratégico deixar os acontecimentos lhe sucederem.

– Então? repetiu a mulher mais impaciente.

Ele olhou-a sem expressão, até que pouco a pouco seus olhos foram se apertando de um modo cômico:

– Sou engenheiro, minha senhora.

Ela pareceu levemente escandalizada. Examinou-o com curiosidade. Ele sustentou sem esforço o olhar. Talvez ele tivesse percebido que a impressionara, porque um ar de insolência fez seu rosto sorrir um pouco bestial e feliz como se ele tivesse ultimado uma coisa difícil.

– O senhor é engenheiro.

– Pois é o que eu disse, respondeu o homem sem arrogância.

Vitória olhou-o como se examinasse profissionalmente um cavalo. O homem deixou-se impudicamente ser examinado. O que de repente chocou a mulher. Ela corou. Ali em pé, ele lhe pareceu indecentemente masculino como se esta fosse a sua única especialidade. Por que não fizera a barba? sujo, barbado, em pé. Ela afinal suspirou, cansada e sem interesse:

– Não tenho trabalho para engenheiro.

O homem voltou-se para ir embora e, sem interromper os passos, repetiu sem nenhuma insistência:

– Faço de tudo.

– Tenho um poço de construção parada, disse ela subitamente cheia de desconfiança e curiosidade.

Ele de novo interrompeu os passos e voltou-se. O fato de, com uma simples palavra sua, ela poder fazê-lo andar ou parar, começara a irritar a mulher. De algum modo a docilidade do homem lhe parecia uma afronta.

– Endireito poço, sacudiu ele a cabeça.

– O curral está caindo! disse ela ainda mais desconfiada.

– Eu vi.

– Às vezes quero que me cacem umas seriemas, desafiou atenta.

– Posso dar os tiros.

– Também preciso de umas pedras bem colocadas no riacho para dar força à água, disse ela então com frieza.

– Pode-se pôr.

– Mas o senhor é engenheiro, não me serve! disse em leve cólera.

As papoulas vibravam em vermelho como bom sangue, e despertavam no homem uma vida bruta: ele lutava entre a fome e o entorpecimento e a felicidade. Só as ricas papoulas impediram-no de soçobrar. Foi, pois, com alguma relutância que, passando a língua pela boca cheia de desejo, ele afinal virou as costas para as papoulas.

– Espere, disse a mulher.

Ele parou. Olharam-se.

– Eu não pago muito.

– Mas dá casa e comida, disse entre perguntando e afirmando.

A mulher olhou-o rapidamente como se casa e comida pudessem ter outro sentido. Tirou então as mãos dos bolsos da calça de montaria. Havia homens junto dos quais uma mulher se sentia rebaixada por ser uma mulher; havia homens junto dos quais uma mulher aprumava o corpo em quieto orgulho; Vitória estava insultada pelo modo como ele a fizera aprumar a cabeça.

– Dou, disse afinal muito devagar.

– Está tratado, disse o homem agarrando-se com um esforço de unhas a uma derradeira lucidez.

– Eu é que direi se está ou não tratado. De onde é que o senhor vem?

– Do Rio.

– Com essa pronúncia?

Ele não respondeu. Pelos olhos ambos concordaram que era mentira. Mas Vitória pareceu obstinadamente não tomar conhecimento de sua própria perspicácia. E procurando tranquilizar-se, fez mais uma pergunta:

– Além de ser engenheiro, o senhor tem trabalhado como o quê?

Os olhos do homem piscaram claros e quase infantis:

– Faço de tudo, disse.

A resposta claramente não agradou à mulher, e ela teve um gesto de irritação incontida por ele não saber ganhar sua confiança. A falta de habilidade daquele homem a impacientava. Ela pôs as mãos nos bolsos da calça, contendo-se. No entanto bastaria que ele simplesmente garantisse que já construíra poços.

– Mas já construiu poços! perguntou indicando-lhe autoritariamente qual deveria ser a resposta.

– Já, disse então o homem mentindo como ela quisera.

De novo ela corou com a submissão dele. E então olhou para Francisco, procurando trocar com este um olhar de união contra Martim. Mas Francisco desviou o olhar e fixou os próprios pés. A mulher corou mais, engolindo dura a rejeição.

Era a primeira vez que procurara apoio nele, e havia de ser logo dessa vez que Francisco se sentira obrigado a negá-lo: é que ele não concordava com o modo como aquela mulher estava abusando do estranho. Oh, ele não concordava com muita coisa. Que no entanto continuaria a aceitar – contanto que ela continuasse a ser mais forte que ele. A base da fazenda era o autocontrole daquela mulher, que Francisco desprezava como se despreza o que não flui. Mas, dela, ele só esperava a força, senão ele não teria por que obedecê-la. Assim ele desviou o olhar para não perceber a sua fraqueza.

Martim não entendeu nada do que se passava mas agregou-se instintivamente a Francisco e procurou trocar com este um olhar de sarcasmo.

Também este olhar Francisco recusou, fitando ostensivamente uma árvore. Aquele estranho não percebera a fidelidade de Francisco à mulher, não entendera que ele se habituara calmamente a odiar Vitória, e que não poderia ser mandado por uma mulher a não ser que salvaguardasse a própria dignidade com o ódio. E como se a mulher o tivesse entendido, jamais tentara estabelecer o menor laço de simpatia entre ambos: para Francisco esta se tornara a prova de que ela o respeitava. Do momento em que ela fosse boa, começaria a decadência dele. Ele respeitava na mulher a força com que esta não o deixava ser nada mais nem nada menos do que ele era.

Fingindo, pois, interesse pela árvore, ele também se recusou qualquer conivência com o estranho. Já lhe bastava por hoje a insegurança que Vitória lhe dera ao procurar um apoio que ele não queria dar: não só porque não concordava com o modo dela destruir o estranho, como porque ele próprio a desprezaria, e passaria a se desprezar, se ela precisasse de um simples empregado.

O recém-chegado se sentiu rejeitado sem saber como. Não compreendia a cólera que provocara. O que vagamente percebia era um certo desprezo em Francisco: desprezo que envolvia tanto a ele, Martim, quanto a mulher, e quanto ao próprio Francisco. E teve a curiosa impressão de ter caído numa armadilha. Num sonho de cansaço, lembrou-se de histórias de viajantes que pernoitam em casas doidas. Mas isso lhe passou logo, porque se havia ali alguém perigoso – era evidentemente ele próprio. A impressão de armadilha no entanto persistiu.

Recusada por Francisco, a mulher então voltou-se com muita determinação para o estranho, cuja docilidade estúpida era agora desejável. Mas subitamente perguntou insultada:

– De que é que o senhor está rindo!

– Não estou, disse ele.

Então, sem se dar conta de que o espiava cruamente, a mulher descobriu fascinada que ele não ria. Era o rosto que tinha uma expressão apenas física de malícia, independente de qualquer que fosse seu pensamento – assim como um gato às vezes parece rir. Apesar de tranquilos e vazios, seus traços davam impressão de motejo, como um vesgo que, triste ou alegre, seria sempre visto como vesgo. Como se tivesse caído numa escuridão, lentamente ela o olhava. Ele é ruim, viu ela com o faro desperto. Aquele homem possuía uma cara. Mas aquele homem não era a sua cara. Isso a inquietou e despertou-lhe a curiosidade. Aquele homem não era ele mesmo, pensou ela sem procurar entender o que pensava; aquele homem despudoradamente se carregava. E estava ali em pé numa exposição completa de si mesmo, num silêncio de cavalo em pé.

O que de repente acuou a mulher como se ela tivesse ido longe demais.

Mas agora não podia se impedir de ver o que estava vendo. Como é que ele ousou! pensou espantada e seduzida como se ele tivesse dito o que nunca se deve dizer. Numa perversão de alguma lei sagradamente admitida, aquele homem não se dava por óbvio. E sua cara tinha uma sabedoria física horrivelmente secreta como a de um puma quieto. Como um homem que só não violentou em si o seu último segredo: o corpo. Ali estava ele, totalmente à tona e totalmente exposto. O que havia de unicamente inteiro nele, remotamente reconhecível pela mulher naquele instante de estranheza, era a barreira final que o corpo tem.

Ela se empertigou severa. É que havia um grande erro nele. Tão grande como se a raça humana tivesse errado.

"Como é que ele ousou!", repetiu-se obscuramente sem entender o que pensava, "como é que ele ousou!", espantou-se, de repente ofendida no que a vida tinha de mais inteligível. A coragem que ele tivera de chegar a esse ponto de... de desonra, de... de alegria... de... A coragem que ele tivera de chegar a ter – a ter aquele modo de estar de pé! gaguejou ela por dentro com raiva.

Olhou-o de novo. Mas a verdade mesmo é que aquele homem não parecia pensar em nada – constatou então com mais calma. Na cara dele havia permanecido a estremecível sensibilidade que o pensamento dá a um rosto: mas ele não pensava em nada. Talvez tivesse sido isto o que a horrorizava. Ou, quem sabe, ela tivesse sido alertada pelo fato de ele ter rido alguma vez.

– Não me serve, disse com força, decidindo-se inesperadamente.

Mas quando, sem o menor protesto, ele já se achava perto do curral, ela gritou com raiva:

– Só se for para dormir no depósito de lenha!

E com espanto, ela o olhou. Mas ele, sem surpresa, como se indefinidamente ela pudesse rejeitá-lo e chamá-lo de volta, aproximou-se. A criança, que já saíra de dentro da sebe, refugiou-se imediatamente no esconderijo. Quando de novo ele estava perto, a mulher perguntou imprevistamente:

– E posso ao menos saber o que é que um engenheiro anda fazendo por aqui?

– Procurando trabalho, repetiu, não tentando sequer fazê-la acreditar.

Ela abriu a boca para responder à insolência. Mas conteve-se. E afinal disse serena:

– Limpe os pés antes de entrar.

5

Vitória era uma mulher tão poderosa como se um dia tivesse encontrado uma chave. Cuja porta, é verdade, havia anos se perdera. Mas, quando precisava, ela podia se pôr instantaneamente em contato com o velho poder. Já sem nomeá-la, ela por dentro chamava de chave aquilo que sabia. Não se indagava mais o que tanto soubera; mas vivia disso.

Foi, pois, procurando o auxílio de tudo o que sabia que ela mais tarde olhou absorta o prato de comida que o homem esvaziara na cozinha. Tentou também imaginá-lo a instalar a porta do depósito de lenha. Ela lhe dera a porta do depósito, grande e estranho objeto a se dar. Como a vinda totalmente imprevisível do homem já tinha quebrado um certo círculo de ordem em que ela se movia como dentro de uma lei, com relutância foi obrigada pelo menos a reconhecer que alguma coisa sucedera, embora não soubesse dizer o quê. Então pensou, um pouco constrangida com seu próprio ato livre, e de algum modo curiosa: "é a primeira vez que dou uma porta a alguém". O que a enraizou numa sensação sem saída. Era a segunda vez que o homem a perturbava.

Sem saber o que fazer com o pensamento sobre a porta, saiu deste procurando imaginar que o homem devia agora estar adaptando-a com dificuldade nos gonzos enferrujados. Provavelmente mantendo aquele mesmo rosto de cansaço e quase riso, e aquela infantilidade impudica que os gigantes têm. Ou, quem sabe, talvez trabalhando na instalação da porta com aquela mesma concentração remota com que engolira, numa minúcia de migalhas, a comida. Há muito tempo a mulher não via a fome, e, olhando agora o prato vazio, franziu as sobrancelhas. Ela não conseguiu determinar em que momento é que sentira a crueldade daquele homem. Olhando o prato vazio, pensou então como se pensa de um cachorro: ele é cruel porque come carne. Mas talvez a impressão de crueldade viesse de que, diante do alpendre, ele estava com fome e no entanto sorria: via-se a fome na sua cara mas ele, numa capacidade de crueldade feliz, sorria. Não ter carinho por si mesmo era o começo de uma crueldade para com tudo. Ela o sabia em si mesma. Mas ela, ela pelo menos possuía tudo o que sabia.

Pela primeira vez então, com uma desagradável clareza que não pôde ocultar de si por mais tempo, a mulher percebeu que o homem não procurara lhe dar a menor garantia nem lhe prometera nada. Ela mesma tomara a si todos os riscos. Como quando um dia, cuidando com mãos hábeis de um cachorro ferido – este perdera os sentidos. E ela, sentindo no regaço o inesperado peso total do cão, erguera os olhos solitária e responsável junto daquele corpo sem alma que era agora inteiramente dela, como um filho. Aquele homem que ali caíra em todo o seu peso.

– Velha precipitada, disse de súbito muito fatigada empurrando o prato sujo; a falta de amor por si mesma a envolveu com altivez.

E como anunciaria a Ermelinda o novo homem, sem que esta ficasse feliz? Mas este seria problema para resolver mais tarde. Agora, o que importava com uma urgência inexplicável, era tentar adivinhar que cara o homem fazia enquanto instalava a porta. Sem ligar um fato a outro, foi examinar a garrucha. Estava precisando de limpeza e óleo. Na velha arma a senhora se concentrou durante algum tempo com seu rosto obstinado e severo, sentada na cozinha. Era um rosto de quem fez da própria desistência uma arma e um insulto para os outros.

O pior ainda era, porém, avisar a Ermelinda. "Um trabalhador a mais não tinha importância, embora fosse residente", pensou Vitória argumentando relutante e convencendo-se aos poucos – pois tantas vezes um ou dois homens trabalhavam por um mês e iam embora; havia três dias ainda dois homens tinham se despedido. Por que hesitava então? Talvez porque tivesse que confessar a Ermelinda que o homem era, ou dizia ser, engenheiro. E se a ela própria pouco importava – pensou sombria, e acusando-o de ser engenheiro – contanto que ele trabalhasse, já que Francisco se encarregaria de vigiá-lo, a Ermelinda o fato iria...

"Contratei um homem, ele diz que é engenheiro mas trabalha em qualquer coisa!", imaginou-se falando com aspereza para cortar qualquer comentário da prima. De que comentário tinha medo? Parou de limpar a garrucha, e olhou sonhadora e dura para o ar. Ou dizer-lhe apenas: "Ermelinda, tem mais um trabalhador que vai dormir no depósito de lenha, de modo que de agora em diante você não pode mais ir lá, é quarto dele."

Nenhuma das frases pareceu-lhe bastante definitiva para cortar a exclamação de arrebatamento de Ermelinda. E, ao imaginar o rosto enlevado da prima, a senhora subitamente desviou o seu da imagem pressentida como se não a suportasse; sem poder impedir que dentro de si, quase com fúria, seu coração começasse a bater de espanto. Mas tendo transferido para Ermelinda o desgosto que sentia contra a própria estupidez, sentiu-se sem culpa nenhuma; e, livre para ter raiva, passou a não tolerar a curiosidade com que a prima ouviria a notícia. Não era o que Ermelinda ia dizer o que antecipadamente a enchia de rancor; pois na verdade nunca pudera sequer reproduzir uma frase concreta da moça. Era a expressão de extrema alegria disfarçada desta, mal acontecia alguma coisa. E era sentir-se forçada, por ter que lhe explicar a presença do homem, a entrar de novo em intimidade com aquela cara que revelava astúcia e suave insídia – como se no nebuloso sistema da prima os meios de contato de uma pessoa nunca pudessem ser diretos, porque também o perigo e a esperança fossem indiretos. Ermelinda parecia estar sempre escondendo que compreendia. E seu rosto se mantinha quase deliberadamente informe e suspenso – à espera de uma confirmação?

Oh não, não era isso. O que era então? Fora uma infância de doença o que fizera aquela moça se desenvolver na sombra? essa infância de fraqueza que Ermelinda guardava como se fosse o seu tesouro.

Mas nada disso a explicava. E ao pensar em Ermelinda, sem ao menos vê-la, esta parecia se esquivar ao pensamento dos outros. E mal Vitória a acusava, embora apenas mentalmente, Ermelinda parecia de súbito apresentar-se inocente e espantada. Como conhecê-la jamais? Qualquer contato direto era impossível. Era surpreendente como, se Ermelinda estivesse pensando no inexplicável ódio que sentia por pássaros e lhe perguntassem em que estava pensando, ela apenas responderia que estava pensando em "pássaros". Era surpreendente como a única solução seria não lhe perguntar nunca. Ermelinda agia como se uma árvore fosse azul – mas se Vitória lhe perguntasse de que cor era uma árvore, ela responderia imediatamente, piscando de esperteza, que a árvore era verde. O que Vitória se indagava era se Ermelinda realmente sabia que a árvore era verde – ou se apenas sabia que Vitória achava a árvore verde. O jeito seria nada lhe perguntar. Como conhecê-la jamais? "O que é que faz com que eu, não fazendo um ato de maldade, seja ruim? e Ermelinda, não fazendo um ato de bondade, seja boa?" O mistério das coisas serem como nós sabemos que elas são, deixou a senhora bastante absorta.

Durante toda a permanência de Ermelinda na fazenda, Vitória não conseguira interessá-la nos trabalhos diários nem sacudir a calculada doçura com que a outra disfarçadamente esperava. E isso sem que Ermelinda tivesse uma vez sequer dito "não". O fato de ter passado "a infância presa ao leito" parecia lhe ter dado para sempre o direito de uma vagabundagem que não se executava sem certa minúcia de ritual, e só aos viciados não escapavam as secretas delícias do vício – Vitória, fascinada, via a outra cuidar de seu ócio com precisão e vagares de carinho.

No começo, paralisada pelo modo de ser da outra, Vitória se deixara arrastar pelo que a visitante trouxera para o sítio quase transformando-o. O medo do escuro – aquela escuridão tranquila que depois da chegada da prima ganhara uma potência informe. E a alusão disfarçada à morte como se esta fosse um segredo a não ser jamais confessado. E a esperança. O medo, a morte, a esperança. Uma esperança que se concretizava em aguardar acontecimentos, como se o imprevisível estivesse ao alcance da mão. "De um momento para outro podia acontecer alguma coisa" – fora isso talvez o que se insinuara na fazenda, e fora isso o que por um tempo contagiara Vitória. Até que esta, em súbita cólera, despertara afinal, e recomeçara sua própria vida.

Embora fosse impossível escapar inteiramente ao que havia de sorrateiro na outra, e deixar de ouvir aquelas suas frases obscuras e radiosas que nada diziam mas ficavam ressoando no ar. "O cavalo sente quando o cavaleiro tem medo", dizia Ermelinda. "Halo em torno da lua é sinal de chuva", dizia – e a noite se tornava maior e mais funda. "Desconfie se um cão não gosta de você", sorria ela como se isso fosse apenas uma amostra do que havia de inexplicavelmente promissor. Ermelinda era um pouco espírita.

Impossibilitada de fazê-la trabalhar, Vitória pelo menos aprendera a se defender dela. E, mal passara a primeira perturbação que a outra trouxera para a fazenda, Vitória se apressara a lhe ensinar o essencial a respeito de si própria: a primeira coisa que tivera severamente que cortar na prima fora a tendência a procurar apoio e contato físicos, a pousar a mão no seu ombro, a procurar seu braço quando caminhavam juntas, como se ambas partilhassem da mesma deliciosa desgraça. Estabelecida essa primeira distância física, uma espécie de ausência de relações se formara. E desde que Ermelinda, ao enviuvar, viera para o sítio, Vitória e ela nunca haviam entrado em explicação mais clara. Até que, como a poeira cai e se deposita, o tempo passara; e o que quer que fosse que tivesse acontecido, irremediavelmente já acontecera. Ermelinda terminara por guardar definitivamente as malas e os objetos inúteis que trouxera – e, incapaz de arrastar Vitória para seus sustos e esperanças, refugiara-se nos risos com a mulata cozinheira. De sua vida anterior restara a espera do correio do Rio que lhe trazia periodicamente, enviado por uma confeitaria, um pacotinho de amêndoas cobertas de açúcar perfumado que ela carregava consigo durante dias, economizando sonhadoramente confeito por confeito.

Só uma vez, numa tarde de calor excessivo e ameaça de tempestade, a tensão enfim explodira em Vitória, para nunca mais. E amainara-se quando a chuva caíra quebrando galhos e alagando a campina. E quando a chuva fina terminara por tranquilizar a fazenda, Vitória se perguntara atônita por que tão inesperadamente resolvera revelar-lhe que, anos atrás, ainda no Rio, vira por uma porta entreaberta Ermelinda jogar-se nos braços do homem com quem depois se casara.

E agora, limpando a arma com uma concentração mecânica, Vitória de novo se perguntou que demônio a dominara para levá-la ao ponto de questionar a prima. Talvez tivesse sido a chuva que ameaçava sem cair? Ou talvez a insistência daquele rosto, que se especializara em esperar, a tivesse enfim exasperado: Ermelinda sentada a se abanar, esperando, suando e comendo as amêndoas que tinham um perfume de lenço antigo – e a chuva ameaçando, e o perfume das amêndoas suavizando intoleravelmente o ar, enchendo a sala daquele cheiro adocicado de carta guardada em porta-seios, e a esperança... E então, como se a face das coisas tivesse de ser rasgada – mas por quê? – Vitória lhe dissera que "sabia muito bem como é que ela, Ermelinda, tratara casamento": que vira o homem correr atrás dela ao redor da mesa numa caçada ridícula, vira Ermelinda desesperada rindo e correndo, – e vira de repente Ermelinda interromper a corrida e jogar-se nos braços do homem surpreendido que nem tanto esperara...

– E agora que você sabe finalmente que eu vi, nunca mais minta! dissera-lhe, e ela própria não sabia ao certo do que a acusava, e olhara-a espantada.

– Mas é porque eu estava fugindo dele!..., tentara a outra defender-se: "que se jogara, sim, nos braços dele, isso não podia negar, mas não porque o amasse..."

E por que Ermelinda achara que devia se defender contra a acusação de que o amara?

– E caiu nos braços dele porque não o amava? inquirira Vitória, e já então não lhe ocorria mais que acusara a prima de tê-lo amado, a ponto desta ter que se defender e confessar que não o amara – e não ocorria a ambas que uma não tinha direito de exigir justificação da outra. O calor aumentava e, a ponto de chorar, Ermelinda enxugava o suor, procurava desvencilhar-se da amêndoa incômoda na boca. Terminara cuspindo-a no lenço com um cuidado de poupança, dando um nó neste e guardando-o com atenção no bolso – depois do que, a ponto de chorar, tentara explicar que "estivera tão sozinha com ele, tão desamparada com um homem a correr atrás dela, que então se jogara nos braços dele". Fora então que, talvez inspirada pela violência do vento que já começava a derrubar frutas e a levantar folhas e poeira, Ermelinda descobrira encantada a palavra "carrasco" que, nos dias seguintes, já por puro prazer e vaidade, passara a usar com frequência, em sentidos vários, alguns dos quais forçados. Apertando a caixa de amêndoas, tentara explicar que estivera tão sozinha com aquele homem "que seu carrasco teria que ser o seu apoio", e sua desgraça tinha que ser o seu refúgio, dissera ela com gosto. E, diante de Vitória que então já se embriagava com a própria raiva desencadeada, Ermelinda gaguejara que "se uma pessoa se aproximasse de mim com uma foice, eu aproximaria o pescoço para que quem me matasse pelo menos não fosse meu inimigo" – isso tudo ela tivera a coragem de dizer, e era coragem dizer o que simplesmente não fazia sentido para uma ou para a outra.

É possível que se Ermelinda tivesse conseguido explicar o absurdo do que queria dizer e se a outra conseguisse entender – então a paz se fizesse entre ambas, ou pelo menos o cansaço. Mas Vitória lhe respondera que "a infância presa ao leito" não fazia com que Ermelinda deixasse na verdade de ser forte como um cavalo; ao que a outra, inesperadamente, abaixara olhos modestos – o que intrigara Vitória que, após um instante de surpresa, voltara a acusações mais graves. Ermelinda, atordoada pelo mugido das vacas assustadas ao vento, começara então a falar em carrascos – o que levara Vitória a dizer com muita ironia que, "pelo que sabia", seu marido não tinha sido nenhum carrasco, "que ele lhe dera tudo, que nada faltara a Ermelinda enquanto o homem fora vivo"; o que levara Ermelinda a dizer que tinha tido o melhor dos maridos e que não admitia que falassem mal de um morto; ao que Vitória acrescentara que nunca lhe ocorreria falar mal de um homem que suportara durante anos que a mulher o chamasse de "minha flor"; o que levara Ermelinda a chorar de saudade – ambas desesperadas pelo vento insuportável, pela poeira que entrava na sala, as nuvens se fechando baixas e fazendo escuridão súbita.

E quando a água enfim desabara, fazia tanto barulho que elas não teriam podido continuar a falar sem gritar. Com o vento amainado e mais fresco, o suor começara a

secar agradavelmente – e uma paz repentina se estabelecera entre ambas como se tivessem chegado a uma conclusão.
Altiva, coberta de vergonha, Vitória saíra da sala. E passara
a evitar a prima. Algumas pessoas conseguiam fazer isso
com ela: fazer com que ela as odiasse e se odiasse. Vitória
não as perdoava. Essas pessoas estavam no seu caminho.
Depois, como se já tivesse acontecido o máximo que poderia acontecer entre ambas, elas não se precisaram mais.

Mas esse único contato direto sucedera havia muito
tempo. E sua incompreensível memória não ajudou Vitória,
sentada na cozinha, a encontrar um meio de anunciar a Ermelinda a vinda de mais um trabalhador. Com olhar estoico,
ela segurava a garrucha; suportando tudo o que sabia. "Com
a chave gelada junto do coração, grito de meu castelo", pensou ela bonito, porque se não desse magnificência ao mundo
estaria perdida. Ela tornava magnífico o que ela sabia – mas
o que sabia já se tornara tão vasto que mais parecia uma ignorância. A esta, por um instante, ela sucumbiu:

– Se eu pudesse dar um tiro e a chuva então desabasse,
pensou por um instante em que a cabeça falhou em fadiga.

Porque da lembrança da cena com Ermelinda ficara-
-lhe apenas a visão da chuva abençoada desabando. E seria
tão necessária agora outra grande chuva, pensou com a
força de novo reassumida como se desse uma ordem ou
como se de novo tivesse tocado em si a chave. O milharal
talvez secasse antes da colheita... E secasse o capim para
o pasto. Talvez não, indagou com os olhos no céu.

Mas o céu alto e a diária relutância do poente em se fazer noite – nada prometiam senão a probabilidade de mais
uma seca. É verdade que a terra ainda estava úmida. E o
verde viçoso. Mas por quanto tempo? Há dias Vitória fingia
não perceber que havia menos sapos: eles já estavam desertando... E que pouco a pouco as cigarras enchiam persis-
tentes o crepúsculo. Mas a mulher encarou o ar com luta: é

que os pássaros ainda não haviam emigrado! O que alargou seu olhar na dureza da esperança, como se a autoridade de sua fé impedisse a deserção das aves. Enquanto estas estivessem por ali, ela se conservaria silenciosamente batalhadora.

Enfim – suspirou de repente alquebrada – quanto antes falasse com Ermelinda melhor seria, para evitar que esta descobrisse sozinha e viesse pálida avisar: "há um homem no depósito de lenha!" Não suportaria essa frase estúpida. E só em imaginar ouvi-la, seu impulso agora seria o de despedir a prima como se despede uma criada.

Passando pela sala para subir ao quarto de Ermelinda, viu-a, porém, pela janela, ajoelhada diante da roseira nova. Parou um instante para olhá-la antes de se dirigir ao terreiro – com aquele hábito inútil que tinha de examinar as pessoas quando estas não se sabiam examinadas. Espiou um instante, suspirou de novo heroica, e, como se fosse obrigada a chegar a uma conclusão, já que a olhara, pensou: "ela é moça, é por isso que ainda tem medo; ela é moça, é por isso que tem medo da morte." Mas eu também tenho direito de ter medo! disse-se escura, reivindicando. Era como se a outra ainda pudesse ser ofendida. E ela, ela nunca mais seria.

Parou junto de Ermelinda. Sabia que esta já a tinha visto se aproximar, embora não tivesse sequer erguido os olhos; como se assim devesse agir alguém que tem medo do escuro ou que foi iniciada no espiritismo e no segredo de um modo de viver.

A moça, fingindo que só agora ouvira os passos, levantou enfim um rosto sonso de surpresa. E era como se a doçura dessa mentira tivesse feito seu rosto atingir uma expressão ao mesmo tempo de desamparo e dádiva – e tudo, tudo era fingido. Vitória fechou as mãos dentro dos bolsos da calça:

– Que é que você está fazendo, perguntou tranquila.

– Podando a roseira brava.

– A roseira não assusta você? perguntou suave; tinha necessidade de ferir aquela moça ajoelhada como se esta fosse a culpada do absurdo dela própria ter contratado o homem.

– Esta não: esta tem espinhos.

Vitória franziu as sobrancelhas:

– E que diferença faz se tem espinhos?

– É que só tenho medo, disse Ermelinda com certa voluptuosidade, quando uma flor é bonita demais: sem espinho, toda delicada demais, e toda bonita demais.

– Não seja tola, disse Vitória com brutalidade, é de qualquer modo no corpo que se passam as coisas! E se você ajudasse nos trabalhos não teria tempo de ter horror de rosas bonitas ou de detestar a fazenda!

– E você gosta muito da fazenda? perguntou a outra maciamente.

– Tem um homem no depósito de lenha! cortou Vitória.

E como se tivesse dito algo que até este momento nem ela própria soubesse, ficou olhando espantada, ferida. Refez-se logo:

– Ele diz que é engenheiro, o motivo de estar aqui é que deve estar mesmo sem trabalho. Vou aproveitá-lo em mil tarefas. Francisco vai ficar de olho nele.

Tinha dito. Fechou os olhos um instante com cansaço e alívio. Quando os abriu, viu que Ermelinda se interrompera com a tesoura no ar, e seu rosto – seu rosto de novo atingira uma extrema nota aguda e tenra como se para chegar um dia a essa expressão é que um rosto tivesse sido feito. "E eu", pensou Vitória, "que sei de tudo, e tudo o que sei envelheceu na minha mão e se tornou um objeto". Ela abafou a voz como pôde:

– Que foi? que foi que eu disse de tão extraordinário para você ficar assim?

Ermelinda estremeceu:

– Você não disse nada, você disse que tem um homem no depósito! obedeceu ela depressa.

– Pois então, se está podando roseira, que é trabalho inútil quando a seca vem aí, continue a podar! exclamou sem se conter. E não fique radiante! – sem conseguir mais se interromper, prosseguiu: radiante, sim! disse com dor, de novo você está pensando que hoje é um grande dia! basta uma batida de palmas e você se alegra, e me assusta! é um homem que veio trabalhar, se não prestar vai embora, e se ele pensa que por ser engenheiro vai mandar, está muito enganado! e é só isto, não passa disto!

Ermelinda fingiu estar tão surpreendida que a olhou de boca entreaberta. Ou estava realmente surpreendida, não se poderia nunca saber. "Fui muito repentina", pensou Vitória. Ermelinda examinou-a de lado, fugaz – e recomeçou o vago trabalho junto à roseira, e era como se quisesse ser tão discreta a ponto de não lhe dar a perceber que a entendia; Vitória enrubesceu, atingida.

Algum tempo se passou. Ficaram em silêncio, sentindo o vento suave rodar em torno delas. A escuridão se fazia aos poucos. Por um instante o perfume das rosas deu doçura e meditação às duas mulheres.

– As flores, disse Ermelinda envolvida pela desmaiada ânsia da penumbra, as flores, disse ela.

– "As flores assombram o jardim?" indagou Vitória atenta.

– Não é? exclamou Ermelinda surpreendida e grata, você sempre diz tão bem! disse bajuladora.

Vitória estava calma. Olhou-a profundamente, de novo isenta de tudo aquilo que aquela moça era:

– Eu mesma nunca disse isso. Mas já que moramos junto tive que aprender sua linguagem.

– Por que é que ele diz que é engenheiro? perguntou a outra muito cuidadosa.

– Ah, eu sabia. A pergunta tinha que vir.

– Mas que foi que eu disse agora de errado? – e uma inocência quase real infantilizou um rosto implorante; mas ambas sabiam que tudo era mentira.

– Ermelinda, disse Vitória fechando os olhos bravamente, há três anos você diz: "tenho medo de passarinhos." Há três anos você diz: "que coisa esquisita quando a árvore se mexe." Há três anos eu ouço até os seus silêncios. E não suporto mais sua infância no leito, isso não lhe dá direitos sobre mim. Ah, não me interrompa: já sei que da cama você tinha tempo de ver os pássaros pela janela e de ter medo deles! Moramos junto, está bem, você tinha que morar em alguma parte; também sei que você uma vez cuidou de meu pai, mas também sei que foram apenas os três dias de que precisei! sei de tudo. Mas eu disse claramente a você que – que queria calma, queria – Queria calma. Senão por que é que eu não vendi o sítio quando titia morreu? responda! por que é que não vendi e vim para cá, já que nem conhecia isto aqui direito? E se tivesse vendido, teria dinheiro na mão e continuaria a morar na cidade. É isso mesmo – acrescentou admirada – e eu teria ficado onde sempre vivi... – Vitória despertou com súbita violência: O que esqueci de perguntar era se você também queria calma quando veio para cá. Este, Ermelinda, é um lugar para uma pessoa serena como eu. Não, não responda. Não importa. Há três anos você me incomoda, tenho que lhe dizer isto. E hoje lhe digo ainda mais: basta. Você altera minha vida com suas – com sua espera. É intolerável. Isso já não se chama há muito de calma. É como se eu estivesse criando ratos em casa, eles correm sem que eu veja, mas eu sinto, ouviu? eu sinto os pés deles – seus pés, Ermelinda – fazendo a casa toda vibrar.

– Para que você quer calma? desviou Ermelinda maliciosa, tentando lisonjeá-la com uma careta de graça.

– Quero silêncio, quero ordem, quero firmeza – e enquanto ela falava parecia-lhe cada vez mais absurdo ter admitido um homem totalmente estranho como trabalhador. – Pelo amor de Deus, não diga que tem hoje um pressentimento só porque o homem foi contratado numa quinta-feira! Diariamente você tem pressentimentos. Antes era o seu papagaio dando gritos secos que pareciam arranhar minha garganta, mas ele felizmente morreu. Seu papagaio, seus pressentimentos, sua gentileza, seu medo de morrer, isso mesmo! seu medo de morrer.

A outra estremeceu um rosto inquieto:

– Você acha que vem seca de novo? cortou depressa, pálida.

Vitória estacou, desequilibrada pela interrupção. Seca?

A mulher ruim olhou a doçura com que a noite vinha, úmida e cheia, esse modo como em certa hora o mundo nos ama. Era março e uma palidez vertiginosa alargava a amplidão. Perturbada ela sentiu o cheiro podre que vinha das valas. Na escuridão nascente as valas pareciam precipícios que arrastaram invencivelmente seu olhar para uma meditação vazia e involuntariamente suave. A extensão das terras era ilimitada, repousada... E no depósito de lenha ela viu com leve sobressalto alumiar-se a lanterna.

A luz ora se erguia, ora quase se extinguia. Com uma intensidade onde havia ânsia e aspiração, a mulher se entregou à luta da lanterna como se fosse obscura luta sua. A luz afinal, quase a se apagar, sobreviveu. A princípio trêmula, enevoada. Em torno a escuridão total se fizera.

– Seca? repetiu a mulher olhando o depósito como se não o visse. Talvez não, disse absorta. O que tem que ser, tem muita força.

6

Enquanto isso, erguendo a lamparina acima da cabeça, Martim parecia quase tão grande quanto o depósito. Lenha úmida se amontoava perto da enxerga que ele olhou com sensualidade como se não dormisse há anos.

A lucidez a que se forçara para responder às perguntas de Vitória já desaparecera, e de suas mãos sumira a habilidade de que precisara para instalar a porta. Com um abrutamento que as vacilações do clarão nas paredes fazia gaguejar e tropeçar, respirou fundo o cheiro de couro molhado do depósito, sacudiu a cabeça com força lutando por não submergir. Embora não precisasse de si para nada, uma luta elementar fazia-se nele no sentido de não soçobrar. É que a impressão ameaçadora de estar perdendo elos importantes fazia com que ele se forçasse a ter consciência de tudo: quando a luz esfumaçada da lamparina passava por cima da enxerga, ele anotou com uma nitidez inútil um cinturão imóvel no grande prego enferrujado e o quadro de papelão duro sem moldura.

Deste o homem aproximou com obediência a lamparina e o próprio rosto anestesiado que tentava se acordar: sob a gravura, em letras graúdas e femininamente desenhadas como num bordado paciente, estava inscrito "S. Crispim e S. Crispiniano". Os olhos avermelhados do homem viram os dois santos em seu trabalho de sapateiros. Gostou muito da gravura. As mãos dos santos estavam por um instante paralisadas nas sandálias, num silêncio perfeito que o artista dera por acaso. Acima da auréola dos santos – dentro de um círculo esfumaçado para convencionar a distância futura do acontecimento – estavam os mesmos S. Crispim e S. Crispiniano dessa vez fervendo dentro da caldeira. "Diabo", grunhiu o homem, "qual foi o crime deles?" Mas embaixo da caldeira, enquanto o futuro não sucedia, os santos verdes, azuis e amarelos – cores que em vez de violência davam à gravura o grande espaço que cabe numa igreja – enquanto o futuro não sucedia, os santos tinham a tranquila concentração que sandálias a consertar exigiam, como se nossa tarefa fossem as sandálias.

Na sua pesada estupidez, que se manifestou num sorriso de submissão, o homem insistiu em aproximar de novo a lamparina. É que, ainda deformado pela necessidade de atenção da fuga, pareceu-lhe que também ali havia um elo importante a lhe escapar, e ele então tocou com dedos tímidos o rosto de papelão dos mártires como quem se achega furtivamente daquilo que poderá se enfurecer. Depois, com vagares de minúcia, pôs os óculos. Mas a verdade é que o elo continuou a lhe escapar, e seus olhos aumentados pelos óculos só conseguiram obstinadamente repetir a visão sem compreendê-la: no círculo esfumaçado a caldeira borbulhando, embaixo dela instante calmo por instante calmo os sapatos se consertando. O homem não conseguiu ir um passo adiante. Embora a muda cena do quadro desse ao depósito uma perspectiva. O próprio depósito de lenha cheirava a sapateiro.

Se aquele homem ainda se lembrava de como era o mundo – naquele quadro havia alguma coisa a que ele certamente responderia se ainda fosse gente. Aquilo que o homem aprendera e não esquecera de todo, ainda o incomodava; era difícil esquecer. As coisas simbólicas sempre o haviam incomodado muito. Mas estava tão bruto quanto a comida que lhe pesava no estômago. Quando soprou a lamparina, a escuridão se fez cheia de vento pela janela. E como se trevas encontrassem outras trevas, o cansaço derrubou-o com alguma misericórdia no sono.

Até que uma aurora pálida começou a se mexer. E a brisa soprou a primeira fraca vida naquele depósito amornado por respiração, couro e entranhas. Sem saber ainda o que fazia, o homem sentou-se na enxerga. Depois, pessoa de fortes hábitos que era, ergueu-se.

Era uma madrugada muito bonita. Quando ainda não há luz, e a luz é apenas o ar, e a pessoa não sabe se está respirando ou vendo. Além do mais, do longe veio-lhe o cheiro das vacas, o que sempre nutre de enlevo uma pessoa: o cheiro de vacas amanhecidas veio misturado com a grande distância que ele enxergou. Os olhos de Martim, tornados ignorantes pela longa noite, olharam então com estranheza o terreno baldio que a meia claridade de sonho revelou pela janela atrás do depósito. Aparentemente esquecera de que dormira no campo. No terreno, através da névoa rasa, viu com curiosidade infantil uma terra suja e seca, endurecida pela madrugada. O homem não antecipou nada: viu o que viu. Como se olhos não fossem feitos para concluir mas apenas para olhar.

Até que, mais um segundo dessa própria isenção, e também sua cabeça foi atingida com graça pela incompreensão do que ele via. E num engano de que certamente precisou, um engano tão certo quanto a queda certa de uma maçã, ele teve um sentimento de encontro: pareceu-lhe que no grande silêncio ele estava sendo saudado por um terreno da era terciária, quando o mundo com suas madrugadas nada tinha a ver com uma pessoa; e quando, o que uma pessoa poderia fazer, era olhar. O que ele fez.

É verdade que seus olhos custaram a entender aquela coisa que nada mais do que: acontecia. Que mal acontecia. Apenas acontecia. O homem estava "descortinando".

O terreno fora provavelmente uma tentativa, por fim abandonada, de jardim ou horta. Percebiam-se restos de um trabalho e de uma vontade. Certamente haviam alguma vez tentado estabelecer ali ordem inteligível. Até que a natureza, antes expulsa pelo plano de ordem, voltara sorrateiramente e lá se instalara. Mas em seus próprios termos.

Porque, qualquer que tivesse sido a sua época de glória e viço, agora o terreno tinha o silêncio do que é entregue a si mesmo. Havia algumas pedras cinzentas e duras. Um pedaço de tronco deitado. Raízes expostas de uma árvore havia muito tempo cortada, pois nenhuma umidade porejava mais no corte oblíquo. Ervas cresciam verticais. Algumas haviam atingido uma altura que já as tornava sensíveis à brisa adstringente da aurora. Outras eram rasteiras e coladas ao chão, e deste não se arrancariam sem morte. Terra grossa se esfarelava junto de um formigueiro; era uma desordem tranquila.

O homem ficou olhando até que a vida que se instalara no terreno começou a acordar. Mosquitos brilhantes, como se transportassem para ali o primeiro carregamento de luz. O passarinho cauteloso entre folhas secas. De uma pedra para outra, se cruzaram ratos e ratas. Mas na irmanação do silêncio, como um fuso trabalhando, um movimento não se distinguia do outro. Essa foi a sossegada confusão onde Martim caíra.

Durante os incompreensíveis dias que se seguiram – todos os elos lhe escapando, recebendo atordoado as primeiras ordens de Vitória, examinado de longe por Ermelinda e ouvindo as risadas contidas da mulata – foi com um esforço atoleimado que o homem suportou a luz intensa do campo, como se não estivesse à altura de entender a claridade.

Mas, dia após dia – acabado o trabalho penoso que não saberia fazer se Vitória não o comandasse – ele descia da luz aberta e superior do campo, de onde vinha cego de incompreensão. E guiado por uma obstinação de sonâmbulo, como se o tremor incerto de uma agulha de bússola o chamasse – ia enfim ao terreno terciário de vida apenas fundamental, a par da sua. E com um suspiro de quem voltasse a si mesmo, encontrava a sombra vacilante, o movimento dos ratos, as grossas plantas. Naquele porão vegetal, que a luz mal nimbava, o homem se refugiava calado e bruto como se somente no princípio mais grosseiro do mundo aquela coisa que ele era coubesse: no terreno rastejante a harmonia feita de poucos elementos não o ultrapassava nem ao seu silêncio. O silêncio das plantas estava no seu próprio diapasão: ele grunhia aprovando. Ele que não tinha uma palavra a dizer. E que não queria falar nunca mais. Ele que em greve deixara de ser uma pessoa. No seu terreno, ali sentado, ficava gozando o vasto vazio de si mesmo. Esse modo de não entender era o primeiro mistério de que ele fazia parte inextricável.

É que o terreno terciário era de uma grande perfeição. Nem mesmo quando a luz se aproximava, chegava a transformar o ar do silêncio: a claridade, chegando através de etapas e etapas de silêncio, se reduzia ali a mera visibilidade, que é o máximo de que olhos precisam. Porque, àquele homem, sempre tinha sido dado muito mais do que ele precisara; pelo menos foi o que lhe pareceu agora, sentado no seu território que tanto lhe bastava. E se a visibilidade atingia o terreno, revelavam-se folhas mortas se decompondo, pardais que se confundiam com o chão como se fossem feitos de terra, as ratas negras e miúdas que haviam feito ninho naquele mundo rudimentar.

Como acontecia que Martim nunca entendera nem de plantas nem de animais, encontrou ali plantas e animais de novas e raras espécies. A ratazana era um ser grande de espécie rara e peluda com um longo rabo. A planta grudava uma boca no chão. O pássaro, levantando voo baixo, era uma advertência que o homem acompanhava com a boca entreaberta. E ninguém guiava os passos de ninguém: a planta suja de poeira se compreendia assim como se enroscava. Ali era o escuro ar de que vive uma coisa viva. E Martim estava bem cercado pelas coisas que ele entendia: as moscas desovavam. E o sentido daquilo era o sentido mais primeiro daquele homem: estava ali como se houvesse um plano que ele ignorava mas a que uma planta se agregava com a boca e a que ele próprio correspondia sentando-se muito evidentemente na pedra – sentar-se numa pedra estava se tornando sua atitude mais inteligível e mais ativa.

E a coisa era de tal modo perfeita que até a perspectiva da distância se agregava àquele mundo sem Deus. Pois quando o homem erguia os olhos – as árvores distantes eram tão altas, tão altas como uma beleza: o homem grunhia aprovando. Quanto mais estúpido, mais em face das coisas ele estava.

Assim é que, aos poucos, a força de Martim foi se reconstituindo.

Apesar de ter querido da fazenda apenas pouso, comida e o uso do caminhão no momento mais favorável – os dias começaram a ser ocupados como ele não esperara. E seguiram-se em marteladas certas e ritmadas, mesmo que os dias fossem os próprios elos que lhe escapavam. As manhãs eram frescas, as árvores folhudas, os deveres se sucediam. A mulata examinava-o e ria, a criança negra vivia escondida a vigiá-lo. Mas ele se habituara. E movia-se lento como um homem que semeia. Seu grande silêncio não era apatia. Era uma profunda sonolência em guarda, e uma meditação quase metafísica sobre o próprio corpo, no que ele parecia estar atentamente imitando as plantas de seu terreno.

Lentamente sua força se reconstituía, e foi assim que se passou a primeira semana, a maior de todas as que ele passou no sítio. No fim da primeira semana, Vitória havia meses o governava arduamente, havia meses o homem suava num aprendizado penoso. E de tal modo nesta semana já havia acontecido o que quer que fosse, e de tal modo se haviam ligado os elos invisíveis que, ao fim de sete dias, sucedera essa coisa de que inesperadamente se toma consciência: um passado. E ao fim de uma semana havia inquietação e rumor indistinto no sítio como acontece quando, tudo tendo permanecido muito tempo sem evoluir, tudo quer se transformar.

Martim também se habituara sem resistência a ser constantemente mandado por Vitória que parecia ter descoberto um jogo incessante e impaciente: vigiá-lo e inventar trabalho para ele:

– Tenho um anglo-árabe que precisa ser rasquiado!

– Sim.

– Na verdade, disse ela então muito atenta, preciso menos que um engenheiro.

Mas a mulher chegou a duvidar que ele a tivesse ouvido ou compreendido.

– Eu disse, repetiu examinando-o surpreendida, que na verdade precisava de muito menos que um engenheiro!

– Se precisasse mais, é que ficava difícil, respondeu afinal o homem sem ao menos parecer importunado.

Seu rosto tranquilo dava, no entanto, à mulher impaciente a ideia de que ele estava permanentemente divertido ou ocupado com alguma coisa que escapava aos outros:

– Isto, encerrou ela, isto é uma bobagem.

O ar do campo deixara-o cru e enrugado, com os olhos mais claros. Ele se movia devagar na grande extensão, desimpedido enfim pela ausência de pensamentos. Mas se sua compacta ausência de pensamento era um embotamento – era o embotamento de uma planta. Pois como uma planta, ele estava alerta a si mesmo e ao mundo, com aquela mesma tensão delicada com que a grossa planta é planta até as suas últimas extremidades, com aquela delicada tensão com que a planta cega sente o ar onde suas duras folhas se engastam. O homem todo se reduzira a essa espécie de vigilância.

O que estava lhe acontecendo era um desses períodos dos quais, depois que passam, se diz: nada aconteceu.

7

Era a quente e inexpressiva cara de um homem – e uma tarde Ermelinda olhou para Martim espantada de vê-lo tão concreto no meio da vaguidão do campo.

Materializando o vasto espanto que ela nunca sabia bem em que aplicar – ela então se espantou da coincidência daquele homem estar exatamente no sítio, e se espantou da coincidência extremamente curiosa dela mesma estar no sítio. Mas – pensou forçando-se a alguma modéstia – não há um fato que não se ligue a outro, e sempre há uma grande coincidência nas coisas.

Logo na primeira semana Ermelinda se apaixonou por Martim. Em primeiro lugar porque ele era um homem e ela por assim dizer nunca se apaixonara, senão de outras vezes que não contam. E depois porque Martim, sem o saber, era homem junto do qual uma mulher não se sentia humilhada: ele não tinha vergonha.

Ela estava sentada de tarde debulhando milho. O fato de ter aceito a tarefa já fora talvez um começo da necessidade de estar sozinha e deixar-se ficar absorta. Ficar absorta era o modo usual como Ermelinda chamava "estar pensando".

Nessa tarde, de onde Ermelinda o via, a distância tornava o homem um ponto negro que a moça fixamente acompanhou como único ponto de referência no campo. Até que sua visão se ofuscou pela claridade, e milhares de pontos negros e luminosos fizeram-na fechar os olhos como se o homem se tivesse estilhaçado.

Quando reabriu os olhos agora penumbrosos, o campo estava de novo vazio: Martim desaparecera. O que lhe restou a ver foram os passarinhos odiados voando calmos. E as ervas altas e mal-assombradas estremecendo à menor hesitação da brisa. Tudo se tornara de novo antena sensível ao que jamais chegava a ser dito. Como numa visitação, com ânsia de espera Ermelinda olhou. Estava muito pensativa.

Foi a essa altura que Martim apareceu de novo no seu campo de visão. Ele, o homem concreto que parecia impedir que as coisas voassem. Pois o modo de ver de Ermelinda costumava deixar tudo tão instável e leve como ela própria. Ele, o homem, reapareceu. Assegurando a realidade. E aquele corpo grosseiro contrabalançava a suavidade do milharal, a suavidade das mulheres e das flores. Com a firmeza ingênua que um homem tem, e que é a sua força, ele contrabalançava a nauseante delicadeza da morte. Aquela firmeza inocente que mesmo o marido de Ermelinda tivera, mesmo Francisco, mesmo todos os outros homens que haviam temporariamente trabalhado no sítio. Com uma solidez que ignorava o próprio valor, o corpo estúpido de Martim parecia garantir que nunca a morte, a morte delicadíssima, venceria. E a força do homem justificava que ela, Ermelinda, fosse tão suave – essa suavidade que sem um homem era tão gratuita como uma flor e, como uma flor, parecia se dar ao nada, e o nada era a morte espalhada com tal sutileza que até parecia vida.

Ermelinda não estava pensando em nada: estava absorta.

Com o rosto inclinado, descaroçou automaticamente o milho. E distinta das marteladas de Martim – que ela ouvia uma a uma, esperando em doce tortura pela próxima – ela se disse com o maior cuidado, no começo de uma sensação de exasperante prazer que ela temeu destruir se lhe desse mais força: "mas quem está falando em morte, mulher? estou tão viva", disse ela como se fruísse de um desfalecimento e de um calor. As marteladas do homem batiam como um coração no campo. Seu rosto inclinado para o milho não via Martim. Mas a cada martelada ele dava enfim matéria ao campo desfraldado, e dava ao corpo daquela moça, tão vago, um corpo. Ermelinda sentiu uma moleza envergonhada contra a qual, sem motivo nenhum, lutou erguendo a cabeça com certo brio. É verdade que seu desafio não conseguiu se sustentar por muito tempo, e aos poucos a cabeça pesada de novo se inclinou meditando. Os dedos mecânicos continuaram pois a trabalhar.

Mas às vezes ela fazia um leve movimento de cabeça, muito quieto e bonito, como se afastasse uma mosca. Meditar era olhar o vazio. A moça meditava.

Foi então que levantou a cabeça e fitou o ar com alguma intensidade. É que alguma coisa branda e insidiosa se misturara a seu sangue, e ela se lembrou de como se falava de amor como de um veneno, e concordou submissa. Era alguma coisa adocicada e cheia de mal-estar. Que ela, conivente, reconheceu com suavidade supliciada como uma mulher que apertando os dentes reconhece com altivez o primeiro sinal de que a criança vai nascer. Reconheceu, pois, com alegria e impassível resignação, o ritual que se fazia nela. Então suspirou: era a gravidade pela qual ela esperara a vida inteira.

Depois, como uma mulher que se torna desordenadamente ativa em momentos críticos, imprimiu mais força na espiga crua, vários caroços tombaram, um relinchar de cavalo atravessou o campo e Francisco deu-lhe ordem de parada, vários caroços tombaram na lata. Era alguma coisa que seria amor ou não seria. Caberia a ela, entre milhares de segundos, dar a leve ênfase de que o amor apenas carecia para ser.

Ermelinda parou com a espiga na mão, sua cabeça rodava um pouco, satisfeita, vexada. Porque, num segundo perdido entre milhares de outros na vastidão do campo, sujeita à lei da única célula que se fecunda entre as que fenecem, ela acabara de saber, como se escolhesse, que o amava. Não diretamente, pois não era moça com hábitos de coragem. Mas deste modo ela escolhera saber que o amava: "estou viva", pensara ela. E ao pensar "estou viva" tomara pela primeira vez consciência de que antes também pensara na morte, e que também pensara no homem. A ignorância de seu próprio processo deu-lhe a surpresa da inocência. E somente então percebeu que agora era tarde demais, que só poderia amá-lo. Dolorosamente, altivamente, perdera para sempre a possibilidade de resolver. Com alívio, como quando é tarde demais. Um segundo antes ainda poderia não amá-lo. Mas agora, suavemente, vaidosamente: nunca mais. No mesmo instante teve uma sensação de tragédia.

E agora era tarde demais – qualquer que tivesse sido o sentimento gerador, este para sempre se volatilizara. Era tarde demais: a dor ficara na carne como quando a abelha já está longe. A dor, tão reconhecível, ficara. Mas para suportá-la fomos feitos.

Um pouco espantada, o calor da tarde então envolveu-a, inquieto, pesado. Nada se transformara no campo que continuou cheio de imóvel sol. No entanto por um instante a moça não o reconheceu e não se reconheceu, e se se olhasse ao espelho veria grandes olhos olhando-a mas não se veria. Com a acuidade da estranheza, notou na própria mão uma veia que havia anos não notava, e viu que tinha dedos magros e curtos, e viu uma saia cobrindo os joelhos. E sob tudo o que ela era, sentiu alguma coisa: sua própria atenção. Um pouco aflita, olhou em torno. Por uma obscura necessidade de preservação, estava procurando recuperar no campo aquele minuto em que ela ousadamente aceitara amar o homem: procurava recuperar o minuto para destruí-lo. Mas, estonteada, talvez soubesse que também a necessidade de destruir amor era o próprio amor porque amor é também luta contra amor, e se ela o soube é porque uma pessoa sabe. Procurou, desesperada e ofendida, aquele minuto que já agora nunca mais ela saberia se fora fatal a ponto de submetê-la – ou se nesse minuto ela própria fora tão extremamente livre que, numa gratuidade que já era pecado e que depois se pagava, ela o apontara.

Procurou recuperar o instante para destruí-lo, mas isso foi penoso e inútil. Pois tudo acontecera rápido demais. E a moça ficou apenas com o seguinte: com um balde cheio de caroços de milho, sem ter sequer contra o que lutar.

E tão abandonada, e tão solitária, como se tudo o que no futuro se fosse seguir nada tivesse a ver com o solitário minuto de glória que há muito já se perdera para sempre entre as marteladas. Essas marteladas que a moça, agora emergida e espantada, ouviu mais fortes e mais próximas, fatais, fatais, fatais. Sua estranha liberdade: ela escolhera ir de encontro ao fatal. Era a gravidade pela qual esperara a vida toda. De novo um senso de tragédia a envolveu. E, estranhamente, dentro desta ela era apenas anônima.

Olhou então as moscas sobre a roseira. A graça do que ela estava vivendo encheu-a de modéstia cristã, e ela humildemente procurou apoio moral nas moscas que por dentro eram azuis. Mas o que viu apenas foram moscas azuladas e a rosa trêmula pela mosca que acabara de deixá-la trêmula. Depois que por um instante o mundo inteiro se tornara seu cúmplice, a moça fora largada por sua própria conta.

Então abaixou a cabeça e retomou o trabalho: os caroços de milho tombaram na lata cadenciadamente, gota dura por gota dura. O sol se alargara subitamente em grande luz, o vento quente soprou. Mas alguma coisa certamente acontecera. Porque o grito da mulata no fundo da casa crispou o rosto da moça como se o tivessem ferido.

Inconfortável dentro da inesperada grandeza que sua vida tomara, a moça fingiu não perceber nada. Depois, revoltada e refugiando-se na consoladora mesquinharia, onde pelo menos ela era ela própria, ela se disse em desafio: "se não cuidar de mim, ninguém cuida! vou é tomar mais leite para me fortificar que não sou tola!", disse com brutalidade. Mas ao que disse, ela própria abaixou uma cabeça inteiramente distraída, respirando, respirando. Depois enxugou o suor.

– A cerca ainda não foi consertada! disse neste momento Vitória a Martim.

Ermelinda estremeceu espantada pelo fato de alguém falar com o homem: ela não o imaginara, então! Ressentiu-se com a intrusão do estranho como se ele tivesse se imiscuído no amor que acabara de nascer.

– A cerca está em pedaços, acrescentou Vitória exigente.

Martim jamais parecia se perturbar por ter que interromper o trabalho que apenas começara e iniciar outro: começava a nova tarefa com a mesma indiferença concentrada com que fora perfeito no trabalho anterior.

– O senhor não prefere acabar antes o que está fazendo? sugeriu Vitória afinal, ela mesma tendo que suprir o argumento que ele não dera.

Mas ele não parecia se surpreender com coisa alguma do que Vitória pudesse lhe dizer. A princípio a obediência com que ele a ouvia deu a Vitória uma escura raiva no peito. Nas suas fantasias, Vitória tinha a impressão de que, se dissesse ao homem: "de noite eu durmo embaixo da cama", ele responderia: "pois não, minha senhora". O fato dele admitir nela o que quer que fosse e as ordens mais contraditórias, ofendia-a; e, pior ainda, isso tirava subrepticiamente uma viga do heroísmo vago de que ela vivia e cujos motivos já se haviam perdido. Mas, aos poucos, foi sendo envolvida pelo modo como ele admitia tudo nela ou em si mesmo. Era como se ele dissesse: "não vejo mal nem bem em se dormir embaixo da cama". Pouco à vontade, ela não conseguiu descobrir o mal que haveria em dormir sob uma cama: a mulher piscou os olhos, perturbada. A solidez e a calma do homem não lhe transmitiam nem solidez nem calma – irritavam-na apenas.

Quanto ao homem, seus músculos trabalhavam com exatidão, lentidão e certeza. E nada o alterava como se ele carregasse consigo, em defesa intransponível pelos outros, o grande silêncio das plantas de seu terreno terciário. Para as quais voltava todas as tardes como um homem volta à sua casa. E onde ficava sentado sobre uma pedra.

E lá era bom. Lá nenhuma planta sabia quem ele era; e ele não sabia quem ele era; e ele não sabia o que as plantas eram; e as plantas não sabiam o que elas eram. E todos no entanto estavam tão vivos quanto se pode estar vivo: esta provavelmente era a grande meditação daquele homem. Assim como o sol brilha e assim como o rato é apenas um passo além da grossa folha espalmada daquela planta – esta era a sua meditação.

Martim tinha olhos azuis e sobrancelhas baixas; seus pés e mãos eram grandes. Tratava-se de um homem pesado, com uma ideia na cabeça. Tinha uma presença móvel, atenciosa, como se só fosse replicar depois de ouvir tudo. Esse era o seu lado verdadeiro, e também o seu lado de fora, visível pelos outros. Por dentro – custando muito mais a atingir a sua forma exterior que o precedera – por dentro ele era um homem de compreensão lenta, o que no fundo era uma paciência, um homem com um modo de pensar atrapalhado que às vezes, num sorriso embaraçado de criança, se sentia intimidado pela própria estupidez, como se ele não merecesse tanto; é verdade que por dentro ele também era sagaz, com uma possibilidade sempre pronta a tirar proveito e vantagem. O que no passado o levara a ignorar vários escrúpulos e a fazer vários atos que seriam pecaminosos se ele fosse uma pessoa importante. Mas ele era uma dessas pessoas que morrem sem se saber o que realmente aconteceu com elas.

Na verdade, sentado na pedra de seu reinado, sua meditação por assim dizer se reduzia a ser um homem de pés grandes sentado numa pedra. O que ele não notou é que já estava começando a tomar algum cuidado em ser exatamente apenas aquilo que ele estava sendo. No seu alerta adormecimento às vezes um pensamento já faiscava nele como numa lasca de pedra:

– A região é árida, meditava ele com bastante profundeza. Todavia o carvão existe, parecia ele pensar, sentado ereto na pedra. Constatar era de uma surda virilidade. E era como se um homem, sabendo esperar sentado na pedra, pois bem! se um homem soubesse esperar sentado numa pedra, então a umidade favoreceria o apodrecimento de raízes, nozes, frutos e sementes. Essa lógica obscura lhe parecia perfeita e suficiente.

Sentado na pedra, ele também se sentia satisfeito pelo fato de agora saber trabalhar tão bem no campo. Seu conhecimento era pouco, mas suas mãos tinham ganho uma sabedoria. "Um homem é lento e demora muito para entender suas mãos", pensou ele olhando-as. Seus pensamentos eram quase que voluntariamente enigmáticos. E no seu terreno ele sentia aquele prazer que em certos momentos nulos se sente, como se tudo na verdade fosse essencialmente feito de prazer. A planta, por exemplo, era apenas prazer.

É verdade que às vezes a intensa quietude das plantas já parecia surdamente perturbá-lo, e dava-lhe uma primeira inquietação. Então ele mudava a posição das pernas, paciente, sem entender. Não se dava conta de que ali estava lentamente fabricando a sua primeira flecha e polindo o seu primeiro dardo.

Nem se deu conta de que já era totalmente diferente daquele homem que olhara o terreno de madrugada. Não se deu conta de que, mudando tantas vezes a posição das pernas, estava tendo a sua primeira impaciência, ao olhar esse mundo pronto para ser caçado. Obscuramente inquietava-se por começar a se sentir superior às plantas, e por sentir-se de algum modo homem em relação a elas. Pois só homem era impaciente: ele então mudou de novo a posição das pernas. E mais: só um homem se orgulhava da própria impaciência. Como ele, mudando de novo a posição das pernas, perturbadoramente se orgulhou. Era uma vaidade generalizada que às vezes o tomava, e que ainda não se embaraçava por existir ao mesmo tempo que a prudência em não se arriscar além da sonolência asseguradora do terreno do depósito. Asseguradora mas já não suficiente. O homem estava incomodadamente crescendo.

Mas essa inquietação quase apenas física sucedia-lhe apenas por instantes. E ainda lhe acontecia tão distante dele próprio que ainda não alterara a inteireza do sistema de mundo em que ele se movia. E, em breve, com o grande prazer que existe na contenção da própria energia, de novo ele se punha em estado de "pouco saber". Pois essa era a condição essencial ao terreno. Em não saber, havia no homem uma alegria sem sorriso assim como a planta se cumpre, grossa.

Às vezes aquele homem, a quem sempre haviam escapado eles importantes, pegava na terra como uma pessoa que possui uma terra. E ficava com o punhado de terra na mão. Bronco, com a terra na mão; como melhor forma de ser. Quais eram os pensamentos daquele homem? Eram pensamentos apenas profundos, satisfatórios e substanciais. Uma tarde ele chegou ao ponto de pensar assim:

– A fauna extinta é uma legião.

Esse era o tipo de pensamento sem contestação possível. Ainda nesse mesmo dia ele pensou assim:

– Há mais de um bilhão de anos, uma vez... – Martim não estava informado de quanto tempo exato existia atrás dele, mas como não havia ali ninguém que o impedisse de errar, ele se aprumou impassível, grande. E continuou a fazer constatações da melhor qualidade. Por exemplo, outra vez pensou assim: "sob dois metros de despojos, talvez haja aqui um crânio de mastodonte". Pensar se transformara agora num modo de se esfregar no chão. Foi, pois, com o prazer mais legítimo da meditação que ele numa tarde se lembrou, sem mais nem menos, de que "existem búfalos". O que deu grande espaço ao terreno, pois búfalos se movem devagar e longe.

E quem o olhasse – tão satisfeito e dominador – balançaria a cabeça em inveja pela sorte que aquele homem tivera em nascer quando as massas de gelo do globo já se haviam fundido: ele estava usufruindo de uma terra favorável. Veio-lhe, por exemplo, a vontade de comer – e ele anotou-a com aprovação. Tinha agora todos os sentidos que um rato tem, e mais um com o qual constatava o que acontecia: o pensamento. Era o modo menos pervertido de usá-lo. Deixava-se sanear pela coisa completa que havia nas plantas: com alívio, encostava seus pedaços crestados na frescura do que existe. Era danado de bom não mentir. Pois, sentado na pedra, ele não fazia nada mais que isso: não mentia.

Por exemplo, Martim não estava triste. O que era estar enfim livre de todo um dever moral de ternura. Aquele homem tinha vindo de uma cidade onde o ar estava cheio dos sacrifícios de pessoas que, sendo infelizes, se aproximavam de um ideal.

– Rebento a cara de quem mexer comigo! disse então alto exercitando sua alma e talvez procurando provocar em si uma cólera que de algum modo o sintonizaria com aquela calma energia ao seu redor.

Depois do que, levantou-se e urinou sereno olhando para o céu. As nuvens passavam altas. Ficou de pé, estúpido, modesto, aureolado. Sua unidade se dava como unidade.

– A região é árida, pensou em seguida. O que lhe deu um gosto muito satisfatório. Olhou para o árido céu. O céu ali estava, alto. E ele embaixo. Perfeição maior não se pode imaginar.

Quando dormia, dormia. Quando trabalhava, trabalhava. Vitória mandava nele, ele mandava no próprio corpo. E algo crescia com rumor informe.

8

Logo nos primeiros dias sentiu-se que havia um homem no sítio. E também se poderia adivinhar que quem mandava era uma mulher: pois apesar da ameaça de seca e das necessidades fundamentais daquela tentativa pobre de fazenda, o que de repente mais preocupava Vitória era a aparência do sítio. Como se até a vinda do homem ela não tivesse percebido o desmazelo das terras, encarniçava-se agora em transformá-las. Parecia ter à frente a data certa de uma festa antes da qual tudo deveria estar pronto. Uma febre de precisão a tomara. E as minúcias a que descia lembravam uma mosca se lavando. Na manhã alta, eis que ela apontava a cerca torta. E a força calma do homem desentortava a cerca. De muito longe Francisco, cismarento e céptico, viu a mulher apontando a desordem dos raros canteiros – e sorrindo viu que em silêncio Martim cavava, limpava, podava. Entre Martim e Vitória estabelecera-se uma muda relação já mecanizada e em pleno funcionamento: constituída da coincidência da mulher querer mandar e dele aquiescer em obedecer. Com avidez, a mulher era dona. E alguma coisa nela se intensificara: a feliz severidade com que ela agora pisava sobre o que era seu, disfarçando a glória da posse com um olhar desafiador para as nuvens que passavam.

– E o curral? interrogou-o um dia atenta, o senhor nunca limpou o curral! disse-lhe impaciente, com aquele piscar de olhos de quem já não sabia o que queria; mas o tempo urgia.

Foi pois assim que Martim – como se estivesse copiando no seu trabalho de se tornar concreto uma evolução fatal cujo rasto ele sentia às apalpadelas – foi assim que o novo e confuso passo do homem foi sair uma manhã de seu reinado no terreno para a meia-luz do curral onde as vacas eram mais difíceis que as plantas.

Seu contato com as vacas foi um esforço penoso. A luz do curral era diferente da luz de fora a ponto de estabelecer-se na porta um vago limiar. Onde o homem parou. Habituado a números, ele recuava à desordem. É que dentro era uma atmosfera de entranhas e um sonho difícil cheio de moscas. E só Deus não tem nojo. No limiar, pois, ele parou sem vontade.

A névoa evolava-se dos bichos e os envolvia lenta. Ele olhou mais no fundo. Na imundície penumbrosa havia algo de oficina e de concentração como se daquele enleio informe fosse aos poucos se aprontando concreta mais uma forma. O cheiro cru era o de matéria-prima desperdiçada. Ali se faziam vacas. Por nojo, o homem que repentinamente se tornara de novo abstrato como uma unha, quis recuar; enxugou com o dorso da mão a boca seca como um médico diante de sua primeira ferida. No limiar do estábulo no entanto ele pareceu reconhecer a luz mortiça que se exalava do focinho dos bichos. Aquele homem já vira esse vapor de luz evolando-se de esgotos em certas madrugadas frias. E vira essa luz se emanar de lixo quente. Vira-a também como uma auréola em torno do amor de dois cachorros; e seu próprio hálito era essa mesma luz. Ali se faziam vacas profundas. Uma pessoa pouco corajosa poderia vomitar à fragrância imunda, e ao ver a atração que as moscas tinham por aquela chaga aberta, uma pessoa limpa podia se sentir mal diante da tranquilidade com que as vacas de pé molhavam pesadas o chão. Martim era essa pessoa pouco corajosa que nunca tinha posto mãos na parte íntima de um curral. No entanto, embora desviando os olhos, ele a contragosto pareceu entender que as coisas se tivessem arranjado de modo a que num estábulo um dia tivesse nascido um menino. Pois estava certo aquele grande cheiro de matéria. Só que Martim ainda não estava preparado para tal avanço espiritual. Mais que temor, era um pudor. E hesitou à porta, pálido e ofendido como uma criança ao lhe ser revelada de chofre a raiz da vida.

Então disfarçou sua covardia com uma súbita revolta: ressentia-se por Vitória tê-lo empurrado do silêncio das plantas para aquele lugar. Onde, com repugnância e curiosidade, ele inesperadamente se lembrou de que houve uma morta época em que répteis enormes tinham asas. É que ali uma pessoa não escapava de certos pensamentos. Ali ele não escaparia de sentir, com horror e alegria impessoal, que as coisas se cumprem.

Será por acaso isso o que lhe revolveu o estômago, ou apenas o cheiro morno? Não se sabe. No entanto bastar-lhe-ia um passo para trás, e ele se encontraria em plena fragrância da manhã que já é coisa aperfeiçoada nas menores folhas e nas menores pedras, e é trabalho acabado e sem fissuras – e que uma pessoa pode olhar sem nenhum perigo porque não tem por onde entrar e perder-se. Bastar-lhe-ia um passo para trás.

Ele então deu um passo para a frente. E, ofuscado, estacou. No começo nada viu, como quando se entra numa grota.

Mas as vacas habituadas à obscuridade haviam percebido o estranho. E ele sentiu no corpo todo que seu corpo estava sendo experimentado pelas vacas: estas começaram a mugir devagar e moviam as patas sem ao menos olhá-lo – com aquela falta de necessidade de ver para saber que os animais têm, como se já tivessem atravessado a infinita extensão da própria subjetividade a ponto de alcançarem o outro lado: a perfeita objetividade que não precisa mais ser demonstrada. Enquanto ele, no curral, se reduzira ao fraco homem: essa coisa dúbia que nunca foi de uma margem a outra.

Num suspiro resignado, pareceu ao homem lento que "não olhar" também seria o seu único modo de entrar em contato com os bichos. Imitando as vacas, num mimetismo quase calculado, ele ali em pé não olhou para parte alguma, tentando ele também dispensar a visão direta. E numa inteligência forçada pela própria inferioridade de sua situação, deixou-se ficar submisso e atento. Depois, por um altruísmo de identificação, foi que ele quase tomou a forma de um dos bichos. E foi assim fazendo que, com certa surpresa, inesperadamente pareceu entender como é uma vaca.

Tendo de algum modo entendido, uma pesada astúcia fez com que ele, agora bem imóvel, se deixasse ser conhecido por elas. Sem que um olhar fosse trocado, aguentou de dentes apertados que as vacas o conhecessem intoleravelmente devagar como se mãos percorressem o seu segredo. Foi com mal-estar que sentiu as vacas escolhendo nele apenas a parte delas que havia nele; assim como um ladrão veria nele a parte que ele, Martim, tinha de avidez de roubo, e assim como uma mulher queria dele o que já uma criança não entenderia. Só que as vacas escolhiam nele algo que ele próprio não conhecia – e que foi pouco a pouco se criando.

Foi um grande esforço, o do homem. Nunca, até então, ele se tornara tanto uma presença. Materializar-se para as vacas foi um grande trabalho íntimo de concretização. A unha finalmente doía.

Por um momento de falta de fé, o homem teve a certeza de que ia perder e que jamais conseguiria a ascensão ao curral. Pois um ou outro largo olhar passava sem pressa por ele, seguido de um mugido longo de cabeça pesada erguida para o alto: repudiando-o. No meio do cheiro intenso do curral, elas percebiam o seu cheiro ácido de pessoas.

Mas também é verdade que, a essa altura, a alegria de viver já o tomara, essa alegria fina que às vezes nos toma no meio da própria vida como se a mesma nota de música se intensificasse: essa alegria o tomara e o guiava instintivamente na luta. Martim já não saberia se estava apenas obedecendo à ordem informulada com que as vacas terminam por forçar um vaqueiro a um modo peculiar de olhar e de ficar em pé. Ou se, verdade, era ele próprio quem estava buscando, em doloroso esforço espiritual, libertar-se enfim do reinado dos ratos e das plantas – e alcançar a respiração misteriosa de bichos maiores.

O que apenas sabia – pois já alcançara a mesma inteligência somente essencial de uma vaca – o que apenas sabia era uma lei simples. Que não devia brutalizar-lhes o ritmo próprio, e que lhes devia dar tempo, o tempo delas. Que era um tempo inteiramente escuro, e elas ruminavam feno com baba. Aos poucos também este se tornou o tempo do homem. Redondo, lento, incontável por um calendário, pois assim é que uma vaca atravessa um campo.

Então – já que as coisas tendem a chegar a uma conclusão e a descansar num estágio – o curral enfim começou serenar. O calor do corpo do homem e dos bichos se confundiu na mesma mornidão amoniacada do ar. O silêncio do homem automaticamente se transformara. Ele enfim ganhara uma dimensão que uma planta não tem. E as vacas, apaziguadas com a justificação que Martim lhes dera, deixaram de se ocupar dele.

Em júbilo trêmulo, o homem sentiu que alguma coisa enfim acontecera. Deu-lhe então uma aflição intensa como quando se é feliz e não se tem em que aplicar a felicidade, e se olha ao redor e não há como dar esse instante de felicidade – o que até agora tinha acontecido com mais frequência àquele homem em noites de sábado.

Alguma coisa tinha acontecido. E embora os elos continuassem a lhe escapar, ele tinha enfim alguma coisa na mão e seu peito se inflou de sutil vitória. Martim respirou profundamente. Pertencia agora ao curral.

E enfim pôde olhá-lo como uma vaca o veria:

O curral era um lugar quente e bom que pulsava como uma veia grossa. Era à base dessa larga veia que homens e bichos tinham filhos. Martim suspirou cansado com o enorme esforço: acabara de "descortinar". Era a partir dessa veia larga que um grande animal atravessava um riacho espalhando água que brilha – o que o homem já havia visto, tendo porém tido apenas aquele mínimo aviso de beleza que agora repousava em base profunda. Era por causa dessa pulsação que as montanhas eram longe e altas. Era por isso que as vacas molhavam o chão com um barulho forte. Era à base de um curral que o tempo é indefinidamente substituído pelo tempo. Era por causa desse latejar que levas migratórias saíam de zonas frias para as temperadas. Aquele – aquele era um lugar quente que pulsava.

Tudo isso o homem talvez tivesse sentido pois ficou tão satisfeito que cuspiu no chão. Depois do que, com o coração cheio de pesado vigor, escondendo a emoção, estendeu a mão e deu algumas palmadas no corpo enxuto de uma vaca. Uma grande transfusão tranquila começara entre ele e os animais.

– O senhor precisa dar terra ao milho! disse-lhe Vitória irritada.

Ele então dava terra ao milho. Mas as vacas esperavam-no, e ele sabia.

9

Fora das ordens e da execução das ordens, pouco havia a dizer. E começava a fazer falta o que não se dizia. Ermelinda rodeava-o sem se aproximar; ele, mal olhando, adivinhava-a. E Vitória cavalgava pelo campo.

Para ela, Martim continuava a ter o ar de quem poderia rir de um momento para outro, como o rosto inexpressivo de um palhaço sob uma pintura maliciosa: Vitória se inquietava. E exasperava-se com o silêncio de Martim. A estupidez do homem a sufocava, mas ela não tinha como acusá-lo pois seu trabalho, apesar de lento, era perfeito. Vitória se inquietava. Sua própria força foi de certo modo aumentando, a mulher parecia se desenvolver cada vez mais e se afirmar.

E de tarde, quando o calor enfim diminuía, ela ficava de pé no alpendre a olhar as coisas que pouco a pouco se transformavam pela sua vontade. Então sua ambição crescia sem objetivo como um calor. E nascia-lhe o desejo de inventar novas ordens apenas para experimentar o que sucederia: ela era a perturbada dona daquilo tudo, e perturbava-se. Encolerizava-a que houvesse noites de permeio, durante as quais nenhum trabalho se adiantava; e, quanto ao homem dormindo no depósito, isso lhe parecia de uma petulância que, se ela tolerava, é que nada podia fazer. Também de dia, em certa hora, irritava-a saber o homem metido no curral a cuidar indefinidamente das vacas, cumprindo com excesso de docilidade uma ordem que ela lhe lançara apenas uma vez. E de novo vinha a noite com sua exasperante interrupção. Ela mal podia esperar pelo dia seguinte, e sua sensação de poder já era tão grande que se tornara inconfortável e inútil.

Era desse modo pesado que o trabalho ia aos poucos progredindo. Ao ruído da charrua, Vitória fechava os olhos, o peito agitado. Sob o calor cada vez mais forte, o trabalho progredindo. O que no entanto lhe parecia devagar demais: a mulher de pé no alpendre desabotoou a gola da camisa sem poder respirar. É que, vinda de parte nenhuma, a ameaça da seca se aproximava, rodeando-os de calor brilhante. Cada dia o sol custava mais a morrer. Era uma agonia que a mulher suportava de pé, sozinha. Mesmo depois de desaparecido o sol, a fazenda ficava a reverberar por um tempo indeterminável e inquietante. De dia era aquele faiscar, aquelas marteladas, o suor. Mas a noite – ela bem o sabia – não seria uma trégua. A noite das secas conserva em seu bojo uma radiosa profundidade como uma luz encerrada em dura noz.

A mulher no alpendre mordeu distraída a mão até que, de olhos subitamente severos, olhou a própria mão magoada. Nessa noite ficou até tarde no alpendre, examinando apreensiva os milhares de estrelas que a estranha limpidez da escuridão deixava ver. Apurou inquieta o ouvido, e era verdade: cada vez se ouviam menos sapos, eles estavam desertando...

Pelo menos enquanto esteve no alpendre, lidando com estrelas e perscrutando a vibrante secura da noite, ela ainda era poderosa pois estava trabalhando, friamente trabalhando e calculando. Mas na hora de dormir, a miséria a envolveu. Uma miséria altiva que nada pedia. E, por mais forte que ela tivesse sido durante o dia, tornou-se então menor, calada, insondável. A pobreza a invadiu como uma meditação. A mulherzinha ficou deitada na cama, calma, olhando o teto. E como ninguém poderia entendê-la, ela em vingança, de olhos abertos, ferida, calculava – calculava ferida como um preso na sua cela. E cada noite seu passo ia mais longe, cada noite sua ameaça obscura ia velar o sono indecente do homem feliz.

Com o vigor da manhã, a sensação de desconforto em relação ao homem se dissolveu, mal ela descobriu outro campo de ação: um formigueiro que era preciso destruir, o poço aberto que não lhe parecia bastante profundo e junto do qual ela bateu o pé impaciente. Depois, já não pareceu saber ao certo que ordem queria dar, sentia à sua disposição aquele homem calado que faiscava ao sol, calado e de olhos abertos. Então o seu próprio poder lhe pesou, ela galopou de um lado para outro no campo, dando mais ordens, fixando autoritária e interrogativa o misterioso horizonte enxuto, ela que não podia se dar ao luxo de não ser poderosa, distribuindo sua ríspida eficiência entre galopes – e não havia solução, a camisa se colou ao corpo suado, ela temia que quanto mais poderosa fosse, tanto mais teria que se ver livre da própria força. Mas não havia como sair da situação em que se tinham posto as coisas e como escapar antes que ela tivesse mandado excessivamente no homem passivo e na fazenda maleável – antes que o homem de repente risse? ou que de repente as terras do sítio se abrissem em gretas áridas. Então a cólera a tomou: um dia ela saberia o que o homem viera fazer no sítio.

Nesse ínterim a fazenda se embelezava.

A fazenda se embelezava, e, com o calor, a tensão aumentava como uma felicidade excessiva, os dias se sucediam claros, largos. Como sinal de perigo, havia apenas o acordo em que todos pareciam viver. E a felicidade. Vitória nunca tinha sido tão feliz, e quem sofria era o cavalo chicoteado cuja boca se abria em espanto. Foi ao ser esporeado que o cavalo escoiceou e disparou – a mulher, pegada de surpresa, perdeu o equilíbrio, agarrou-se feroz ao pescoço do cavalo. O frio percorreu as costas da mulher, ela respirava aterrorizada, sem coragem de largar aquele pescoço pesado, suas pernas tremiam: manteve-se imóvel e de olhos fechados, deixando o baio de rédea livre levá-la ao pasto, deixando-o abaixar a cabeça indomável para comer. O corpo inteiro da mulher acompanhou humilde a cabeça do cavalo para o feno, de olhos fechados o sentia comer, era uma paz estranha a de ser guiada pela desorientação do cavalo, a fazenda se embelezava, o vento soprava, lágrimas de raiva correram pelo rosto de Vitória.

– Quanto tempo o senhor fica por aqui? perguntou então ao homem, pronta a despedi-lo sem se indagar por quê.

– Não sei, respondeu ele continuando a cavar.

– Como não sabe! indagou rígida.

Esquecida de que estava prestes a mandá-lo embora, olhou-o afrontada. Pareceu-lhe uma injúria aquele homem jogando com o tempo e trazendo dúvida ao correr mecânico dos dias, trazendo a estes uma liberdade assustadora como se a cada dia se pudesse de súbito dizer sim, ou não. Trazendo indecisão a ela que, se perguntada quanto tempo ficaria ali, responderia "não sei", significando tempo ilimitado fora de seu controle – e não, como para ele, tempo curto.

Sim, tempo curto. Sem ligar uma ideia a outra, Vitória pareceu agora querer que o homem trabalhasse depressa e dobrado, e que o poço, cuja perfuração ela o obrigara a interromper para iniciar o trabalho das cercas de limite, recomeçasse imediatamente.

– Mas por que é que ele não sabe se fica? sobressaltou-se Ermelinda.

Ermelinda andava nervosa, com dores de cabeça e palpitações. "Por que é que ele não sabe se fica?" E como se lhe tivessem cortado a possibilidade de esperar por um tempo mais favorável e por um amadurecimento natural, a moça se sentiu acuada, forçada a se definir antes que o homem fosse embora, e a ter a fruta verde mesmo, mesmo incompreensível ainda. Quaisquer que fossem as obscuras etapas do amor, estas agora teriam que decorrer mais rápidas. Para não se atrapalhar com pudores, Ermelinda já esquecera o que queria do homem. Procurava apenas recuperar aquele instante em que o amor, junto da lata de milho, fora fatal e grande – houvera esse instante apenas, numa tarde já agora perdida para sempre. Mas naquele instante também a morte lhe parecera um ritual de vida – houvera aquele instante em que ela defrontara a morte com a mesma magnitude, como quem olha a distância.

Mas era inútil: com o instante perdido, ela perdera contato com a fatalidade. E de novo via na morte apenas a burla e a mesquinhez. E também ela se tornara de novo mesquinha a ponto de ter medo de morrer, e era avarenta e sonsa, e burlava porque se sentia burlada.

No entanto algo lhe dizia que ninguém podia morrer sem antes resolver a própria morte. Ela olhou em torno aflita. A abelha, de algum modo, resolvera: ela viu a abelha voar. E assim também Francisco. Que, mudo, concentrado, estava dando água à mula. Como se dar água à mula, desse modo silencioso, fosse um sinal de estar preparado. Ermelinda o olhou com inveja. Mas ela, ela era mesquinha: não perdoava a morte. O que queria de Martim, nunca saberia dizer: queria obscuramente que através dele sua vida tomasse o tamanho de um destino. Estava confusa, sabia apenas que tinha que se precipitar pois o tempo se tornara curto.

E, falsa, calculada, procurava se pôr de algum modo em transe de amor. Até que finalmente, de tanto olhar o homem e de tanto se empurrar e exigir de si, de novo começou a sentir aquele mal-estar. Então, radiante, enfraquecida pelo esforço, ela o amava. O campo lhe parecia vazio, cinzento, ela via a relva doente junto do galinheiro, via as nuvens sujas, as galinhas cacarejavam fracas dando corridas velozes, a dissonância das rodas do arado irritava-a: era amor, sim. Tanto que se o homem aparecia ao longe com a enxada – então – então acontecia isso: lá estava ele!

Lá estava ele. Envolvido pelo poder que ele tinha sobre ela e que ela mesma lhe conferira.

Até que finalmente Ermelinda chegou ao ponto em que já não se perguntava mais se o amava. Já não se pejava de observá-lo escondida atrás da cerca, e cada traço do rosto do homem ela redescobria com uma exclamação de reconhecimento e surpresa. E quando descobria, infatigavelmente pela milésima vez, que os olhos do homem eram claros, surpreendia-se de que tanto fosse dado a ela, uma mulher. A dele era uma boca fina, e aquela beleza extraordinária que só um homem tinha e que a deixava muda, com vontade de fugir – o que fazia com que ela o vigiasse encarniçada. Tremia de medo de deixar de amá-lo. Nunca se aproximara dele, e entre ambos sempre havia a distância. Mas aos poucos a moça espiritualizara a distância e terminara por torná-la um meio perfeito de comunicação. A um ponto que, agora, só a distância constituía espaço suficiente para ela desdobrar seu amor e atingir o homem: perto dele sentia-se incomodada por ele próprio, e não sabia como lhe dar todo o amor.

O que não impedia que a moça se tivesse tornado muito ativa: calculava cuidadosa os passos que teria que dar, alimentando o que sentia com uma previsão de assassino. Tomava banho com ervas de cheiro, cuidava mais de suas roupas de baixo, comia muito para engordar, procurava se emocionar com o pôr do sol, acariciava com intensidade os cães da fazenda, branqueava os dentes com carvão, protegia-se contra o calor para se manter bem alva, ficava apreensiva por ver quanto suava. Um dia experimentou dizer-se uma coisa só para ver se dava certo: "quero ser o sapato que ele usa, quero ser o machado que ele pega na mão" – e depois aguardou muito atenta; e deu tão certo que, de emoção, ela abaixou os olhos modestos, confusa, escondendo como pôde um sorriso.

Mas nem sempre Ermelinda precisava se provocar. Às vezes o amor a assaltava inesperado. Foi quando, mexendo na escrivaninha de Vitória para procurar uma tesoura, encontrou a lista de instrumentos que Martim fizera por ordem da dona do sítio. Antes mesmo de pensar, teve a certeza de que a letra era dele. Porque seu coração bateu como se ela lesse o próprio segredo do homem: "uma pá maior, duas foices", continuou a ler. E o que ele escrevera deu-lhe tal impressão de maturidade que lhe fez mal. As palavras lhe pareceram cheias e dolorosas, pesadas de si mesmas. Era pungente sentir a força do homem nas palavras, uma força imóvel e contida – e no entanto toda ali diante dela como uma fruta que daquele ponto em diante só poderia murchar. Como Ermelinda era rápida, a ideia vaga de fruta a levou à ideia de "colheita da morte", pois assim lera, e até gravuras vira a respeito. Oh meu amado, pensou então, mas seu coração pesado não sabia se exprimir. As mãos dele, que haviam escrito "aquelas palavras tão singelas", eram grandes e feias, entristeciam-na. Ah meu amado, disse num final que era resignação. E enquanto se perguntava se no amor ela daria e receberia vida, roubou a lista que o homem fizera e guardou-a no quarto. "Meu modo de amar é tão bonito!", achou ela. Nunca tinha sido tão feliz. Na verdade nem sequer chegava a precisar que ele a amasse. No egoísmo de sua felicidade, pensava assim: pena que ele não sinta o que sinto, ele não sabe o que perde.

Na sexta-feira, como ele estava perto, ela lhe disse enfim o seguinte:

– Estou morrendo de calor.

E seus olhos se encheram de lágrimas: porque ela não dissera nada, por assim dizer. Então mais tarde disse humilde para Vitória:

– O calor está rigoroso.

Mas Vitória respondeu-lhe:

– Frio é que se chama de rigoroso, não calor.

10

Quanto a Martim, ele tinha tempo. Na verdade parecia ter descoberto o tempo.

No fim do dia largava o trabalho no campo e ia ao curral. Com a mesma serena avidez com que ia antes ao terreno do depósito. E livre enfim da iminência de ordens de Vitória, livre da presença cada vez mais assediante de Ermelinda – o homem cada dia retomava no curral o instante interrompido do dia anterior, unindo num tema à parte os instantes esparsos que passava com as vacas, e deles fazendo a única sequência. "Como eu ia sentindo...", parecia ele pensar ao entrar no curral – e continuava o que interrompera.

O escuro calor das vacas enchia o ar do curral. E como se alguma coisa que nenhuma pessoa e nenhuma consciência lhe pudessem dar, ali no curral lhe fosse dada – ele o recebia. O cheiro sufocante era o do sangue vagaroso nos corpos dos bichos. Não mais o intenso sono das plantas, não mais a mesquinha prudência em sobreviver que havia nos ratos ariscos.

Mas as vacas já começavam a inquietá-lo um pouco. Um dia, por exemplo, ele acordou e abriu a porta do depósito para a primeira luz. E como o dia lhe pareceu dado, assim ele o recebeu. Mas – mas já quis, pela primeira vez, fazer alguma coisa dele. É que à porta do depósito, ele pela primeira vez estava precisando de uma experiência mais funda – mesmo que não a pudesse jamais partilhar com as vacas. Inquieto, ele estava se destacando delas. Era um risco, e uma primeira audácia. Então, olhando o modo como o campo era grande e cheio de luz, ele – ele se arriscou e teve a experiência mais funda. Piscou várias vezes, quieto.

Era assim que aquele homem estava crescendo como uma coisa que rolando se avoluma. Crescia calmo, oco, indireto, a avançar paciente.

Não olhara uma vez diretamente para a mulata. Mas ela ria. E uma força pacífica acordara nele. Era um poder – ele bem se lembrava ainda. Alerta, sem nenhum plano, ele esperou dia após dia pelo momento em que faria a mulata deixar de rir. Tanto a mulata como a criança o observavam dissimuladas de longe sem se aproximar. Quanto à criança, Martim evitava-a, confuso, evasivo.

Mas a mulher ria muito. Na verdade pode-se dizer que ria demais. Sem um pensamento, ele sabia o que significava o riso. E às vezes era como se o riso fosse um mugido: ele então erguia a cabeça, atordoado, chamado, poderoso. Mas aguardava. Como se a paciência fizesse parte do desejo, ele aguardava sem se apressar.

A mulata era uma larga natureza, tão larga quanto o seu riso – ela ria antes de saber de quê. A vida se arranjara nela de um modo escuro e doce, e ela ria de alguma coisa; talvez tivesse prazer nessa coisa. Embora essa mesma coisa às vezes se enovelasse nela em cólera como um cachorro rosna. Era pessoa que errava sem pecar. As bofetadas que dava na filha eram quase de alegria, e revigoravam-na toda. O homem observou, sem concluir, que era muito comum ela começar a cantar depois de bater na menina. A menina se esquivava aos tapas, aprendendo sem ressentimento que assim era, e que mãe era aquela força que ria alto e que sem vingança batia, e ser filha era pertencer àquela mãe onde o vigor ria. O homem fingia estar interessado no trabalho, só para disfarçar. É que uma pessoa podia se compreender toda na mulata. O homem encontrou nela um passado que, se não era seu, lhe servia. O que ela suscitava num homem era ele próprio. Martim mal a olhava, e sabia que ela estava ali. Com ela se podia tratar de homem para homem, só que para chegar a isso ela era uma mulher.

Dois dias depois, em vez de ir ao curral, ele enfim se aproximou da mulher que lavava roupa. E ficou de pé sem olhá-la.

E sem olhá-lo, ela riu. Ele quebrou meticulosamente um graveto na mão, e sem fitá-la sabia que ela era moça. Seus cabelos tinham cachos duros, compridos. Como Martim era pessoa que gostava imediatamente do que precisava, ele a achou logo bonita. Afinal jogou o graveto longe e olhou-a de frente: seria largá-la ou pegá-la. Ele a pegou sem pressa como um dia pegara um passarinho.

– Você é forte como um touro, riu a mulher. Ele estava concentrado. Segurando seu ombro, o homem podia sentir os ossos pequenos e, mais acima, os tendões e as fibras embaixo da carne fina: ela era um bicho novo, ele calculou sua idade apalpando-a. Sentia o calor que vinha dela, e assim devia ser; corpo a corpo com o pulso mais íntimo do desconhecido.

Já era escuro quando seus gestos despertaram a moça nova. O homem acendeu a lamparina do depósito e ela deu um pequeno grito de raiva. O que quer que fosse se enroscara em cólera. Ele a olhou curioso. Ela vibrava de raiva, Deus sabe por quê.

E ele ficou sozinho, à porta do depósito.

Martim estava muito surpreendido porque antigamente ele costumava saber de tudo. E agora – como fato no entanto muito mais concreto – ele não sabia de nada. Ele que havia crescido um homem claro, e ao redor dele tudo costumava ser visível. Fora pessoa que soubera respostas, antigamente ele era sem dor. A claridade de que vivera fizera com que ele tivesse sido capaz de executar trabalho com números com uma paciência que não se alterava; e, nu por dentro, as roupas lhe assentavam bem. Esperto e elegante. Mas agora, tirada das coisas a camada de palavras, agora que perdera a linguagem, estava enfim em pé na calma profundidade do mistério. Na porta do depósito, pois, revitalizado pela grande ignorância, permaneceu de pé no escuro. Já era quase noite. É que ele acabara de aprender isso com aquela mulher: a ficar de pé tendo um corpo.

Então os dias começaram a passar.

Mas se sua língua uma vez engordara demais na boca para exprimir, e se na sua cabeça não circulava ar para que o pensamento pudesse ser mais que ânsia – agora atrás de toda claridade havia a escuridão. E era dela que vinha a escura flama de sua vida. Se um homem tocasse uma vez a escuridão, oferecendo-lhe em troca a própria escuridão – e ele a tocara – então os atos perderiam o erro, e ele poderia talvez um dia voltar para a cidade e se sentar num restaurante com grande harmonia. Ou escovar os dentes sem se comprometer. Um homem tinha uma vez que desistir. E só então poderia viver, como ele agora vivia, na latência das coisas.

E então, talvez porque um dia se seguisse ao outro, algo começou a acontecer devagar, envolvente, grande, apesar dos elos lhe escaparem. É que vivendo ali era como se aquele homem já não contasse mais a vida em dias nem em anos. Mas em espirais tão largas que ele já não poderia vê-las assim como não via a larga linha de curvatura da terra. Havia algo que era essência gradual e não para se comer de uma vez.

Foi assim que a vida de Martim começou a ultrapassá-lo: os dias eram grandes, bonitos, e sua vida era muito maior que ele. E ele mesmo, aos poucos, tornou-se mais do que um homem sozinho. Fizera-se um desgastamento de seus conhecimentos anteriores, e, quanto a palavras, ele meramente as conhecia como pessoa que tivesse uma vez adoecido delas. E se tivesse curado. "Afinal seu crime tinha apenas o tamanho de um fato" – e o que ele queria dizer com isso, não sabia.

Também recomeçou a compreender as mulheres. Não as compreendia de um modo pessoal, como se ele fosse o dono de seu próprio nome. Mas pareceu entender para que nascem mulheres quando uma pessoa é um homem. E isso foi um tranquilo sangue forte que entrava e saía ritmado no seu peito. Tratando das vacas, o desejo de ter mulheres renasceu com calma. Ele o reconheceu logo: era uma espécie de solidão. Como se seu corpo por si mesmo não bastasse. Era o desejo, sim, ele bem se lembrou. Lembrou-se de que mulher é mais que o amigo de um homem, mulher era o próprio corpo do homem. Com um sorriso um pouco doloroso, acariciou então o couro feminino da vaca e olhou em torno: o mundo era masculino e feminino. Esse modo de ver lhe deu um profundo contentamento físico, a quieta e contida excitação física que ele tinha cada vez que "descortinava". Uma pessoa tem prazeres altamente espirituais de que ninguém suspeita, a vida dos outros parece sempre vazia, mas a pessoa tem os seus prazeres.

É verdade que as vidas individuais ele não as entendia ainda: as duas primas lhe pareciam ao mesmo tempo chatas e abstratas, nem ele suspeitava que sentido havia na vida daquelas duas mulheres, e não lhe ocorrera que entendê-las seria um modo de contato.

As vidas individuais ele não as entendia. Mas já ao olhá-las em conjunto – a mulata que fora pesadamente sua e que agora enchia o balde com água cantante, Francisco serrando madeira, Vitória corajosa, Ermelinda espreitando, e a fumaça saindo alta da cozinha – isso, isso ele já pareceu entender como conjunto. E foi como se um calor se evolasse do esforço de todos, e foi como se aquele homem estivesse enfim aprendendo que a noite desce e que o dia renasce e que depois a noite vem. E assim era. Seu corpo, nesse entendimento, ficou bom, sem necessidade do erro que seria a maldade. E assim como as vacas contavam quietas com a existência de outras vacas – o homem se envolveu pelo calor indireto dos outros. E mais: às vezes mesmo era como se, olhando, ele fosse o dono de uma grande usina, e o barulho e a fumaça fossem o sinal de um caminhar progressivo. Em que direção? O homem não se perguntou. Embora sentisse – com a mesma vaga inquietação com que gradualmente a seca se aproximava – que ele não estava longe da pergunta, por enquanto imatura.

Enquanto isso, a seca se aproximava nas espigas de milho.

– São dias bonitos, disse Vitória apreensiva, protegendo os olhos com a mão.

Eram dias grandes, claros e, enquanto duravam, ameaçadoramente infinitos.

– São lindos! exclamou Ermelinda, até já tomei meu calmante!

As lagartixas, atraídas pela promessa de fulguração e glória, apareciam em maior abundância, surgidas não se sabia de onde. Estalavam na terra seca e crepitavam. Vitória olhou os corpos áridos que se multiplicavam, examinou de perto algumas folhas que já se enrolavam nos bordos, levantou o rosto inquisitivo para um céu puro e deserto. No campo, o sol cheio de borboletas empoeiradas:

– Dias bonitos assim precedem seca.

– Ah, fez Ermelinda com a mão no coração, são tão bonitos que não se sabe o que fazer com eles.

E Martim? o cheiro de terra arrebentava-se sob a enxada de Martim. Os grãos se esfarelavam, o cheiro de capim à luz, o cheiro de certas ervas secretas que o calor fazia exalar, as ervas confusas que davam no seu entrelaçamento sombra para algum reino mais obscuro que o visível: Martim trabalhava, a enxada subia e descia, subia e descia. Um galho na sombra de súbito se despregou de outro galho, sobressaltou a abelha, fazendo-a voar até se perder na distância da claridade... seu voo deixou pressentir um mundo feito de lonjuras e repercussões, aquele mundo profundo que parecia bastar ao claro-escuro de uma vaca e que basta a um homem que levanta e abaixa uma enxada. O suor era uma das melhores coisas que já lhe tinham acontecido: Martim levantava e abaixava a enxada. Essa coisa sem nome que é o cheiro da terra incomodando quente e lembrando com insistência, quem sabe por quê, que se nasceu para amar, e então não se entende. Foi quando a abelha voltou iluminada. O que fez o homem parar de trabalhar e enxugar vagarosamente o suor, com os olhos franzidos pela claridade – por essa claridade que pouco a pouco já estava começando a ser também de Martim. Seu esforço de entender foi rude, encabulado:

– O campo parece uma joia, disse então enrubescendo violentamente.

Olhou depois inquieto ao redor como se alguém o tivesse visto fazer uma coisa feia. Parecia um homem que sem jeito quisesse dar uma flor, e ficasse com a flor na mão.

– O campo parece uma joia coisa nenhuma! disse furioso. A abelha então se emaranhou em ervas como em cabelos, as formigas em longa fila ondeante – e tudo isso começava a ser de Martim. Esse era o abismo sem fundo em que ele se lançara na sua passagem das plantas para o futuro mais largo daquele cavalão negro que, naquele mesmo instante, passou ao longe puxando o arado. E no arado Francisco sentado ereto, no silencioso esforço da atenção. Tudo isso estava começando a ser de Martim, porque uma pessoa olha e vê. As vacas babavam, a abelha cada vez mais minuciosa azucrinava o ar se aproximando mais e mais de um centro imaginário. E o grito de Francisco deu de repente dimensão à distância.

– Eu precisava lhe falar, disse-lhe nesse instante Ermelinda.

O homem não interrompeu o movimento da enxada na terra.

– O senhor podia pedir a Vitória para se plantar sempre-viva, continuou com um sorriso faceiro.

– Peça a d. Vitória, respondeu o homem sem olhá-la.

– Aí é que está, tenho medo dela. Aliás – disse de repente íntima – o senhor também precisa tomar cuidado. Não me interprete mal: ela é muito boa, mas é tão severa. Ela é muito nervosa.

Como o rosto do homem continuasse inclinado para a cova, a moça também se inclinou e de baixo para cima tentou adivinhar a sua expressão:

– Imagine, disse sempre abaixada e falando mais alto pois não tinha certeza se ele tomara conhecimento de sua presença, imagine, disse quase berrando, que uma vez ela me pisou, viu?

Sem interromper o trabalho, ele olhou-a rapidamente.

– Depois ela disse que foi sem querer, acrescentou Ermelinda em tom mais baixo, agora que estava segura de que o homem a notara. Talvez tenha sido mesmo sem querer, acrescentou já hesitante em continuar a mentir pois ele finalmente a olhara.

– Eu disse que ela disse que foi sem querer! repetiu ao vê-lo de novo desatento, mas acho que não é verdade! que ela me pisou tenho certeza absoluta! gritou-lhe atenta, espreitando a ressonância de suas palavras no rosto do homem.

Mas as tentativas malogradas não desanimaram Ermelinda: "era assim mesmo", pensava, pois "o tempo ainda não era propício". Qual seria o tempo propício, não saberia dizer. Talvez em pequena tivesse ouvido falar nas épocas em que a lua atinge a sua plenitude. Talvez também soubesse de como bichos precisam de um mínimo de segurança ao estarem juntos para ao menos terem a garantia primária de não serem interrompidos. Talvez tivesse ouvido mais histórias do que pudera entender – e o que lhe restara, inquietantemente incompleta, fosse a noção de um tempo propício. Oh, seus planos eram vagos, muito vagos. Ela nem sequer tinha plano: seus planos eram tão vagos que ela entrefechou os olhos encabulada, e sorriu. Se por acaso seus planos se tornavam por um instante mais claros, sinceramente espantada, ela se ofendia. É que andava muito suscetível.

Quando é que Martim começou finalmente a individualizá-la? Era quase feia, embora graciosa. Os cílios curtos e muito negros delineavam olhos que eram percebidos mesmo a distância, no meio da claridade de uma pele onde nem a boca tomara cor. Os olhos piscavam sempre, sabidos ou talvez aflitos, como se a moça estivesse sempre a calcular a distância entre ela própria e as coisas. Só os olhos eram positivos. Os outros traços eram tanto mais indecisos quanto se podia imaginar que eles poderiam se desmanchar para formar novo conjunto, tão prudente em não se definir quanto o primeiro. Era uma adolescente envelhecida e, se houvera pesares, não teriam sido de molde a lhe dar rugas ou durezas, mas a afiná-la e a apagá-la. Os rápidos instantes esparsos em que o homem a olhara de frente tinham sido inúteis, pois ele não havia encontrado apoio em nenhum ponto rememorável, mais feio ou mais bonito. Embora, em certos momentos em que ficava desprotegida, lhe aparecesse no rosto uma certa franqueza expectante que se lhe dava beleza era a de uma cara paciente de cão. Seu rosto era então visto em toda a sua nudez como a de um cego.

Foi essa cara fraca, auditiva e confiante – sem as mentiras de expressão com que a moça se enfeitava tanto – que o homem terminou enfim por gravar. E ele passou a "não pensar nela", como forma de pensar.

– Quando eu era casada, eu tinha tudo, não me faltava nada! retornou ela no dia seguinte, perseverantemente cercando-o e abrindo a cesta de ovos duros para fazer piquenique enquanto ele trabalhava.

Falando sem parar, a moça viu de novo aquela cara de duras rugas, e de novo foi tocada pela firmeza do homem enquanto o vento parecia tentar em vão desgastá-lo. E, quem sabe, se ela se agarrasse a ele, como que o vento também não a sacudiria. Então a moça se encheu de uma esperança tão forte e maligna que sem parar de falar tirou da cesta o calmante e engoliu com dificuldade a pílula seca.

– Quanto tempo mesmo o senhor fica aqui? perguntou-lhe.

E quando ele disse que não sabia, de novo a pressa vazia e dolorosa a turbilhonou, o tempo era curto, o tempo era curto, ela não sabia para quê, só sabia que tinha que se apressar. Então começou a falar com tal volubilidade que o homem sentiu seu trabalho tornar-se suave como se as suas marteladas tivessem agora um contraponto, e a moça fosse a repercussão de um homem enchendo a distância. Martim então olhou para o sol e cuspiu longe com orgulho. Ermelinda abaixou os olhos com pudor.

11

Mas na tarde em que Martim e Vitória foram a cavalo para que a dona da fazenda lhe mostrasse onde seriam cavadas as valas de sustentação de águas, nessa tarde em que subiram a mesma encosta por onde o homem uma vez viera sozinho – foi quando ele se destacou maduro da escuridão das vacas.

Porque do alto da encosta, a mulher pesquisava o chão, ele inocente e desprevenido reconheceu de súbito o campo como o divisara ao chegar pela primeira vez à fazenda. Daquela vez em que, bêbedo de fuga, apoiara-se exausto naquela coisa vaga que é a promessa que é feita a uma criança quando esta nasce.

Montado no cavalo, num lampejo de incompreensão genial, ele viu o campo. Estonteado, atento, no alto da encosta era aquela mesma liberdade como se algo se desfraldasse ao vento. E como da primeira vez, a glória do ar livre aproximou-o de alguma coisa que lhe bateu dura no peito e que doeu na extrema perturbação da felicidade que às vezes se sente.

Mas a que desta vez ele quis, numa primeira fome inesperada, dar um nome.

Desejar algo mais do que apenas sentir pareceu afligir Martim, este sinal confuso de transição para o desconhecido inquietou-o, sua inquietação se transmitiu ao cavalo que escoiceou obscuramente tocado, com o olhar deslumbrado que um cavalo tem.

É que diante daquela extensão de terra enorme e vazia, em sufocado esforço Martim penosamente se aproximava – com a dificuldade de quem nunca vai chegar – se aproximava de alguma coisa a que um homem a pé chamaria humildemente de desejo de homem mas a que um homem montado não poderia fugir à tentação de chamar de missão de homem. E o nascimento dessa estranha ânsia foi provocado, agora como da primeira vez em que pisara a encosta, pela visão de um mundo enorme que parece fazer uma pergunta. E que parecia clamar por um novo deus que, entendendo, concluísse desse modo a obra do outro Deus. Ali, confuso sobre um cavalo assustado, ele próprio assustado, num segundo apenas de olhar Martim emergiu totalmente e como homem.

No mesmo instante também se sentiu inteiramente incompensado.

Com o rosto batido pelo vento que logo passou a simbolizar alguma coisa, Martim viu embaixo os animais soltos no pasto. Desde que havia entendido as vacas, pela primeira vez se achava acima delas na encosta. E também isto lhe bateu no peito. Com o coração batendo Martim então se lembrou inesperadamente de como um homem costuma ser: era como ele estava sendo agora! Numa sensação agonizante, ele se sentiu uma pessoa.

Martim estava de algum modo humilde, se era ser humilde o modo involuntariamente triunfante como estava montado num cavalo – o que lhe dava altura e espanto e determinação e visão mais larga. Nessa inesperada humildade ele pareceu reconhecer mais um sinal de que estava emergindo porque só os animais eram orgulhosos, e só um homem também era humilde. Também a essa coisa indefesa e no entanto audaciosa ele quis dar um nome, mas não existia.

De algum modo foi bom que não existisse: não encontrar um nome aumentou imperceptivelmente a inquietação de que ele agora gozava. Pois a verdade é que, embora intimidado, ele estava fruindo a própria inquietação. Como se a tensão em que se achava fosse a medida de sua própria resistência, e ele fruísse as primícias de uma dificuldade como os músculos de um homem se intensificam ao levantar um peso. E ele, ele era o seu próprio peso. O que quer dizer que aquele homem se tinha feito.

Nesse ínterim a impaciência mal refreada dos cavalos aumentara a instabilidade de Martim e empurrava-o a uma decisão que ele no entanto desconhecia. O vento unia a figura recortada de Vitória à dele, o ar puro deixara os cavalos mais negros e maiores. O ar era tão leve que o homem não pôde respirá-lo todo, pois é aos poucos que se respira, pois é aos poucos que uma pessoa vive – e ele sufocou por não ter capacidade de mais ar, e no entanto "não poder" intensificou sua felicidade, a enorme vastidão rodeou-o sem que ele pudesse dominá-la, seu coração bateu grande, generoso, inquieto, os cavalos mexiam as patas com galanteria e destreza. O vento constante terminara por dar ao rosto da mulher um arrebatamento físico suave que não condizia com suas palavras sobre a abertura das valas, e os corpos solitários de ambos estavam tendo um tácito mútuo entendimento assim como concordam corpos com o mesmo último destino: o coração daquele homem bateu grande e confuso, reconhecendo. Ser uma pessoa era ser isso tudo.

Foi então que lhe pareceu que a promessa que lhe tinha sido feita era a sua própria missão. Embora ele não entendesse por que cabe a nós cumprir uma promessa que no entanto nos foi feita.

Neste momento estava particularmente bom existir pois havia também o ar muito límpido da tarde. E nesse momento a mulher montada de repente riu de enervamento porque o cavalo recuara e a assustara. Com certa surpresa o homem ouviu o riso naquela mulher que jamais ria. É que tudo estava provavelmente se manifestando para Martim, assim como as flores se abrem em determinado momento e nunca estamos perto para ver. Mas ele estava. Pela primeira vez estava presente no momento em que acontece o que acontece. E ele! ele era esse homem que pela primeira vez se dava conta, não apenas por ouvir dizer, mas inquietantemente de primeira mão. Ele era exatamente esse homem. Estranhou-se então com o modo arrebatado de se reconhecer. Acabara de decidir ser, não um outro, mas esse homem.

E mais que isso: ele próprio se tornara de repente o sentido das terras e da mulher, ele próprio era o aguilhão daquilo que ele via. Foi isso o que sentiu, embora recebesse de seu pensamento apenas o latejar. E contido, alvoroçado, lembrou-se de que este é o lugar-comum onde um homem pode enfim pisar: querer dar um destino ao enorme vazio que aparentemente só um destino enche.

Então, num impulso da mesma natureza do impulso de querer dar nome, procurou se lembrar que gesto se usava para exprimir aquele instante de vento e de alusão ao desconhecido. Procurou se lembrar do que fizera quando estivera um dia no alto do Corcovado com uma namorada. Mas, que se lembrasse, não havia como exprimir. Nessa primeira impotência, por um instante Martim se sentiu angustiadamente preso.

Mas também sentir-se angustiadamente preso era ser uma pessoa, ele bem se lembrava ainda! oh ele bem se lembrou: com angústia lembrou-se de que essa angústia era ser gente – e no alto do Corcovado ele beijara a namorada com uma ferocidade de amor. Lembrou-se a tempo de que não havia como exprimir a alegria e então se construía uma casa ou se fazia uma viagem ou se amava. Também ele, montado no cavalo, com o ar apreensivo de quem pode errar, estava atentamente procurando copiar para a realidade o ser que ele era, e nesse parto estava se fazendo a sua vida. E a coisa se fez de um modo tão impossível – que na impossibilidade estava a dura garra da beleza. São momentos que não se narram, acontecem entre trens que passam ou no ar que desperta nosso rosto e nos dá o nosso final tamanho, e então por um instante somos a quarta dimensão do que existe, são momentos que não contam. Mas quem sabe se é essa ânsia de peixe de boca aberta que o afogado tem antes de morrer, e então se diz que antes de mergulhar para sempre um homem vê passar a seus olhos a vida inteira; se em um instante se nasce, e se morre em um instante, um instante é bastante para a vida inteira.

O homem, pois, se lembrara enfim do que fizera com a namorada ao vento do Corcovado. Para se exprimir ele poderia talvez apoderar-se de Vitória, já que sendo ele agora um homem, ela se tornara uma mulher. Mas não só ela não era dócil, como este seria um ato gratuito sem o peso perfeito de fatalidade que o desejo de corpo dá. Ficou pois quieto, embaraçado, sem saber que fazer de tudo aquilo em que tão subitamente ele se transformara. Foi então que, vindo do nada, por puro estabanamento, ele quis ser "bom" como solução. Quis tanto ser bom que de novo sentiu uma espécie de impotência.

É verdade que o pensamento fugitivo que tivera sobre a mulher não se perdeu de todo no ar. Alguns restos dele a mulher os sentiu, obscuramente ofendida como os gatos se ofendem no telhado. Vitória voltou-se para ele e enquanto falava sobre as valas encarou-o, e ele era indubitavelmente aquele homem: nele, ela viu ele. O que foi inesperado. Com a curiosidade de quem visse se rebentar uma artéria e um sangue insuspeito jorrar, com repugnância e grande altivez, ela o olhou – e ele era aquele homem, não um outro jamais, mas ele mesmo, o que a fez desviar os olhos severa. Ela se lembrou de que uma noite passara pelo depósito e ouvira o homem roncar. A lembrança disso não só o tornou inegável, como a probabilidade razoável dele não saber que roncava entregou-o de novo a ela mesma em todo o seu peso de inconsciência, como uma vez o cão desmaiado fora dela.

Até que – até que nova onda de brisa apagou tudo. Deixando como realidade apenas o homem e a mulher sobre os cavalos.

E de tudo restou para o homem apenas a sensação um pouco inútil de ter enfim emergido. E o coração de uma pessoa viva. O que, se era pouco, lhe deu um poder muito grande; como pessoa ele era capaz de tudo. Talvez tenha sido isso o que ele sentiu. E para lhe mostrarem até que ponto tudo estava convergindo para uma realização – como quando a graça existe – Vitória neste mesmo momento estendeu o braço apontando ao longe uma montanha de encostas suavizadas pela impossibilidade de serem tocadas... Martim teve então uma espécie de certeza de que este era o gesto que ele procurara: tanto as distâncias parecem precisar de alguém que as determine com um gesto. Assim o homem escolheu concluir que é este o gesto humano com que se alude: apontar.

E não lhe importou sequer que a mulher o tivesse feito inconscientemente. Nem sequer que fosse ela, e não ele, a executá-lo. Na muda potência em que estava, qualquer coisa que falasse seria considerado por ele como voz sua, e qualquer coisa que se mexesse seria movimento seu; e ele poderia talvez dizer "o melhor momento de minha vida foi quando as tropas de Napoleão entraram em Paris", e poderia dizer "o melhor momento de minha vida foi quando um homem disse dai pão aos que têm fome", e tornar-se trabalho seu dos mais duros e deslumbrados o crescimento das árvores – a largueza do mundo alargara penosamente seu peito. E se assim foi é porque, tendo-se feito, de muito ele passou a precisar, e de muito mais do que ele era. De modo que, tendo a mulher apontado com a mão estendida a montanha ao longe, já não importava ao homem que fosse ela ou uma pedra ou uma ave que o executasse, o que importava é que o gesto fosse cumprido. Isso, sem relutância, ele admitiu. Só que, em reivindicação, queria pegar a tarefa no ponto em que a mulher a deixara, e pleiteava que de agora em diante se incumbisse ele mesmo de determinar. E nesse instante foi como se todo um futuro ali mesmo se estivesse esboçando, e ele só fosse conhecer os detalhes à medida que os criasse. Martim passara a pertencer a seus próprios passos. Ele era dele mesmo.

Nesse ínterim, o que aconteceu apenas é que a mulher olhava em torno procurando boa terra onde as valas se cavassem sem obstáculos. E para reduzir a verdade à pura realidade, o que é que acontecia com Martim?

Na verdade Martim tivera apenas uma consciência física muito aguda de ambos alteados pelos cavalos, e, numa percepção mais aguda ainda, sentia os cavalos soltos no ar. O que lhe dera uma vaga sensação de beleza, do modo como se tem uma sensação inquietante de beleza: quando alguma coisa parece dizer alguma coisa e há aquele encontro obscuro com um sentido. Perceber mesmo, pode-se dizer honestamente que Martim não percebeu nada. De modo que, com o relinchar dos cavalos, eles simplesmente se voltaram um para o outro e, sem que tivesse havido um instante sequer de interrupção na conversa sobre as valas, a mulher falou sobre a seca, e ele ouviu-a, e concordou. E assim como, se houvesse reencarnação do espírito depois da morte, a lei mandaria que não se tivesse consciência de ter vivido, o momento de contato de Martim com aquilo que se é passou despercebido dele. Restou claro apenas o pensamento de que o sítio era um lugar onde ele bem poderia ficar mais tempo. Martim estava muito satisfeito consigo mesmo.

O que fazia com que a satisfação já não lhe bastasse era a espécie de dura tenacidade que, como primeiro passo geral, foi se tornando sua atitude à medida que desciam devagar a encosta. Eles eretos, os cavalos bamboleando as ilhargas.

SEGUNDA PARTE

NASCIMENTO DO HERÓI

1

mas nessa mesma noite, andando excitado de um lado para outro dentro da pequenez do depósito, Martim mal se conteve com o que ganhara. Era a alegria. Não sabia o que fazer de si como se tivesse uma notícia e não houvesse a quem dá-la. Estava muito contente de ser uma pessoa, este era um dos grandes prazeres da vida. No entanto, inconsolável, parecia-lhe que jamais seria indenizado.

E pela primeira vez desde que fugira tinha necessidade de se comunicar. Sentou-se no bordo da cama, a cabeça feliz entre as mãos. Não sabia por onde começar a pensar. Então lembrou-se de seu filho que um dia dissera na hora do jantar: não quero esta comida! A mãe retrucara: que comida você quer? O menino terminara dizendo com o doloroso espanto da descoberta:

– Nenhuma!

Ele, Martim, então lhe dissera:

– É muito simples: se você não está com fome, não precisa comer.

Mas a criança começara a chorar:

– Não estou com fome, não estou com fome...

E como o rádio também estava ligado, o homem gritara:

– Já lhe disse que se você não tem fome não precisa comer! por que então está chorando?

O menino respondera:

– Estou chorando porque não estou com fome.

– Prometo que amanhã você vai ter fome, prometo!, dissera-lhe Martim perturbado, entrando por amor na verdade de uma criança.

Sentado na cama, com a cabeça entre as mãos, Martim fechou os olhos rindo muito emocionado. Era a alegria. Sua alegria vinha de que ele estava com fome, e quando um homem tem fome ele se alegra. Afinal uma pessoa se mede pela sua fome – não existe outro modo de se calcular. E a verdade é que na encosta a grande carência lhe renascera. Era estranho que ele não tivesse comida mas que se rejubilasse com a fome. Com o coração batendo de grande fome, Martim se deitou. Ouvia seu coração pedir, e riu alto, bestial, desamparado.

No dia seguinte Ermelinda cada vez mais sistemática voltou:

– O senhor pode pensar que sou doida, disse-lhe com o ar persistente dos cegos, mas tem um lugar dentro de mim onde vou quando quero dormir! ah, eu sei que isso é engraçado, mas é assim... Se esse lugar fosse perto, eu até podia dizer que ficava no canto esquerdo de minha cabeça – é que eu durmo deitada do lado esquerdo, explicou-lhe de passagem, lambendo os lábios – mas esse lugar é tão mais longe, é como se fosse muito depois que eu acabo... mas é ainda dentro de mim, sou eu ainda, entendeu?

Como eram os particulares detalhes de sua vida que a tornavam, a seus próprios olhos, insubstituível por outra pessoa, ao descrever suas especialidades ela tentava com esforço provar ao homem que ela era ela mesma. Como Martim não a olhara, então arriscou-se ainda mais:

– É um lugar que fica depois de minha morte, disse afinal, e tornou-se de repente tão pálida que, levado a fitá-la por causa do silêncio inesperado da moça, ele deixou de sorrir sem saber por quê.

Mas Ermelinda bem sabia que ainda era cedo para deixar de mentir e deixar de encantá-lo. Sabia que era cedo para se mostrar a ele, e que poderia afugentá-lo se fosse verdadeira, as pessoas tinham tanto medo da verdade dos outros. Só por meios indiretos conseguiria. A ideia de que, se não o divertisse, ela o afugentaria, apavorava-a: logo agora que já ganhara tanto terreno a ponto de conseguir que ele a ouvisse, mesmo que não a olhasse! Então, receosa de ter ido adiante demais e de tê-lo espantado, ela riu muito e disse brincando:

– Sei que para ir a esse lugar aonde vou quando estou com sono, se toma à esquerda, é assim que eu consigo dormir, imagine! Às vezes, para não ficar nervosa, quero levar para o sono uma coisa comigo, uma coisa do dia, entende? um lenço para torcer na mão, um livro de missa, só para me dar segurança e eu não ir sozinha, imagine só que bobinha que sou! disse com ternura, olhando-o bem fixo para ver se conseguira contagiá-lo com a ternura para consigo mesma. Mas não se pode levar coisa nenhuma ou alguém, senão não se vai. Parece um lugar só para se dormir ou para pensar. Eu, é claro, não quero nem gosto mesmo de voltar lá! Mas – disse desamparada – mas depois que a gente vai uma só vez, fica logo um vício. O senhor acredita – acrescentou gulosa – o senhor acredita que eu não consigo deixar de pensar no que penso? – mas não lhe disse no que pensava, e sentiu o prazer de quem se confessa à revelia de quem ouve, como se o roubasse enquanto ele dormia. – O senhor por acaso consegue não pensar no que pensa? É, como se costuma dizer, uma obsessão! uma verdadeira obsessão! – dizia tudo brincando, sem esquecer um instante que, num trabalho paciente e perfeito, devia sempre lisonjear o homem.

Mas sem também esquecer que tinha pressa. Ocorreu-lhe que, ao falar com ele, poderia sem querer deixar escapar o que ela era, e o homem então perceberia quanto ela precisava dele, e por isso não a quereria mais, como acontece com as pessoas. À simples possibilidade dele nunca vir a gostar dela, Ermelinda se arrepiou solitária, olhou os pássaros que voavam. Seu trabalho junto ao homem foi sempre tão delicado, e exigiu tanta precisão, que ela não o saberia fazer se apenas o decidisse ou se lhe mandassem fazê-lo. Era um labor de infinita cautela, onde um passo mais e o homem jamais a amaria, onde um passo a mais e ela mesma talvez deixasse de amá-lo: ela protegia ambos contra o erro. E às vezes mais parecia proteger ambos contra a verdade.

– É como uma obsessão! Você acha que sou doida? perguntou-lhe, pois ela sabia que vivia de uma ideia e que isso não era "normal".

– Não.

– Mas as outras pessoas não parecem pensar que a morte... – Ermelinda disfarçou depressa a palavra reveladora com um sorriso de faceirice. Não mesmo? indagou coquete, não sou doida, hein? Sou tão bobinha que o senhor nem pode imaginar! disse-lhe como se lhe prometesse todo um futuro de atraente bobagem que ele perdia apenas porque queria.

– É doida porque fala, disse ele afinal, pesado.

– Ah, disse ela com o ar sabido de quem não se deixaria enganar, então já estou vendo tudo: você acha que sou doida! já vi tudo, você não me engana! disse toda risonha usando o "você" com intenção – mas seus olhos abertos estavam pensando em outra coisa.

Martim se lembrou de um homem que ele conhecera e que viajara sozinho durante muito tempo pelo interior e que, ao voltar, vivia falando sobre árvores e cobras e passarinhos, para o cansaço e a incompreensão de todos; até que o homem percebera que uma pessoa não fala sobre árvores e passarinhos e cobras, e parara de falar:

– Não, repetiu então olhando-a, e com um primeiro carinho de curiosidade na voz, você não é doida. É que você vive muito isolada e já não sabe mais o que se conta aos outros e o que não se conta – o homem parou e olhou-a, intrigado por ter falado tanto.

Ele nunca falara tanto, e o coração da moça começou a bater:

– Pois é, disse ela galante.

Com uma sabedoria instintiva, Ermelinda não demonstrou que notara o seu primeiro passo para ela, assim como não se dá um grito de alegria quando uma criança começa a andar para que esta não pare assustada por meses.

Quanto a ele, ele não percebia nada. Quanto a ele, aguardava com paciente ansiedade pelo momento de terminar o trabalho.

Para ir – não ao terreno das plantas, não às vacas do curral – mas, com a incerta determinação de uma geleia viva, ir de novo à encosta para retomar cada dia o instante de sua formação do dia anterior. Onde ficava de pé, bastando-lhe estar de pé, sem saber o que fazer. Essa necessidade que uma pessoa tem de subir uma montanha – e olhar. Esse era o primeiro símbolo que ele tocara desde que saíra de casa: "subir uma montanha". E neste obscuro ato ele se fecundava. Aquele lugar era um velho pensamento jamais formulado. Como se o pai de seu pai o tivesse aspirado. E como se da invenção de uma lenda antiga tivesse nascido aquela realidade. Aquele lugar já lhe tinha acontecido antes, não importava quando, talvez apenas em promessa e em invenção.

E só Deus sabe que Martim não sabia o que vinha fazer na encosta. Mas tanto é verdade que alguma coisa objetiva devia lhe estar acontecendo ali que – já que ele se habituara a revalidar sua própria natureza com o argumento final da natureza dos animais – que bastava ele se lembrar de como um boi fica de pé no morro. Olhando. Essa coisa objetiva como um ato: olhar. Às vezes também um cachorro olha, embora rápido e logo em seguida inquieto, pois um cachorro não tem tempo, ele precisa muito de carinho e é nervoso, e tem um sentimento aflito do tempo que passa, e tem nos olhos o peso de uma alma intransmissível, só o amor cura um cachorro. Mas acontece que aquele homem, por circunstâncias casuais, estava mais perto da natureza do boi, e olhava. Se é verdade que se lhe perguntassem para que, não saberia responder, é também verdade que se uma pessoa fizesse apenas o que entende, jamais avançaria um passo.

Oh, pode-se dizer que nada acontecia enquanto ele estava na encosta. E nem ele exigia ainda que algo acontecesse. Parecia bastar-lhe a tarde de luz rasgada, o ar nu e o espaço vazio. Até mesmo uma palavra pensada afundaria o ar. Ele se abstinha. Ali, existir já era uma ênfase. Como se já fossem uma audácia e um avanço uma pessoa estar de pé na claridade. E era como se ali Martim se tornasse o símbolo dele mesmo. Ele que, enfim, se encarnara em si próprio. Os passarinhos, escapulindo da luz, se mantinham dentro da escuridão dos galhos cheios. A claridade restava solitária, azul, fina. Era a tarde. E Martim olhava como se olhar fosse ser um homem. Ele gozava seu estado. Era uma generosidade do mundo para com ele. Recebia-a sem pejo. Pois, não se sabe por quê, ele não tinha mais vergonha.

Ao ponto de um dia, diante da claridade inóspita e sem nenhum sentido, ele ter enfim pensado, um pouco inquieto e avançando: "por Deus, se não criássemos um mundo, este mundo apenas divino não nos receberia". Foi quando começou a escurecer. Cachorros apareceram atentos ao longe. Os passarinhos saíram da folhagem, e cada um se arriscou um pouco mais. Aos poucos o ar se adensou, os sentimentos começaram enfim a mostrar sua natureza pouco divina, um desejo profundamente confuso de ser amado misturou-se ao cheiro humano da noite, e um vago suor começou a porejar, espalhando seu cheiro bom e ruim de terra e de vacas e de rato e de axilas e de escuridão – esse furtivo modo como aos poucos tomamos conta da terra: tínhamos enfim criado um mundo e tínhamos lhe dado a nossa vontade. O máximo de claridade cedera à nossa habitada escuridão: seria isso talvez o que Martim cada dia aguardava ali em pé? Como se nesse vergar-se da claridade lhe ensinassem como se faz a união harmoniosa – não inteligível mas harmoniosa, não com uma finalidade mas harmoniosa – como se nesse vergar-se da claridade para a escuridão se fizesse enfim a união das plantas, das vacas e do homem que ele começara a ser. Cada vez, pois, que o dia se tornava noite, renovava-se o domínio do homem, e um passo era dado para a frente, às cegas, finalmente às cegas como é o avanço de uma pessoa no querer.

Martim não se indagou por que na encosta ele se completava tão bem, ficando ele próprio harmonioso – ininteligível mas harmonioso – enquanto olhava a imortalidade do campo. Por enquanto isso lhe bastava. Um homem que andou muito tem o direito de ter um prazer inexplicável, harmonia apenas, mesmo sem entender – por enquanto sem entender. Pois, com tranquila presunção, ele se dizia: "é cedo ainda". Não era, porém, apenas presunção. É que agora ele aprendera a contar com o amadurecimento do tempo, assim como as vacas disso vivem taticamente. Ele agora parecia entender que não se podia brutalizar o tempo, e que o largo movimento deste era insubstituível por um movimento voluntário.

Assim, cada dia, quando se livrava das ordens de Vitória, ia esperar na encosta pela volta daquele instante quando, entorpecido, se aproximara da fazenda pela primeira vez e pela primeira vez fora alertado. E de novo e de novo voltava. Repetir lhe parecia essencial. Cada vez que se repetia, algo se acrescentava.

Tanto que Martim já estava começando a se perturbar – ele era um homem, mas restava algo inquieto: que é que um homem faz?

2

Até que nessa tarde na encosta Martim começou a se justificar. Chegara o duro tempo de explicação.

Ali, antes de prosseguir, ele devia ser inocente ou culpado. Ali ele tinha que saber se sua mãe, que jamais o entenderia se fosse viva, o amaria sem entendê-lo. Ali ele devia saber se o fantasma de seu pai lhe daria a mão sem espanto. Ali ele se julgaria – e dessa vez com a linguagem dos outros. Agora teria de chamar de crime o que fizera. O homem estremeceu com medo de tocar errado em si, ele que ainda estava todo ferido.

Mas porque profundamente sabia que até a farsa usaria contanto que conseguisse sair inteiro de seu próprio julgamento – de tal modo, se não se absolvesse, ficaria perplexo com um crime nas mãos – porque sabia que não se permitiria sair senão inteiro do perigoso confronto é que teve coragem de se encarar e, se necessário, de se horrorizar.

E mais: como só se permitiria vencer, pois no ponto em que estava precisava ferozmente de si mesmo, já de antemão se disse o seguinte: depois do julgamento necessário é que ele teria à frente a sua grande tarefa. Pois ali ele deveria se lembrar do que um homem quer.

Bem que lhe ocorreu que estava invertendo o que acontecera. Que não cometera um crime para se dar a oportunidade de saber o que um homem quer – essa oportunidade nascera casualmente com o crime. Mas procurou ignorar o incômodo sentimento de mistificação: ele precisava desse erro para ir adiante, e usou-o como instrumento. E, voluntariamente passando ao largo de sua confusão, o homem tentou enfim se abordar. Com um suspiro, abordou-se em termos claros e pensou assim:

Que não cometera um crime vulgar.

Pensou que com esse crime executara o seu primeiro ato de homem. Sim. Corajosamente fizera o que todo homem tinha que fazer uma vez na sua vida: destruí-la.

Para reconstruí-la em seus próprios termos.

"Fora isso então o que ele quisera com o crime?" Seu coração bateu pesado, irredutível, iluminado de paz. Sim, para reconstruí-la em seus próprios termos.

E se não conseguisse reconstruí-la? Pois na sua cólera ele quebrara o que existia em pedaços pequenos demais. Se não conseguisse reconstruí-la? Pois olhou o vazio perfeito da claridade, e ocorreu-lhe a possibilidade estranha de jamais conseguir reconstruir. Mas se não conseguisse, não importava sequer. Ele tivera a coragem de jogar profundamente. Um homem um dia tinha que arriscar tudo. Sim, ele fizera isso.

E orgulhoso de seu crime, olhou o mundo arrasado.

Por ele mesmo arrasado, a seus pés. O mundo desmontado por um crime. E que só ele, porque ele se fizera o grande culpado, poderia reerguer, dar um sentido e montar de novo.

Mas em seus próprios termos.

Era isso, então. Então Martim se perguntou com intensidade e com dor: seria isso mesmo? Porque suas verdades não pareciam suportar muito tempo de atenção sem que se deformassem. E, por um instante, a verdade tanto poderia ser esta como outra: imutável era apenas o campo. Foi pois à custa de um controle de arte que Martim se apegou a uma verdade apenas e com dificuldade afastou as outras. (Sem se dar conta, sua reconstrução já começara arquejante.)

Não lhe importava que a origem de sua força presente tivesse sido um ato criminoso. O que importava é que daí ele tomara o impulso da grande reivindicação.

Foi assim, pois, que Martim saiu inteiro do julgamento. Um pouco cansado com o esforço.

Bem, e agora então seria lembrar-se do que um homem quer. Esse era o verdadeiro julgamento – e Martim abaixou a cabeça, confuso, em penitência.

Oh Deus, não era nada fácil para aquele homem exprimir o que queria. Ele queria isto: reconstruir. Mas era como uma ordem que se recebe e que não se sabe cumprir. Por mais livre, uma pessoa estava habituada a ser mandada, mesmo que fosse apenas pelo modo de ser dos outros. E agora Martim estava por sua própria conta.

Era preciso ter muita paciência com ele, ele era lento. Que queria ele? O que quer que quisesse nascera longe dentro dele, e não era fácil trazer à tona o rumorejo gago. Depois acontece que o que ele queria também se confundia estranhamente com o que ele já era – e que no entanto ele nunca atingira.

Sua obscura tarefa seria facilitada se ele se concedesse o uso das palavras já criadas. Mas sua reconstrução tinha de começar pelas próprias palavras, pois palavras eram a voz de um homem. Isso sem falar que havia em Martim uma cautela de ordem meramente prática: do momento em que admitisse as palavras alheias, automaticamente estaria admitindo a palavra "crime" – e ele se tornaria apenas um criminoso vulgar em fuga. E ainda era muito cedo para ele se dar um nome, e para dar um nome ao que queria. Um passo a mais, e saberia. Mas era cedo ainda.

Então Martim desceu da encosta para avisar a Vitória que na manhã seguinte começaria a cavar as valas. Foi ao alpendre e esperou que Vitória acabasse de falar com Francisco.

O fato de ter enfim conseguido pensar não lhe dera nenhuma diretiva. Mas, a seu modo, ele assumira o seu crime – e sentia-se um homem inteiro, alto, sereno. Em pé no alpendre, sem pressa, ouvia a voz dura de Vitória e o assentimento de Francisco a ritmar a voz da mulher. Depois, quase sem perceber, passou a ouvir também as palavras.

– ... você tem que reunir os tomates também. E dessa vez empacotá-los melhor, Francisco. Melhor e mais depressa: desta vez o alemão vai mais cedo a Vila.

Martim ouvia, e esperava paciente. E foi então que entendeu o que ouvira.

Assim, pois, ela ia se encontrar com um alemão. Com o alemão. Então ela se avistaria com o alemão. Estupidificado, atento, Martim revirou a frase na própria cabeça para ver se conseguia fazê-la perder o sentido. Mas de qualquer lado por onde a repetisse, era sempre a mesma: "a mulher veria o alemão". Provavelmente vendia-lhe alguns produtos do sítio! pensou, de repente recuperando a antiga inteligência voraz da fuga, e de um instante para outro dominado por uma esperteza de raciocínio que ultrapassou o seu poder normal, como se agora ele fosse capaz de perder o peso do corpo, rastejar baixo e se confundir com as sombras da parede. Em aguçamento felino de memória, lembrou-se instantaneamente de que vira Francisco limpar o caminhão...

"Para ir a Vila Baixa ou apenas por limpar?" Lembrou-se de que já ouvira Vitória falar no alemão – mas quando? quando! Ou nunca ouvira? Não, nunca ouvira... E Francisco já limpara o caminhão! Mas para o dia de hoje não seria a viagem – seria talvez para o dia seguinte? Então ela se avistará com o alemão, pensou ele com o cuidado de quem estivesse manuseando algo traiçoeiro que pudesse inesperadamente se rebelar entre seus dedos e ganhar vida própria. Então ela se avistará com o alemão, pensou com cuidado. Mas o pensamento, embora muito claro, não o levou a parte alguma nem o dirigiu a nenhum outro pensamento. Capturado, ele mexeu feroz a cabeça de um lado para outro calculando a distância de um salto para fora do alpendre. Ela se avistará com o alemão, repetiu rápido e mesquinho como um rato, e até sua cabeça pareceu mais peluda a Vitória – que o olhou um instante sem interromper as ordens para Francisco. "Ele parece um bicho sujo", constatou a mulher continuando a falar com Francisco.

Mas em breve foi se esgarçando a escuridão íntima que envolvera Martim e na qual ele já estava começando a se mover com habilidade. Sua cabeça foi voltando pouco a pouco ao lugar. E quando Francisco foi embora e Vitória começou a lhe falar e a lhe dar ordens, Martim, esquecido do que viera lhe comunicar a propósito das valas, olhou-a intensamente nos olhos. E procurou adivinhar, com o auxílio daquele parco elemento que eram dois olhos pretos, se Vitória seria mulher que tagarelasse sobre o que se estava passando na sua própria casa: sobre um novo trabalhador, um estranho à zona... Mas mesmo que ela não lhe contasse diretamente, poderia casualmente se referir a ele... e o alemão adivinharia que se tratava daquele mesmo que fugira de noite do hotel...

"Qual seria o grau de sua intimidade com o alemão?", procurou Martim adivinhar, devassando-a avidamente com os olhos. Mas não encontrou resposta nenhuma naquele rosto que, por cansaço, um dia se fechara para sempre. "Talvez ela não fosse mulher que conversasse... mas o próprio alemão talvez falasse daquela noite em que o hóspede lhe escapara – e ela então saberia!" Martim se encolerizou contra si próprio por não ter jamais prestado atenção àquela mulher que ele não conhecia e cujos atos, por isso, ele não era capaz de prever. Por necessidade prática, então examinou-a pela primeira vez. Era um rosto fino e duro, onde os ossos pareciam falar mais que a carne. Era uma cabeça levantada. Mais que isso, ele não soube.

E a viagem, para quando seria? quanto tempo restava-lhe para uma fuga? "A viagem não podia ser para muito breve!", pensou de repente mais lúcido, "pois Francisco não teria tempo de recolher e de empacotar os tomates! os tomates ainda não tinham sido sequer colhidos, pois agora é que Vitória dera ordem a Francisco!", lembrou-se ele numa fúria de alegria. "Ou tinham?", confundiu-se de repente.

– Quando é que a senhora vai a Vila? perguntou não suportando mais a dúvida, e a pergunta que ele não planejara mas quisera casual soou brusca e imperativa, suspeita a seus próprios ouvidos.

Vitória interrompeu-se, sua boca abriu-se em surpresa. Era a primeira vez que o homem lhe dirigia a palavra sem ser provocado.

– Não sei, disse afinal, de sobrancelhas franzidas.

Então Martim, com a mesma perspicácia súbita que o ultrapassava e ultrapassava a lógica – percebeu que Vitória o denunciaria. Então abaixou os ombros e desfez a tensão. Como se o primeiro instante de certeza só lhe desse o alívio de não duvidar, a quietude tomou-o. Ele olhou cruamente a mulher.

O rosto dela, a esse tranquilo olhar sem disfarce, se avermelhou descoberto. Tão nuamente fitada, a cara se contraiu em rápida procura de uma atitude, resolvendo-se afinal por uma expressão de impassibilidade a que o rubor deu mais determinação.

Então o homem entendeu ainda mais adiante: que desde o momento em que ele pisara na fazenda, ela se decidira a mandá-lo embora. O único elemento novo que agora viera acrescentar-se é que ela enfim escolhera o modo.

Por que não percebera ele, antes, aquilo que agora era tão claro? pensou surpreendido. Como não percebera que, dia após dia, aquela mulher lutara por se decidir, e que acumulativamente decidira? Como não percebera que cada passo despreocupado que ele dera – fizera com que a mulher, em eco, avançasse mais um passo para a decisão? Pois o homem rememorou velozmente certos olhares da mulher enquanto ele trabalhava, e que ele mal notara; rememorou o tom de voz com que ela tantas vezes lhe perguntara quanto tempo ele se demoraria na fazenda. Mas por que lhe fizera ela essa pergunta? Como se cada vez lhe sugerisse a ideia de voluntariamente partir... Para lhe dar a oportunidade de fugir, e assim libertá-la da decisão difícil? Compreendeu que do momento em que ele pisara na fazenda, ela adivinhara. Adivinhara tão longe quanto se podia adivinhar sem saber. Somente uma coisa ele ainda não compreendia, e olhou-a com curiosidade: é que ela não o tivesse ainda denunciado. Vitória não suportou o olhar simples do homem, e desviou os olhos.

"Essa era então a sua última resposta", pensou ele. "E então era pouco o tempo que restava", foi a próxima constatação de Martim.

3

Mas foi só de noite, sentado ereto na cama e sem acender a lamparina, que Martim entendeu plenamente o que quisera significar quando pensara que restava pouco tempo.

Com espanto percebeu que na verdade não se referia ao tempo que lhe restava para planejar a fuga. Embora, desde o momento em que falara com Vitória no alpendre, tivesse agido como se fosse óbvio que a fuga deveria ser naquela mesma noite, antes que o caminhão fosse usado por Vitória, e se ele quisesse estar bem longe quando ela se encontrasse com o alemão. Mas como se a escuridão do depósito o levasse à sua própria escuridão, ele se entendeu afinal: não era para a fuga que restava pouco tempo. Estivera tão ocupado em planejar a escapada que não percebera que não pretendia fugir.

"Ele tinha que possuir tudo antes do fim e tinha que viver uma vida inteira antes do fim." Era para isso que o tempo se tornara curto. Com um espanto deslumbrado – porque a verdade é que até esse instante ainda não se levara realmente a sério, nem sequer percebera até que ponto aceitara a gravidade, e, assustado, via agora que não estivera brincando – com espanto deslumbrado, não era para a fuga que restava pouco tempo. Sua própria coragem deixou-o então desconfiado. Ele se suspeitava.

E não somente isto o homem percebeu com surpresa. Na violência do ultimato de agora Martim reconheceu que a ideia de que não havia tempo a perder estivera constantemente com ele, mesmo antes do ultimato, disfarçada sob o trabalho diário, paciente sob o sono em que uma pessoa se move lenta. Então, de repente excitadíssimo e caminhando de um lado para outro na exiguidade escura do depósito, Martim tomou consciência de que agora era apenas o guardião de um pequeno tempo que não lhe pertencia. E que sua tarefa era maior que o tempo.

Agora que emergira até chegar ao ponto de homem na encosta, agora que emergira até entender seu crime e saber o que desejava – ou até ter inventado o que se passara com ele e inventado o que desejava? que importava se a verdade já existia ou se era criada, pois criada mesmo é que valia como ato de homem – agora que ele conseguira se justificar, tinha que prosseguir. E conseguir antes do fim próximo a – a reconstrução do mundo.

Sim. A reconstrução do mundo. É que o homem acabara de perder completamente a vergonha. Não teve sequer pudor de voltar a usar palavras da adolescência; foi obrigado a usá-las pois a última vez que tivera linguagem própria fora na adolescência; adolescência era arriscar tudo – e ele agora estava arriscando tudo.

Tinha pouco tempo e devia começar agora mesmo, por assim dizer. "Da reconstrução do mundo dentro de si, ele passaria à reconstrução da Cidade, que era uma forma de viver e que ele repudiara com um assassinato; era para isso que o tempo era curto." "Acho que não sou nada tolo!", pensou fascinado.

Entendendo-se, afinal, uma calma enorme dominou o homem. Não o espantou sequer a enormidade insensata de seus propósitos. Uma vez que destruíra a ordem, ele nada mais tinha a perder, e nenhum compromisso o comprava. Ele podia ir ao encontro de uma ordem nova. Então, espantado, ele se indagou se algum homem fora alguma vez tão livre como ele estava agora. Depois do que, ficou calmo. Não porque estivesse calmo: na verdade seu corpo tremia. Mas porque, de agora em diante, e a começar deste próprio instante, ele teria que ser calmo e incrivelmente astuto para conseguir se acompanhar e acompanhar a rapidez com que teria que agir. Tinha que ser calmo. Agora que alcançara na montanha a própria grandeza – a grandeza com que se nascia.

Essa grandeza – oh, apenas tamanho de homem – que fora sepultada como arma vergonhosa e inútil. Ser um homem fora alguma coisa sem aplicação. Mas grandeza de que ele agora enfim precisava como instrumento. Pela primeira vez Martim precisava profundamente de si mesmo. Como se enfim – enfim – tivesse sido convocado... O que o deixou afobado no escuro. E como no escuro nem as paredes viam seu rosto, Martim fez com grande alívio um rosto de dor, e depois de pudor pela alegria que tivera, e depois de dor.

Sentou-se enfim na cama. E num plano frio e calculado resolveu que sua primeira luta devia ser consigo mesmo.

Pois, se ele queria reconstruir o mundo, ele próprio não servia... Se queria, como último termo final de seu trabalho, chegar aos outros homens – teria antes que terminar de destruir totalmente seu modo de ser antigo. Para que o mendigo à porta do cinema não fosse uma pessoa abstrata e perpétua, ele teria que começar de muito longe, e do primeiro começo. É verdade que faltava pouco para destruir, pois, com o crime, ele já destruíra muito. Mas não de todo. Havia ainda... havia ainda ele próprio, que era uma tentação constante. E seu pensamento, como era, só poderia dar um determinado e fatal resultado, assim como uma foice só pode dar um determinado tipo de corte. Se a destruição primeira e grosseira ele a obtivera com o ato de cólera, o trabalho mais delicado estava ainda por se fazer. E o trabalho delicado era este: ser objetivo.

Mas como? de que modo ser objetivo? Porque se uma pessoa não quisesse errar – e ele não queria errar nunca mais – terminaria prudentemente se mantendo na seguinte atitude: "não há nada tão branco como o branco", "não há nada tão cheio de água como uma coisa cheia de água", "a coisa amarela é amarela". O que não seria mera prudência, seria exatidão de cálculo e sóbrio rigor. Mas aonde o levaria? porque afinal não somos cientistas.

O trabalho era este: ser objetivo. O que seria a experiência mais estranha para um homem. Que Martim se lembrasse, nunca ouvira falar de um homem objetivo. Não, não – confundiu-se ele um pouco cansado – houvera homens assim, já houvera, sim, homens cuja alma passara a existir em atos, e para quem os outros homens não tinham sido unhas grandes; houvera homens assim, ele não se lembrou mais quem, e estava um pouco fatigado, um pouco solitário. É que seu plano era tão facilmente escapável à sua própria percepção, tão fino no meio de sua força apenas grosseira, que ele teve medo de que o instinto não o socorresse e que, como recurso desesperado, ele se tornasse inteligente. E ele por enquanto não passava ainda de uma coisa vaga que queria perguntar, perguntar e perguntar – até que pouco a pouco o mundo fosse se formando em resposta.

Martim vacilou cansado, olhou em torno, recuperou-se um pouco. Avançava aos recuos, com aparente liberdade. O que lhe deu às vezes apoio, e generalizado ânimo de continuar, foi a lembrança do prazer bem-sucedido que ele tivera com mulheres. Mas, em seguida, o fato de jamais ter conseguido uma bicicleta paralisou-o: ele poderia, pois, falhar. Através de toda a sua vida, como uma torneira que pinga, ele quisera a bicicleta. De novo seu plano lhe pareceu frágil demais, e aquela coisa respirante que ele era no escuro pareceu-lhe muito pouco, como começo de conversa. Martim se atrapalhou todo como se tivesse mais dedos do que precisava e como se ele próprio estivesse atabalhoando o próprio caminho. Veio-lhe então o desejo de que uma criança começasse a chorar para ele poder ser bom para ela. É que estava desamparado e sentia necessidade de dar, que era a forma como uma pessoa desajeitada sabia pedir. Sua ambição era grande e desamparada, ele quereria segurar a mão de uma criança; estava um pouco cansado.

"Para que quero tanto?", insinuou-lhe então o hábito que terminaria de novo por fazer com que a fome dos outros fosse uma abstração, o mesmo hábito que é o medo que um homem tem. "E se eu não me levasse a sério?", pensou astuto, pois essa tinha sido a solução antiga, e a de muitos. "Porque se subitamente fôssemos dar importância ao que realmente nos importa – estaríamos com a vida perdida." Mas também se dizia que aquele que perde a sua vida, ganha a sua vida.

Passado o repouso no desânimo, Martim remexeu-se inquieto: seria preciso violentar-se cada vez que o hábito voltasse. Pois de agora em diante já não lhe era mais permitido sequer interromper-se com uma pergunta – "para que quero tanto" – qualquer interrupção poderia ser fatal, e ele não só correria o risco de perder a velocidade como o equilíbrio. O crescimento é cheio de truques e de autoludíbrio e de fraude; poucos são os que têm a desonestidade necessária para não se enjoar. Com autopreservação feroz, Martim não podia mais se dar ao luxo da decência nem se interromper com uma sinceridade.

4

Nesse intervalo amanheceu.

E abrindo a primeira vala na luz da manhã, ao mesmo tempo que as mãos grossas lhe obedeciam, Martim já começara a se aplicar num trabalho de infinita exatidão e vigilância. Que era o de açambarcar-se e, consigo, o mundo? Era isso mesmo o que ele fazia? Mas será realmente importante saber o que ele fazia? Ele estava fazendo um sonho – que era o único modo como a verdade podia vir a ele e como ele podia vivê-la. Será então indispensável entender perfeitamente o que lhe acontecia? Se nós profundamente o entendemos, precisamos também entendê-lo superficialmente? Se reconhecemos no seu mover-se lento o nosso próprio formar-se – assim como se reconhece um lugar onde pelo menos uma vez se esteve – será necessário traduzi-lo em palavras que nos comprometem?

Às cegas, embora, e tendo como bússola apenas a intenção, Martim parecia querer começar pelo exato começo. E reconstruir a seu modo pela primeira pedra, até que chegasse ao instante em que houvera o grande desvio – qual fora o seu impalpável erro como homem? Até que chegasse de novo ao instante em que o grande equívoco uma vez se dera provocando a vastidão inútil do mundo. E quando, refeito pouco a pouco o caminho já andado, ele chegasse ao ponto em que o erro acontecera, então ele tomaria a direção oposta ao desvio. Na luz da manhã pareceu-lhe simples assim, e ele estava tão fresco e limpo como um menino que vai de manhã cedo à escola. Na luz da manhã pareceu-lhe simples assim: quando o mundo estivesse refeito dentro dele, ele então saberia agir. E sua ação não seria a ação abstrata do pensamento, mas a real.

Qual? "Qualquer que fosse", disse ele com insolência tranquila. E se o tempo fosse curto, se Vitória o denunciasse antes dele estar pronto, e não lhe sobrasse liberdade para a ação – ele pelo menos teria chegado a saber qual é a ação de um homem. E isso também era um máximo. (Oh, bem foi avisado que se se explicasse ninguém entenderia, pois explicando como é que um pé segue o outro ninguém reconhece o andar.) Oh havia pouco tempo, sim, ele sabia. Quase podia ouvir o enorme silêncio com que ponteiros de relógio avançavam. Mas não se sentia revoltado por ser o guardião de tempo tão curto: o tempo de uma vida inteira também seria curto. Aquele homem já aceitara a grande contingência.

No primeiro dia, pois, ele pediu de si mesmo apenas a objetividade. O que se tornou uma fonte de cuidados e enganos. Por exemplo, um passarinho estava cantando. Mas do momento em que Martim tentou concretizá-lo, o passarinho deixou de ser um símbolo e de repente não era mais aquilo que se pode chamar de passarinho. Para compensá-lo, os galos e galinhas se tornaram a seus olhos rigorosos o próprio dia: andavam apressados, brancos entre a fumaça, a manhã de sol, se Martim não fosse rápido a perderia, os galos corriam, às vezes abriam as asas, as galinhas sem ocupação dos ovos eram livres, tudo isso era a própria manhã e quem não fosse rápido a perderia – a objetividade era um vertiginoso relance. Martim logo aprendeu a questão do ritmo: quando seus olhos tentavam mais do que descrever as coisas, de seu esforço restava uma forma vazia de galo. Aliás, no seu trabalho de construção da realidade, havia em desfavor de Martim a novidade das coisas não serem mais óbvias; ele esbarrava a cada momento. Contra si, também, havia a consciência do tempo precioso. Embora Martim tivesse uma grande vantagem: se a vida era curta, os dias eram longos. Ainda a seu favor ele tinha o fato de saber que devia andar em linha reta, pois seria pouco prático perder o fio da meada. A seu desfavor tinha um perigo à espreita: é que havia um gosto e uma beleza em uma pessoa se perder. A seu desfavor tinha ainda o fato de entender pouco. Mas sobretudo a seu favor tinha o fato de que não entender era o seu limpo ponto de partida.

Está bem: isso era uma primeira tentativa de reconstrução e com um limpo ponto de partida.

Mas – mas teria ele começado demais pelo começo?

Pois olhou para o campo vazio e pareceu-lhe que remontara à criação do mundo. No seu pulo para trás, por um erro de cálculo tinha recuado demais – e por um erro de cálculo pareceu-lhe que se colocara inconfortavelmente em face da primeira perplexidade de um macaco. Como macaco, pelo menos seria suprido pela sabedoria que faria com que ele se coçasse e com que o campo fosse gradualmente alcançável aos saltos. Mas ele não tinha os recursos de um macaco.

Teria começado excessivamente pelo começo? E depois acontece que, apesar de seu heroísmo, havia uma questão prática: ele não tinha tempo material de começar de tão longe. Já era pouco o tempo que lhe restava para percorrer o que lhe levara quase quarenta anos para andar; e não só para percorrer de um modo novo o caminho já andado, mas para fazer o que não pudera fazer até então: atingindo a compreensão, ultrapassá-la aplicando-a. Já para isso era pouco o tempo. Quanto mais para começar, por assim dizer, do nada! No entanto, se quisesse ser leal para com a própria necessidade, não poderia enganá-la: tinha que começar pelo começo primeiro.

O que, cavando e cavando, de repente lhe pareceu de novo fácil. Pois cada minuto podia ser o tempo inteiro – se uma pessoa estivesse bastante livre para atender a esse minuto. Martim sabia disso porque uma vez, em um minuto já perdido, ele aceitara a cólera, e um caminho se abrira como um destino em um minuto. E mais tarde, em um minuto, ele não tivera medo de ser grande; e sem pudor, em um minuto, aceitara, como sendo seu, o papel de homem.

Foi assim, pois, que já tendo perdido na montanha a primeira modéstia, Martim foi perdendo sem sentir as derradeiras amarras, até que já não era monstruoso uma pessoa se dar função de pessoa e de "reconstruir". O que lhe pareceu facílimo. Até hoje tudo o que vira fora para não ver, tudo o que fizera fora para não fazer, tudo o que sentira fora para não sentir. Hoje, que se rebentassem seus olhos, mas eles veriam. Ele que nunca tinha encarado nada de frente. Poucas pessoas teriam tido a oportunidade de reconstruir em seus próprios termos a existência. *À nous deux*, disse de repente interrompendo o trabalho e olhando. Porque era só começar.

Mas como se tivesse tido um sonho infantil olhou de novo o passarinho que cantava e se disse: que faço dele?

Pois já na sua primeira visão um passarinho não cabia. Tudo lhe fora dado, sim. Mas desmontado e aos pedaços. E ele, com peças sobrando na mão, não pareceu saber como montar a coisa de novo. Tudo era dele para o que quisesse fazer. No entanto a própria liberdade o desamparava. Como se Deus tivesse atendido demais o seu pedido e lhe entregasse tudo. Mas tivesse ao mesmo tempo se retirado. A campina era toda de Martim, e mais um passarinho que cantava. E dele também, nesse tempo curto, era a vida inteira. E ninguém e nada podia ajudá-lo: fora exatamente isso o que ele próprio preparara com cuidado, e até com um crime preparara. Mas se astuciosamente começara pelo mais fácil – que mais simples que um passarinho? – então perguntou-se embaraçado: que faço de um passarinho cantando?

Olhou então o passarinho com severidade. Mas ele – ele não soube deduzir. É verdade que, concentrado e cheio de muito boa vontade, à força de fixar o passarinho, conseguiu uma tensão máxima que se assemelhou a uma sensação de beleza. Mas só isso. Nada mais. Ver o passarinho cantando seria o limite de sua intuição? dois-e-dois-são-quatro é o grande pulo que um homem pode dar?

Como se vê, esse primeiro dia de objetividade foi sonambúlico. Se ele procurava passar do espírito de geometria para o de *finesse*, as coisas obstinadamente não tinham uma *finesse* alcançável pela sua grande boca e pelas suas mãos pouco hábeis. Foi, pois, grande esforço espiritual o seu. E um pouco chato. O que lhe valeu é que ele tinha a teimosia dos que, não sendo bastante previdentes para enxergar a dificuldade, não veem obstáculos. O que também lhe valeu é que, tendo se habituado ao fato de não ser brilhante, pensou que mais uma vez a dificuldade era apenas sua; de modo que se forçou. Até que chegou a um ponto de responsabilidade preocupada em que lhe pareceu que se ele não estivesse consciente de que as flores cresciam, as flores não cresceriam.

No entanto – no entanto, nesse mesmo dia houve momentos em que, à força de se aplicar em procurar entender, foi como se, batendo com uma vara na terra seca, ele sentisse que ali havia água. É verdade, também, que aí parava o seu engenho.

Foi de noite que Martim teve um pensamento mais ou menos assim: se a história de uma pessoa não seria sempre a história de seu fracasso. Através do qual... o quê? Através do qual, ponto. Em seguida, relutante em utilizar esse pensamento, refugiou-se no pensamento sobre seu filho. Pois o amor pelo seu filho era uma das verdades de que ele mais gostava.

5

Com o decorrer dos dias, percebendo-o mais presente, as mulheres confundiram com estabilidade o ar moroso que Martim tomara e que vinha do fato de ele treinar instante por instante, com a cara estúpida de homem pensando, com a paciência dos sapateiros da gravura, um modo de abrir caminho. Certa então de que enfim receberia a resposta tranquilizadora, Ermelinda perguntou-lhe com a segurança com que uma mulher estabelece domínios para se instalar com filhos:

– Quanto tempo você fica?

– Não sei, respondeu ele.

De novo Ermelinda se assustou. E como se seu estremecimento se tivesse comunicado impalpável para Vitória, ambas mais ativas começaram a agir como se o tempo estivesse acabando, Vitória se impacientava com as valas que mal progrediam, vigiava-o a cavalo. E um novo ritmo se sentiu no sítio.

E Martim? Martim trabalhava – olhava e trabalhava, passando o mundo a limpo. Seu pensamento rude continuava no entanto a se ancorar obstinadamente no que ele considerava mais primário – de onde ele gradualmente passaria a compreender tudo, desde uma mulher que lhe perguntara durante anos "que horas são" até o sol que se erguia todos os dias e as pessoas então se levantavam da cama, compreender a paciência dos outros, compreender por que uma criança era o nosso investimento e a seta que disparamos. Seria isso o que ele queria? não se sabe propriamente. Ele por enquanto estava se moldando, e isso é sempre lento; ele estava dando forma ao que ele era, a vida se fazendo era difícil como arte se fazendo.

Tudo isso está se tornando pouco demonstrável. A verdade mais reconhecível por todos é que aquele homem estava confuso. Como se disse, só a ambição persistente fazia com que ele não visse obstáculo num caminho que, pela graça da estupidez, lhe era fácil. Sua grandiloquência, no entanto, tinha alguma humildade: pois ele já chegara a aceitar que cada momento não tivesse força em si mesmo, começara a contar com a força acumulativa do tempo – "o decorrer de muitos momentos levá-lo-ia aonde ele queria chegar". E assim sua humildade se tornou instrumento de paciência: ele trabalhava sem parar, as valas se abriam fundas.

A pequena população do sítio olhava para o céu, perscrutando e trabalhando. Tudo estremecia num calor que aumentava gradativamente sem que se sentissem suas transições. Os ramos tremiam, o calor duplicava cada objeto em refração fulgurada. Do fundo de seu próprio mistério, Martim olhava as plantas que no seu viço inocente ainda não pareciam sentir a ameaça que o sol rubro chispava: a seca. Ele olhava. Agora que tinha coragem – tudo era dele, o que não era nada fácil. Olhava, por exemplo, a campina que se tornara seu campo de batalha, e não havia uma brecha por onde entrar no que lhe pertencia. O que via apenas? que tudo era um prolongamento suave de tudo, o que existia unia-se ao que existia, as curvas se faziam repletas, harmoniosas, o vento comia as areias, batia inútil contra as pedras. É bem verdade que, de um modo estranho, quando não se entendia, tudo se tornava evidente e harmonioso, a coisa era bastante explícita. No entanto, olhando, ele tinha dificuldade de compreender aquela evidência de sentido, como se tivesse que divisar uma luz dentro de uma luz.

E foi desse modo que Martim de vez em quando se perdeu de seus objetivos. Houvera mesmo uma finalidade planejada, ou ele apenas seguia uma necessidade incerta? até que ponto estava ele determinado? Martim bem poderia chegar rapidamente a uma conclusão. Mas se você se purificou, o caminho se torna longo. E se o caminho é longo, a pessoa pode esquecer para onde ia e ficar no meio do caminho olhando deslumbrado uma pedrinha ou lambendo com piedade os pés feridos pela dor de andar ou sentando-se um instante só para esperar um pouquinho. O caminho era duro e bonito; a tentação era a beleza.

E com isso se quer dizer que nesse ínterim alguma coisa acontecera.

Uma coisa insidiosa começara a roer a viga mestra. E era algo com o qual Martim não contara. É que ele começava a amar o que via.

Livre, pela primeira vez livre, que fez Martim? Fez o que pessoas presas fazem: amava o vento áspero, amava o seu trabalho nas valas. Como um homem que tivesse marcado o grande encontro de sua vida e jamais chegasse porque se distraísse leso examinando folhinhas verdes. Era assim que ele amava e se perdia. E o pior é que amava sem ter uma razão concreta. Apenas porque uma pessoa que nascia, amava? e sem saber para quê. Agora que criara com suas próprias mãos a oportunidade de não ser mais vítima nem algoz, de estar fora do mundo e não precisar mais perturbar-se com a piedade nem com o amor, de não precisar mais castigar nem castigar-se – inesperadamente nascia o amor pelo mundo. E o perigo disso é que, se não tomasse cuidado, ele teria desistido de ir adiante.

Porque também uma outra coisa acontecera, tão importante e grave e real como a tristeza ou a dor ou a cólera: ele estava contente.

Martim estava contente. Não previra esse obstáculo a mais: a luta contra o prazer. Estava gostando demais das minúcias do curral. Com surpresa, ele se satisfazia com tão pouco: em executar tarefas... Bastava-lhe tanto ser uma pessoa que acorda de manhã. Bastava-lhe o céu quase escuro. E a terra enevoada e as árvores frescas, e ele tinha aprendido a tirar leite das vacas que na madrugada mugiam mornas. Assim: Eu sou um homem que tira leite das vacas. A corrente da graça era forte de manhã, e ter um corpo que vivia bastava. Se ele não tomasse cuidado, se sentiria dono. Se não tomasse cuidado, uma árvore mais alta o faria se sentir completo, e um prato de comida o compraria no momento de sua fome, e ele se agregaria a seus inimigos que eram comprados pela comida e pela beleza. Inquieto, ele se sentia culpado se não transformasse, pelo menos com o pensamento, o mundo em que vivia. Martim estava se perdendo. "Houvera mesmo uma finalidade?" Agora já lhe acontecia ter uma vaidade admirativa e benevolente em relação a suas "escapadas", e visualizar-se como um grande cavalo que temos em casa e que de vez em quando dá suas voltas fantásticas por aí, impunemente livre, guiado pela beleza da contenção de espírito que equivale ao modo como o nosso corpo não se desagrega. Exercícios de viver. Martim estava tendo prazer em si mesmo. Miseravelmente, apenas isso. Como se vê, mais feliz ele não poderia estar.

Foi com esforço sobre-humano que Martim procurou vencer cada dia a vaidade de pertencer a um campo tão grande que crescia sem sentido; foi com austeridade que ele venceu o gosto que tinha pela harmonia oca. Com esforço se sobrepujava, obrigando-se – contra a corrente que o arrastava na sua graça – a não trair o seu crime. Como se, com o contentamento, ele estivesse apunhalando a sua própria revolta. Então forçava-se duramente a não esquecer o seu compromisso. E de novo punha-se por dentro em estado espiritual de trabalho: uma espécie de transe em que aprendera a cair quando precisava.

Seu estado de trabalho consistia em tomar uma atitude besta de pureza e vulnerabilidade. Aprendera a técnica de ficar vulnerável e alerta, com cara de idiota. Não era nada fácil, até muito difícil. Até que – até que atingia certa imbecilidade de que precisava. Como ponto de partida, criava para si uma atitude de pasmo, tornava-se indefeso, sem nenhuma arma na mão; ele que não queria sequer usar instrumentos; queria ser o seu próprio instrumento, e de mãos nuas. Porque, afinal, cometera um crime para ficar exposto.

Mas se essa tentativa de inocência o levava a uma objetividade, era à objetividade de uma vaca: sem palavras. E ele era um homem que precisava de palavras. Então, com paciência, corrigia o exagero de sua imbecilidade: "é preciso também não me forçar a ser mais burro do que sou", pois também não havia lá tantas vantagens em ser imbecil, era preciso não esquecer que o mundo também não era só dos imbecis. Tomou, pois, como novo método de trabalho, o caminho oposto e assumiu uma atitude resoluta que lembrava um desafio. Essa atitude não foi difícil ter. Porém mais que ela, não conseguiu – e todo disposto como um homem que se embala para uma corrida de um quilômetro e esbarra com o fato de ter apenas dois metros para correr – ele desinchou desapontado. Revelou-se que a atitude de deixar de ser imbecil fora tarefa acima de sua capacidade real de deixar de sê-lo.

É verdade que quando lhe ocorria que o fim não estava longe, ele já não precisava mais se fustigar ou criar técnicas para continuar sua tarefa monstruosa. Quando lhe ocorria que tinha que ter violentamente tudo, e a "revelação" também – de novo sua pressa se tornava perfeita, tranquila e concentrada como a dos sapateiros embaixo da caldeira. E seu próprio contentamento parecia fazer parte necessária do lento trabalho de artesão.

Oh ele estava muito desamparado. Simplesmente não sabia como se aproximar do que queria. Perdera o estágio em que tivera a dimensão de um bicho, e no qual a compreensão era silenciosa assim como uma mão pega uma coisa. E também já perdera aquele momento quando, no alto da encosta, só lhe faltara mesmo a palavra – tudo estivera tão perfeito e tão quase humano que ele dissera a si mesmo: fala! e só faltara a palavra. Em que ponto estava agora? No ponto em que estivera antes do crime: como antes, ele era agora algo que talvez tivesse um sentido se fosse olhado de uma distância que o colocasse na proporção de uma folha de árvore. Visto de perto, ele era grande demais ou deixava de se enxergar. No fundo, ele era nada. E foi com esforço que ele se deu alguma importância. Porque, na verdade, ele tinha muita importância: ele só vivia uma vez.

E o fato é que agora era tarde demais: apesar do contentamento, teria que continuar. Não só porque era obrigado a salvar seu crime. Mas porque, mesmo aos recuos, ele sentia que avançava.

Sentia que – pois é – que quase entendia. É verdade que, por um erro de cálculo, começara pelo começo demais;

é verdade que o verde das ervas era tão violento que seus olhos não podiam traduzi-lo; é verdade que já ocorria ao homem ter destruído o mundo para jamais recebê-lo inteiro de novo, nem mesmo uma só vez como se recebe a extrema-unção. Tudo isso era verdade, sim. Mas é que às vezes a resistência parecia prestes a ceder...

Havia uma resistência tranquila em tudo. Uma resistência imaterial como tentar lembrar-se e não conseguir. Mas assim como a lembrança estava na ponta da língua, assim a resistência parecia prestes a ceder. Foi assim que, na manhã seguinte, ao abrir a porta do depósito à frescura da manhã, ele sentiu a resistência cedendo. O ar da manhã limpa estremecia nos arbustos, a xícara rachada de café ligou-se à manhã sem névoa, as folhas das palmeiras luziam escuras; a cara das pessoas estava avermelhada pelo vento como a de uma nova raça andando pelo campo; todo o mundo trabalhando sem pressa e sem parar; a fumaça amarela saía do fundo da cerca. E, por Deus, isso tem que ser mais que a grande beleza, tinha que ser. Então, com escrúpulos, a resistência cedendo, ele quase compreendeu. Com escrúpulos como se não tivesse direito de usar certos processos. Como se estivesse compreendendo alguma coisa inteiramente incompreensível assim como a Santa Trindade, e hesitasse. Hesitasse porque soubesse que depois de compreender, seria de algum modo irremediável. Compreender podia se tornar um pacto com a solidão.

Mas como escapar à tentação de entender? sem conseguir vencer certa sensualidade, ele entendeu. Para não se comprometer de todo, tornou-se enigmático, a fim de poder recuar logo que se tornasse mais perigoso. Então, cuidadoso e sonso, ele entendeu assim: "Como se impedir de compreender, se uma pessoa sabe tão bem quando uma coisa está ali!", e a coisa estava ali, ele sabia, a coisa estava ali. "Sim, assim era, e havia o futuro." O largo futuro que tinha começado desde o começo dos séculos e do qual é inútil fugir, pois somos parte dele, e "é inútil fugir porque alguma coisa será", pensou o homem bastante confuso. E quando for – oh como poderia ele se explicar diante de uma manhã tão inocente? – "e quando for, então será", disse ele humilhado com o pouco que dizia. E quando for, o homem que nascer se espantará de que antes... "Mas quem sabe se já não é?", ocorreu a Martim com grande argúcia. "Acho até que já é", concluiu com dignidade de pensamento. Então, de algum modo satisfeito, tomou uma atitude oficial de meditação. Ele meditou, enquanto olhava a manhã no campo. E quem há de jamais responder por que borboletas num campo alargam em compreensão obscura a vista de um homem?

Foi assim que por meios escusos Martim alcançou enfim um estado, pulando como um herói por cima de si mesmo. E foi assim que, por meios impossíveis de se recapitular, ele terminou finalmente por se livrar do começo dos começos – onde por inépcia se enganchara tanto tempo. Uma fase se encerrara, a mais difícil.

6

Havia silêncio e intensidade sob o sol da fazenda.

Ninguém saberia como se comunicara aos outros a muda vigilância de Martim, pois ele continuava a trabalhar calmo com o mesmo rosto que nada dizia, e seus olhos tinham a expressão que os olhos têm quando a boca está amordaçada. No entanto parecia ter se estabelecido um prazo depois do qual tudo seria impossível. A comunicação de sua intensidade talvez se fizesse pela pancada mais profunda de seu martelo ou talvez pelo seu andar de botas duras ou pelos seus súbitos desaparecimentos – procuravam-no e não o achavam mas, antes que a inquietação de sua ausência se tornasse maior, ele aparecia tranquilo como se viesse de parte nenhuma:

– E onde estava o senhor? perguntou Vitória desconsiderada.

A resposta do homem não a sossegou. A estabilidade do homem não a enganava; aquilo tudo ia acabar, ela o sabia. Vitória lhe deu novas tarefas, inventou trabalhos miúdos, e não o perdeu mais de vista. Com o tempo limitado, a mulher adquirira uma sabedoria instintiva e executava tantos atos que no meio deles involuntariamente talvez se escapasse aquele essencial.

Mas se Vitória não parecia saber o que queria, Ermelinda sabia. E rodeava o homem cada vez mais próxima:

– Olhe esta samambaia! disse-lhe de tarde, olhe como cresceu ultimamente! está tão bonita que chega a estar mole.

Mas o homem não entendia o que ela insinuava velado demais. E nada acontecia. Se a emoção de seus sentimentos lhe dava uma ignorância muito bonita, esta era pouco eficaz. E se Ermelinda se banhava no vaivém de suas tentativas e ocupava-se com a beleza de seus planos – ninguém entendia. No entanto, por que não? Quando ela era menina, por pura tendência à sutileza e à fraqueza, dissera a um menino de quem gostara: "vou lhe dar uma pedra que encontrei no jardim" – e ele entendera que ela gostava dele, tanto que lhe dera em troca uma caixa de fósforos com um biscoito dentro. E depois, continuando na sua vocação pela habilidade e naquele seu tortuoso caminho de finura que lhe poupava ofender-se com a verdade – a verdade talvez parecesse a Ermelinda uma forma inferior, primária e por assim dizer "sem estilo" – depois ela agradeceria ao marido o fato dele lhe ter dado um vestido novo dizendo-lhe: "o dia hoje está lindo, não está?" Por algum mistério no seu processo de realização, ela sempre evitava ser totalmente compreendida.

No entanto, era sem nenhuma exclamação de horror que, consigo mesma, ela encarava a crueza simples com que desejava ter para si aquele homem. Talvez sua delicadeza, incompreensível para outras pessoas, viesse da própria delicadeza de seus motivos de desejá-lo. Seus motivos de desejá-lo eram os de uma mulher que deseja amor – o que lhe parecia terrivelmente sutil. E como se não bastasse esse motivo estranho, ela o entrelaçara com um motivo mais sutil ainda: o de se salvar – que é certo ponto que o amor às vezes atinge. Tudo isso, pois, tornava-a uma incompreendida. O que não a fazia sofrer propriamente, porque isso estava na ordem das coisas: como não compreendia os outros, também não lhe ocorria ser compreendida.

Havia porém um problema de ordem prática muito intenso: seu processo de viver simplesmente não lhe dava o que ela queria. E o resultado é que ela involuntariamente parecia pura sem, no entanto, sequer desejar sê-lo. Somente para evitar a grosseria de se tornar clara. Ela, por exemplo, jamais confessara a um padre que tinha medo de morrer; em vez disso dissera-lhe cheia de intenções e com grande refinamento de alusão: "acho tão mais bonito uma pedra que um passarinho" – com isso talvez quisesse dizer, quem sabe, que uma pedra lhe parecia mais próxima da vida que o passarinho que no seu voo lhe lembrava a morte, o que, naturalmente, significaria que ela tinha medo de morrer. O padre não entendera, e ela saíra inconfessada, espantada por não ter tido uma resposta. Havia anos aquela moça não tinha a satisfação de um sucesso.

– Olhe esta samambaia! disse ela para o homem porque uma pessoa não pode dizer "eu te amo".

O rosto do homem estava quente e avermelhado, sujo de fuligem. Ela olhou a quente cara de um homem, e a força naquela moça era tão pouco frágil como a força de uma mulher, mas ela falara em samambaias e o homem não entendera, e a cara deste continuara simples e inalcançável. E a moça começou a se desesperar porque agora já começara a se convencer de que não era falando sobre samambaias que se chamava um homem. Ela não sabia como chamá-lo e se debatia na urgência vazia que o homem, a martelar, lhe comunicava.

Então na manhã seguinte – mal Vitória montara a cavalo e nem ainda a poeira das patas se assentara de novo na terra – Martim percebeu Ermelinda ao lado dele no curral onde ele banhava as vacas. De pé como uma aluna.

Estava de pé e não dizia nada. Em desespero a moça estava tentando pela primeira vez esse modo cru: não dizer nada. Martim fez uma careta curiosa que ele mesmo não saberia interpretar: é que, sem saber propriamente como, acabara de entender. Talvez porque o rosto mudo de Ermelinda tivesse a intensidade do que ela não dizia. Quando Martim compreendeu, então ficou muito contente. Ela estava graciosa, com aquele ar fraco na sua audácia em não falar, na sua coragem trêmula de ficar apenas de pé: para que ele soubesse.

– Quando é que D. Vitória volta? perguntou ele afinal.

A moça tentou responder mas a voz falhou. Era forte a sua emoção em ser compreendida, como se alguém enfim coroasse aquele seu único modo de se exprimir: nesse momento ela estava enfim tendo o reconhecimento de sua arte de vida. Os instantes se passaram sem que seu coração, se acalmando, lhe restituísse a voz. Mas com a experiência que tinha de falhar, sabia que se não se lançasse de olhos fechados, tudo estaria de novo perdido, e ela teria que voltar exaustivamente a falar de samambaias. Então, violentando com esforço o que ela desejaria que fosse tão mais obscuro e bonito, tão menos bruto, respondeu alto e de olhos fechados, jogando-se de uma ponte:

– Vitória demora muito porque somente ao meio-dia Francisco vai se encontrar com ela no milharal, ela só volta às duas horas para almoçar, eu mesma ouvi ela dizer isso!

Parou deslumbrada. Pela primeira vez na sua vida dizia algo direto. Seu coração recuou dentro do peito como para não tocar num desastre.

O homem olhou-a curioso, atento, paciente. Era verdade que "não pensar nela" fora um modo de realmente pensar. Mas até este instante conseguira guardá-la dentro de si rodeada de um elemento neutro e claro, enquanto ele próprio se ocupava de outras coisas. E se não teve propriamente surpresa quando a moça, como agora, se impunha, olhou-a com alguma frieza. Parecia acusá-la de não ter sabido esperar que ele próprio a chamasse para o seu foco de atenção. De novo ele estava sendo empurrado antes do tempo, assim como fora jogado por Vitória no curral.

Depositou o balde d'água no chão para dizer alguma coisa. E o modo de Martim lhe avisar que a compreendera não chegou a comprometê-lo de todo:

– Vou voltar da encosta ao meio-dia.

Mas já às onze horas Ermelinda estava de pé ao sol, séria, o coração batendo, os pássaros voando e a grande árvore se balançando.

Certo ponto fora atingido, enfim. O que pareceu alarmá-la é que já não havia questão de voltar atrás – enfim tarde demais, o que a deixou heroica. E além disso havia aquele mal-estar excitado e alegre, de uma alegria perniciosa, aquele seu segredo contra o mundo: ninguém sabia o que se passava com ela, que segredo.

Porém, mais que tudo, ela, com o coração todo seco e doloroso – ela, ela estava jogando alto.

Se falhasse, voltaria esfrangalhada, com os sapatos na mão: era essa a ideia que Ermelinda fazia de uma pessoa falhando. Embora também não soubesse em que consistiria falhar, pois estava lidando com coisas imateriais – habituara-se a considerar como imateriais "as coisas de espírito" e não tinha uma ideia muito clara de espírito, e parecia-lhe que agora lhe estava acontecendo alguma coisa mais ou menos de espírito – e nessas coisas a pessoa nunca sabia ao certo se falhara ou não, era uma questão de pensar de um modo ou de outro. Mas, ao mesmo tempo que se via com os sapatos na mão, tinha aquele aviso íntimo de que não falharia: de que ia tocar num dos pontos vulneráveis da vida com mão certa, apesar do tremor. Esse tremor que vinha da importância daquele momento que era enfim – enfim – insubstituível por outro qualquer. Poucas vezes na vida ela tivera a oportunidade de se defrontar com o que não é substituível. "Enfim vou viver", se disse ela. Mas a verdade é que isso mais parecia uma ameaça.

O que não queria dizer que não estivesse senhora de si. Pois, como se ignorasse imparcialmente a importância do acontecimento, tinha tempo de tomar várias atitudes que pareciam tirar essa importância: ajeitava os cabelos, como se um penteado determinado fosse indispensável, fazia uma boca pequena e uns olhos grandes como num desenho de mulher inocente e amada, recriando com muita emoção os amores célebres. Enquanto por dentro desfalecia perplexa. É que sabia que estava arriscando muito mais do que superficialmente parecia: estava jogando com o que seria mais tarde um passado para sempre indevassável.

Para se distrair, rememorou rapidamente o que ia lhe dizer. Como era mesmo que ia lhe dizer? Assim: "o destino é uma coisa muito curiosa". Ela lhe diria isso. Não porque fosse uma criatura artificial mas porque, por uma experiência já não mais diferenciada em fatos, terminara por saber que "pelo menos com ela" a naturalidade não dava certo. Quando contava com a naturalidade, não era a verdade que saía. Naturalidade era para quem tivesse um tempo ilimitado que desse oportunidade a que eventualmente certas palavras terminassem por ser ditas. Mas quem tinha o tempo de uma vida apenas, teria que condensar-se com arte e truques. Aquela moça morria de medo de passar sua vida inteira sem ter oportunidade de dizer certas coisas que já não lhe pareciam importantes, mas delas lhe ficara a obstinação de um dia dizê-las.

Depois de rememorar o que ia lhe dizer sobre o destino, voltou inescapavelmente à ideia de que estava jogando com o que seria mais tarde um passado fechado à sua compreensão. Um pouco vivida, sabia que na hora as coisas pareciam certas e depois não pareciam mais. E vagamente já se perguntava – enquanto seu coração inquieto batia pela campina toda e seu olhar parecia acompanhá-lo com apreensão – vagamente ela se perguntou se mais tarde, quando retornada aos dias comuns que nos julgam, ela estaria à altura de compreender-se, e de talvez ter que se perdoar. Mesmo agora ela já se perguntava de que sorte seriam suas futuras inescrutáveis memórias. Pois ela sabia que era mesquinha: não era pessoa que se perdoasse facilmente.

Sim, tudo isso viria. Mas tinha que arriscar tudo. Pois o tempo era curto, aquela moça teimosa tinha que saber se o amor salvava, como se depois tivesse que contar a alguém. Martim – como Vitória dissera num momento de raiva – parecia não ter nada a perder. Mas – adivinhou Ermelinda de súbito aprendendo em si mesma – não existia essa coisa de não ter nada a perder. O que existia era alguém que arrisca tudo; pois embaixo do nada e do nada e do nada, estamos nós que, por algum motivo, não podemos perder. Isso ela soube ali mesmo, de pé. De que modo aquele homem viera trazer a ela própria o problema de jogar alto e de arriscar o que somos – isso Ermelinda estava fadada a jamais saber. Talvez a mera visão dele, pois olhos veem muito mais que nós. O que Ermelinda apenas sabia é que tinha, como última jogada, que se arriscar. Foi então que lhe pareceu, numa sensação súbita de grande mal-estar, que o mundo é maligno. Que dava, sim, mas que dizia ao mesmo tempo: "depois não venha me dizer que não lhe dei". A coisa não era dada na base da amizade mas da hostilidade.

Ali em pé, às onze horas do dia 17 de abril, espantada, ela estava recebendo esse modo como a oferta lhe era jogada sem bondade. Ela que trabalhara tanto para receber o que agora ela própria não parecia estar à altura de compreender. Mas agora nada mais dependia dela. A esse instante raro – em que "ainda não aconteceu", "ainda vai acontecer", "quase já aconteceu" – ela chamou, num esforço de compreensão, de "o instante antes do homem aparecer". Dando um título, estava tentando aplacar o mundo.

A moça passou a mão pela testa, a alma toda congestionada. Pelo que estava sentindo, calculou que devia estar com o rosto feio e avermelhado, lamentou profundamente não ter uma beleza que correspondesse ao instante em que ia ser de um homem. Essa cara não é minha! revoltou-se ela, essa cara não sou eu. No desespero de talvez não ser aceita por um homem tão mais elegante que ela e tão mais homem que ela, de novo tentou fazer os olhos maiores e a boca em coração. Na sua opinião eles não faziam "belo par", e essa ideia não só não lhe saía da cabeça como a incomodava a um ponto de ter de conter as lágrimas: parecia-lhe que a natureza não os sancionava. O dia estava tão bonito que aumentou a sua desgraça.

Oh, tivesse tido mais tempo, e nada precisaria ser assim precipitado! pensou desolada abanando a cabeça. Poderia até ter mandado buscar alguma fazenda em Vila para cortar um vestido novo. Mas quanto tempo esse homem ficaria no sítio? E a morte? não, ela não tinha tempo, o tempo era curto, os pássaros voando longe pareciam esperar sem pressa que ela se reunisse a eles. Eles, eles que não tinham pressa, eles que tinham a certeza. E que voavam esperando. Esperando que ela se reunisse àquela serena e perturbadora liberdade...

A moça, com os sapatos apertados, estremeceu com medo de si própria. Tinha medo de se purificar tanto que não precisasse de mais nada. Como imaginar um ser que não precisasse de nada? era monstruoso. "Não quero progredir", disse teimosa, lembrando-se da frase de um espírita que queria muito o progresso. Mas que sobraria dela, com o despojamento do progresso? sobraria todo um corpo, sobrariam os desejos, e tanta poeira. Que faria sua alma liberta, sem um corpo onde existir? Doeria nas janelas até que as pessoas vivas dissessem: que dia de vento. E no verão ela seria o mal-estar das noites presas dentro dos jardins.

Foi então que ali em pé, no meio das milhares de batidas despercebidas de um coração que estava tão bem ligado à própria função, soou aquela pancada mais profunda que ela conhecia como se conhecesse alguém: uma pancada funda e oca como se o coração pudesse rolar para um abismo. E como sempre ela se perguntou: mas seria isso doença ou vida? No meio de mil palpitações de borboleta, aquela pancada trágica... Vou ao médico, resolveu com uma avidez de gulosa, vou ao médico. O frio dentro do sol arrepiou-a.

Oh, mas mesmo assim, até agora a vida não era grave – pois ela possuía um corpo onde se queixar, ia a um coração, tinha cólicas mensais, tinha um corpo onde ela acontecia. Mas depois? depois? A moça espírita desconfiava não ser tão pura a ponto de lhe bastar sacudir as folhas e ser apenas um pensamento que alguém adivinharia no ar e que chamaria, segundo ela, de inspiração. Não lhe bastaria, na libertação, espreitar impaciente a madrugada para aproveitar-se sorrateira e astuciosa dessa concretização de luz – e ser. Nem lhe bastaria olhar o céu seco durante dias na esperança de incorporar-se à chuva para poder chorar. Habituara-se demais à vida, estava acostumada com certos confortos mínimos, precisava onde doer, onde sangrar se cortasse um dedo. Oh Deus, por que me escolhestes para ser espírita e para compreender e saber?, pensou ao peso de sua vocação, sou apenas humana, não me deis tarefa acima de minhas forças. E a morte estava claramente acima de sua capacidade.

Oh, e se fosse para ser mal-assombrada – se é que esperavam que o fosse, e ela não sabia ao certo o que esperavam dela – então precisaria pelo menos de uma casa inteira, e de mais de um andar, calculou com minúcia. E que as portas se abrissem pela sua ausência de mão, que os passos soassem pela sua falta de pés – mas... mas tudo isso apenas acionado pela memória? Como seria difícil a sua memória. "Como é mesmo que eu tocava piano enquanto estava viva? mas como era mesmo?", se perguntaria. Tanto dinheiro gasto em professoras para terminar tocando com a angústia de um dedo só. Tendo como auditório uma possível mulher viva apavorada com as próprias imaginações?

Não, não, ela não pretendia assustar uma mulher com suas memórias difíceis. No fundo – refletiu ela com a mania de se preocupar de antemão com os detalhes – no fundo talvez se contentasse em arranjar o corpo de alguém onde ela pudesse dormir. E uma carne onde se explicar. Pois o que doeria, mais que tudo, seria a sua própria isenção. Por exemplo, lá estaria, como agora, a água do rio. Só que ela simplesmente não precisaria mais beber! assim como perturbava uma perna amputada que não precisa mais andar: ficaria ela com a função da perna mas sem a perna? Então – então lhe restaria contemplar a água. Mas seria ela os olhos ou a própria paisagem? E – e como ouvir? não seria ela própria o som? E, pouco a pouco, cada vez mais liberta, será que ela ao menos pensaria? Pois todo pensamento era filho de coisas, e ela não teria mais coisas. Estaria enfim livre.

Tão horrivelmente livre como o campo odiado. Tão livre que talvez já não pudesse mais ser, sequer, essa coisa no entanto já tão livre que era um pássaro. Pois mesmo um pássaro ainda era cheio das penas quentes, e tão sujo de íntimo sangue.

Sobretudo – assim como um dia de menina ela se tornara moça – sobretudo um dia começariam suas primeiras repugnâncias, em sinal do terrível aperfeiçoamento. Em sinal do progresso. Em primeiro lugar, provavelmente começaria por evitar coisas mornas, para não se conspurcar. Afastar-se-ia de tudo aquilo que tivesse precisado, para existir, de estar no mundo embora apenas por um segundo. Até que terminaria por ser aquilo que, quando alguém sentisse, diria: sou um homem vazio, sou um homem vazio.

"Tolice", disse de repente gelada, "quando chegar a hora resolvo; quem sabe até se nem é assim que acontece". Mas esse pensamento não a sossegou. O que me falta é confiança em mim mesma, esse é que é meu mal; ela sabia que na hora não ia resolver mesmo nada.

Oh, que é que eu estou pensando? assustou-se então. Como pudera ir tão longe na sua liberdade de pensar? E – ocorreu-lhe – essa liberdade já não seria por acaso o começo da outra liberdade...? Pois pensar era sempre tal aventura sem garantia... Ermelinda então começou a suar, agora plenamente acordada de seu devaneio, sentindo-se em pé no campo. Os pássaros eram apenas o que sobrara, como única prova real de seu sonho. Os pássaros, que ela olhou intrigada. Como se tivesse ficado, de um sonho inteiro, com uma pluma na mão e não soubesse por que nem de onde a pena tinha vindo. Olhou os simples pássaros, e não entendeu o que estava lhe acontecendo, como quem acorda com uma ânsia e não sabe que pesadelo a provocou.

De repente não sabia de nada. E perguntou-se com um sobressalto se o homem dissera mesmo "meio-dia". E se ele se referia mesmo ao dia de hoje. E se Martim realmente a entendera. Ou talvez fosse ela quem não o tivesse entendido? Mas, sentindo os pés apertados pelos sapatos, lembrou-se com alívio de que, enquanto os calçara, estivera certa da realidade do que lhe estava acontecendo. E então resolveu corajosamente confiar mais na sua certeza anterior do que na sua dúvida de agora. "Tudo é verdade", se disse com violência, "tudo isso é verdade", disse ela, agora se ancorando na sensação de pecado atrás da qual parecia ter corrido a vida inteira: "o mal está sendo feito", pensou com força, e sua vista se escureceu de gosto e de vingança, o sol a queimava – o mal, que era o símbolo de estar viva. Os pássaros voavam, planavam na luz ardente. Ela os olhou como se erguesse o punho contra eles. Eles que eram o oposto do mal: eram a morte e a beleza e o progresso.

O sol infernizava sua cabeça, as flores estalavam de luz e calor. E nos sapatos altos, que em má hora ela tirara da mala, os pés suavam fatigados. Endomingada e infeliz, ela aguardou. Para dizer a verdade, aquela moça já não sabia bem o que aguardava. Se certo ponto havia sido atingido, ela não sabia mais bem qual. "Mas se eu fosse agora embora, amanhã de repente eu ia entender tudo isto, e já não poderia voltar." Então, resignada, suportou, um pouco espantada. Afinal ela era uma pequena pessoa metida numa situação maior. Quisera a situação maior, então que aguentasse. O que lhe deu uma impressão de castigo. E de avanço irrecuperável. E, como acontecia em momentos de grande importância, o próprio momento pareceu não ter importância. Ela estava tão em contato com o momento que não o via. Era nessa base que sonhar era superior à realidade: quando sonhava sabia muito bem o que estava acontecendo. Enquanto que, neste momento tão real, a sensação mais verdadeira eram os sapatos. E, num erro de raciocínio que lhe era muito comum, ela se indagou se valera a pena tanto trabalho e tanto labor de sonho para terminar nisso: tirando os sapatos da mala. Teve vontade de descalçá-los para repousar os pés. Mas sabia, como se isto fosse o fruto de uma grande experiência, que se os descalçasse, os pés por um instante aliviados nunca mais caberiam nos sapatos. E, por analogia, se por um instante ela saísse da situação em que "a haviam metido", ela não caberia mais nela. Os dedos dos pés estavam com os ossos sensíveis.

Naquele momento era meio-dia. As flores estavam iluminadas por dentro e as rosas vermelhas eram um clangor: de muito longe Martim percebeu a moça como uma mancha escura no ar.

O jardim estava alongado por duas ou três sombras cortantes que o varal deitava no chão. O sol imóvel deixava as plantas pesadas, num silêncio acordado em que tudo poderia acontecer: Martim se aproximou passo a passo com a machada na mão. As coisas esperavam desertas. Mas as madressilvas tremiam como uma lagartixa antes de morrer.

Então – olhando as violentas rosas imóveis e caminhando para elas, como se olhar e caminhar fossem o mesmo ato perfeito, olhando-as que se continham em vermelho – uma vaga de poder e de calma e de escuta passou pelos músculos do homem, e um homem andando ao sol é um homem com um poder que só o que vive conhece.

De menos longe ele a viu de pé ao sol: uma cara de mulher endurecida por sombras e claridades, com manchas de luz pelo vestido. De olhos intrigados, ele se perguntou como é que uma pessoa investia tanto em outra pessoa. E se pensou isso era porque, enquanto estivera trabalhando, parecia ter aos poucos transformado a simples moça em qualquer coisa vaga e enorme. Só quando chegou mais perto é que descobriu com surpresa que o rosto da moça na verdade se mantinha fresco e sem cor. A descoberta de algum modo o reconciliou com o fato de ela ser simplesmente ela própria, e não a depositária de uma grande esperança. E pareceu-lhe que o murmúrio de água fria entre as pedras também corria dentro dela. Não que ele a amasse. Mas como se fora por amor. Atento, ele se aproximou olhando-a. Tão apagada entre as flores endemoninhadas. Sem desilusão, então, ele a viu exatamente como ela era.

E ela, ela olhou para o estranho. Antes houvera na moça um silencioso calor de comunicação dela para ele, feito de súplica, doçura e uma espécie de confiança. Mas diante dele, para a sua surpresa, parecia ter cessado mesmo o amor. E jogada na situação que ela criara, sentindo-se sozinha e intensa, se ali se mantinha era apenas por determinação. Como quando se preparara uma vez uma semana inteira excitadamente para um baile e, na hora, desapontada, tomara o táxi para ir para o baile: exatamente o que quisera. Ermelinda estava triste, surpreendida. E no momento em que ele afinal ficou bem à sua frente, ela o olhou com ressentimento como se não fosse ele quem ela estivesse esperando, e lhe tivessem enviado apenas um emissário com uma mensagem: "o outro não pôde vir".

Martim não contara com a própria timidez, e estava constrangido. De modo que nada havia de olímpico entre ambos. Era muito difícil criar uma situação solene como Ermelinda quisera a vida toda, e à qual o homem, sem sentir, se agregara com esperança. A moça abaixou os olhos com um suspiro: ela não estava à altura dos amores célebres. No momento em que mais queria ser ela própria – com aquela individualidade idealizada que os anos haviam criado para si mesma – nesse momento sua personalidade inteira ruiu como se não fosse verdadeira, e no entanto era, pois essa personalidade inventada seria o máximo dela mesma. E o que ela agora sentiu foi apenas uma ansiedade mesquinha que se concretizou no inalcançável ideal de enfim tirar os sapatos. E num desânimo que ela escondeu com um sorriso onde não havia nenhuma glória, mas certa doçura desconsolada. Tinha querido tanto ter um amante! Mas agora parece que não queria mais. Mesmo, para falar a verdade, a questão de morrer ou não perdera a importância, e lhe pareceu de repente coisa longínqua e ligeiramente incômoda.

Por que então não disse a verdade ao homem e não foi em seguida embora? Mas ela sentia a verdade em forma de peso no coração, e não sabia o que era. Embora estivesse pesando cada vez mais como se toda ela fosse o próprio coração dormente. Por que então, se abrisse a boca, esta única verdade não sairia em palavras? Ermelinda nem sequer abriu os lábios. No desejo de não mentir ela lhe diria: eu não te amo. Mas parecia saber algo mais: que o amava, que o amava. Só que era como se as coisas do mundo não fossem feitas para nós, só que era como se tivéssemos que transigir com aquilo para o qual no entanto nascemos, só que de súbito era como se o amor fosse a desesperada forma canhestra que o viver e o morrer tomam, só que era como se até mesmo nesse momento o absoluto nos desamparasse; e a verdade para sempre intransmissível que havia no seu coração era o peso com que amamos e não amamos. E no entanto, para isto tudo, a solução era exatamente o amor. "Não me ofenda", pensou ela olhando-o, menos para se proteger do que para salvar o que ambos criariam quase fora deles mesmos e que se ofereceriam então a ambos.

Assim, pois, Ermelinda só soube que o amava quando o homem deu um passo e ela pensou que ele estava indo embora. Num susto, estendeu uma mão para retê-lo. E compreendeu que se ele fosse embora, ela não suportaria. Viu então que a verdade é que ela o queria. Quanto ao resto – quanto a tão claramente não querê-lo – ela se resignou a não entender. Então sorriu para ele, bajuladora, sem esperança.

Intimidado, o homem sentiu o dever de fazer alguma coisa. Então pegou na sua mão. A mão da mulher estava gelada.

– Você está com medo de mim? espantou-se ele sinceramente porque afinal a moça é que se oferecera a ele.

– Estou, disse ela com voz quebrada, desistindo de pretensões. Mas não se incomode com meu medo, disse cansada apaziguando-o. Eu, por exemplo, não me incomodo, disse como se fosse a mãe de ambos ou a natureza que nos perdoa.

– Medo de quê? disse ele muito curioso, preparando-se para uma vaidade.

– Não sei, disse confusa. Não sei, medo porque – porque você é feito de um modo diferente de como sou feita, não sei...

– Como!

– Oh, disse ela desesperada, mas tem que ser assim mesmo! está certo! senão como poderia ser!

– Mas ser o quê? perguntou o homem estupefato.

– Oh Deus! disse ela chorando, quero dizer que você é um homem e eu não sou um homem, mas é assim mesmo! exclamou ela tentando o grande esforço da conciliação.

– Ah, disse ele intrigado.

A curiosidade de Martim, agora acrescida de ignorância, aumentou cega, instintiva. Ele havia largado sua mão quando a sentira tão fria – mas dessa vez foi sem esforço que de novo a pegou. E a mão pequena era leve entre as suas mãos endurecidas por aqueles calos de que ele se orgulhava e que ali estavam como um estigma. O orgulho de si mesmo então emocionou-o muito. E com o orgulho ele podia pegar naquela mão com segurança.

Quando um homem e uma mulher estão perto e a mulher sente que ela é uma mulher e o homem sente que ele é um homem – isso é amor? O sol a cento e cinquenta milhões de quilômetros queimava a cabeça de ambos. "Oh, livre-me de meu mistério!", implorou-lhe ela por dentro. E como se tudo entrasse na mesma serena e violenta harmonia, a vida se tornou tão bela que eles se olharam nos olhos com a tensão de uma pergunta, incompreensíveis olhos de homem e de mulher. Às vezes as pessoas se sentem assim sozinhas e com a pergunta, mas não dói – ou se dói, esse é o modo como as coisas estão vivas. "Se você soubesse como eu te amo", olhou-o a moça, "e é para sempre". Ela, que pelo menos uma vez na vida queria poder dizer "para sempre".

E Martim? Quando entraram no depósito de lenha, depois de atravessarem sebes e sebes como portas e portas, o que ele amava nela já terminara por se confundir com a frescura que havia entre as flores acesas, confundia-se com o cheiro de madeira apodrecida, o bom cheiro da terra úmida que se colava nas achas – como se ele tivesse sido lançado no seu primeiro amor humano. No depósito as flores incandescentes perdiam o domínio. Ali era como um estábulo e pessoas se tornavam mais lentas e maiores como animais que não se acusam nem se perdoam. Ele a olhou, e ela parecia ter guardado seu corpo em lugar fresco e escuro como a um fruto que devesse atravessar incólume uma estação adversa. Seus braços tinham pelos dourados, o que lhe deu o valor que as coisas douradas têm.

Mas é certo que na desordem de um primeiro encontro houve um momento em que os dois, enfim esquecidos do que penosamente queriam copiar para a realidade, houve um momento não preparado por ambos, dom da natureza, em que ambos precisaram saber por que o outro era o outro, e se esqueceram de dizer "por favor"; um momento em que, sem um injuriar o outro, cada um tomou para si o que lhe era devido sem que um roubasse nada do outro, e isso era mais do que eles teriam ousado imaginar: isso era amor, com o seu egoísmo e sem este também não haveria dádiva.

Um deu ao outro a avidez em ser amado, e se havia certa tristeza em submeter-se à lei do mundo, esta obediência também era a dignidade deles. Era o egoísmo que se dava inteiro. E como se na moça o desejo de presentear fosse maior do que o que ela tivesse a presentear, ela não sabia o que lhe dar, ela se lembrou de mães que dão aos filhos, e ela não se sentia maternal com aquele homem, mas com a grande força do irrazoável também queria lhe dar, somente para enfim ultrapassar o que se pode e enfim quebrar o grande mistério de se ser apenas um. Ela lhe deu seu pensamento inteiramente vazio dentro do qual estava ela toda. No querer dar, mais do que no se dar, algo se fizera: ela ganhara o mínimo destino de que também o breve inseto precisa.

Foi com um ar obediente e agradecido, como o de uma mulher, que ela avisou a Martim que ia remendar suas roupas. Sobretudo, obstinada, o que queria era prolongar-se no ambiente seguro que o homem, vivendo no depósito, ali terminara por criar: esporas no chão, a foice, botas enlameadas, mundo palpável. Pegando, calma, nas roupas a emendar, ela sentiu uma felicidade muito menor do que era capaz de sentir, mas tratava-se dessa coisa que se quer: concreta. Então ela o olhou: obrigada por você ser real, disseram seus olhos abertos.

O homem não entendeu, mas inflou um pouco o peito. Quanto a ela, agora poderia sem mentir usar a palavra amor, e com tanta esperança ingênua como se o desconhecesse. Porque, num movimento perfeito, o mundo se tornara de novo inteiro e até com o seu antigo mistério – só que dessa vez, antes que o enigma se fechasse, Ermelinda se pusera dentro dele, tão enigmática quanto o enigma. Então a moça se levantou, como dando ao homem uma ordem de ir embora e deixá-la só.

– Você é meu dono, dizia o modo altivo e mudo como estava de pé, serena e sem humildade.

Ele pareceu entender, e ele não queria ser dono de ninguém, e assobiou disfarçando, depois olhou para os próprios sapatos: mulher era sempre mais impudica que um homem, ele encabulou. Ela estava nobre. "Teve o que quis", pensou Martim ofendido na própria castidade e disfarçando-se com um novo assobio desajeitado. "Você é meu dono", dizia com tirania o modo como ela estava de pé; ele grunhiu assentindo, incomodado, com vontade de se livrar dela. Os ombros dela eram finos e quebráveis, a pele de criança, e, como se ele tivesse quebrado a atualidade da moça, havia algo de antigo nela. Ela era gentil de cintura. Meu Deus, disse o homem para si mesmo, ela é um fantasma. Ele estava comicamente embaraçado com a fragilidade dela. "Fraquinha, mas virago como as outras", pensou com malícia mas não achou nenhuma graça no que pensara, nem mesmo prazer; o que sentiu na verdade, foi um certo orgulho dela, ele a admirava. Elas sempre prolongavam mais do que o necessário e imediatamente criavam família. E ele estava orgulhoso por ser sua vítima: foi essa a homenagem constrangida que o homem conseguiu lhe prestar.

– Obrigada por eu gostar de você, dizia também o olhar da moça, mas isso o homem não captou, e só piscou os olhos. Depois, como se tivesse tido tempo de sentir melhor, balançou a cabeça assentindo, já que ela se encarregara por um instante do destino de ambos.

E talvez porque sua submissão àquela mulher fosse o modo como ele próprio a submetia, ao sair do depósito Martim se tornara poderoso e vivido, e com alguma insolência.

7

Martim respirou profundamente como se até agora tivesse sido amordaçado. É que era doce e poderoso um homem sair e uma mulher ficar. Assim provavelmente é que deviam ser as coisas. Dirigindo-se à água do rio para molhar o rosto ele sentia orgulho e calma. Agora que tivera uma mulher parecia-lhe natural que tudo fosse se tornar compreensível e ao alcance da mão. Grande era a campina: uma multidão de pontos brilhantes num fundo obscuro e incerto, ao seu alcance era a água que o sol tornara um duro espelho, e assim devia ser, ele aprovou o modo de ser da terra. Sem modéstia, como um homem que está nu, sabia que era um iniciado. Diante da água que o assassinava com seu brilho de foice, tudo era seu, uma felicidade tonta encheu sua cabeça, ele ainda sentia nos braços o peso que tem uma mulher submissa. Iniciado como um homem que vive. Mesmo que não tivesse tempo de ser mais do que um homem que vive. Foi um instante raro, e sem vaidade ele assim o tomou, e antes que findasse tocou-o com sua alma toda para que ela tivesse ao menos tocado na enorme realidade.

"Que faria a mulher sozinha no depósito?", pensou, e o que quereria ela dele? A lucidez exagerada pela felicidade fê-lo compreender que ela esperava dele uma palavra, e que estava presa a ele pela última esperança. E quem era ela? isso de repente se tornara importante, quem era ela? pois se ele ficasse preso numa cela com apenas um fio de capim na mão, nesse fio de capim estava tudo o que um campo inteiro lhe poderia dizer. E se ele pegara uma mulher feia e ignorada, uma mulher entre milhares de mulheres, nela estava o mundo inteiro a esperar dele a esperança. Mas que poderia ele lhe dar, senão a misericórdia? Foi nesse instante que, incerta e mal orquestrada, pela primeira vez se insinuou nele a antiga palavra miseri-córdia. Mas ele não a ouviu direito.

Pois ao pensar em Ermelinda começara a pensar na sua própria mulher ouvindo rádio enquanto o tempo se escoa-va, e recebendo os presentes com um suspiro: "a cavalo dado não se olham os dentes", dissera ela com um suspiro. E pensando na esposa, pensou no filho, em quem jamais quisera pensar diretamente. Pensou no filho com a primei-ra e feliz dor como se ter tido Ermelinda nos braços lhe ti-vesse enfim dado seu filho. Aquele filho que ele fizera com tanto cuidado e que saíra tão bonito, e que era bem alto para a sua idade. E pensou em procurar a filha da mulata da pri-meira vez em que a surpreendesse a examiná-lo, ele preci-sava muito de uma criança.

E com o filho, o amor pelo mundo o assaltara. Ele agora se comovia muito com a riqueza do que existe, se comovia com ternura para consigo mesmo, tão vivo e potente que ele era! tão bondoso que ele era! forte e musculoso! "sou uma dessas pessoas que compreendem e perdoam!", era isso mesmo o que ele era, sim, emocionado, com saudade do filho. O sol parado ia se aprofundando cada vez mais dentro dele, o amor por si mesmo deu-lhe uma grandeza que ele não pôde mais conter e que lhe tirou o resto do pu-dor. Junto da água faiscante nada lhe parecia impossível. Agora que, como primeiro passo, chegara através do filho àquele ponto em que dor se misturava com feroz alegria, a alegria era dolorosa, pois esse ponto rápido devia ser o agu-lhão da vida e o encontro dele consigo mesmo – então, as-sim como a alma de um cachorro late, ele incoercível disse: ah!, para a água.

Ah! disse ele em amor e angústia e ferocidade e piedade e admiração e tristeza, e tudo isso era a sua alegria.

Mas por que não lhe bastou então? Por que não lhe bas-taria apenas exclamar? Porque acontece que ele queria a palavra. Enquanto fosse quem era estaria preso à sua própria respiração à espera de que ela o unisse a si mesmo, vivendo com essa palavra na ponta da língua, com a compreensão quase por se revelar, nessa tensão que termina por se confundir com a vida, e que é ela própria, acontece que ele queria a palavra.

E agora que conhecia a oscilação de um amor humano, nunca estivera tão perto dela. As ervas tremiam-na... A água faiscava-a. O negro sol a exprimia a seu modo. E a campina se tornou mais tensa ao olhar do homem.

Por que então não dizia a palavra? O sol estava parado. A água ofuscada. Martim diante dela. Por que não a dizia? É que tudo estava tão perfeito que ele sobrava. O duro vidro da água olhava-o e ele olhava. E tudo tão reverberado e imóvel, tão completo em si mesmo, que o homem não molhou o rosto, não ousou tocar na água e interromper com um gesto a grande estática. Tudo rebentava de silêncio. Com o cheiro de capim quente que o vento trouxe do longe ele aspirou a revelação tentando inutilmente pensá-la. Mas a palavra, a palavra ele ainda não a tinha. O pé, o pé com que um homem pisa, ele não o tinha. Sabia que se tinha feito. Mas faltava saber o que é que um homem faz. Senão de que lhe teria valido a liberdade que alcançara?

O sol retorcido queimava sua cabeça deixando-o tranquilo e louco. Foi então que sob a verdade do sol ele enfim não se pejou de desejar o máximo. E através do amor pelo seu filho escolheu que o máximo poderia ser atingido através da misericórdia.

Seria essa a palavra? Se era, ele não a compreendia. Seria essa a palavra? Seu coração bateu furioso, alquebrado.

Não da misericórdia transformada em gentileza. Mas a profunda misericórdia transformada em ação. Porque, assim como Deus escrevia direito por linhas tortas, mesmo através dos erros da ação correria a grande piedade e o amor. Já que uma pessoa tinha essa capacidade estranha: a de ter piedade de outro homem, como se ele próprio fosse de uma espécie à parte. Pois a essa altura ele não parecia querer reconstruir apenas para si mesmo. Queria reconstruir para os outros.

Martim tinha acabado de "descortinar".

Acabara de descobrir a pólvora? Não importa, cada homem é a sua própria chance.

Mas através de que ação correria o amor? De pensamento monstruoso a pensamento monstruoso, ele calculou com lucidez que se obtivesse um novo modo de amar o mundo, o transformaria de algum modo. A coisa mais importante que podia acontecer em terra de homens – não era o nascimento de um novo modo de amar? o nascimento de uma compreensão? Era. Tudo para Martim estava inesperadamente se harmonizando...

Então, embebedado de si mesmo, arrastado pela insensatez a que podia levar o pensamento lógico, ele pensou com tranquilidade o seguinte: se conseguisse esse modo de compreender, ele mudaria os homens. Sim, não teve vergonha desse pensamento porque já arriscara tudo. "Mudaria os homens, mesmo que demorasse alguns séculos", pensou sem se entender. "Será que sou um pregador?", pensou meio encantado. Acontecia porém que pelo menos por enquanto ele não tinha propriamente o que pregar – o que o embaraçou um instante. Mas só por um instante: porque daí a um momento ele estava de novo tão cheio de si que dava gosto.

O resto de prudência então caiu, e sem nenhuma vergonha ele pensou mais ou menos o seguinte: mesmo que ele falasse de seu "descortinar" a uma pessoa apenas, esta pessoa contaria a outra, como numa "cadeia de boa vontade". Ou então – pensou ele desenvolto – essa pessoa transformada pelo conhecimento seria percebida por outra, e esta outra por outra, e assim por diante. E no ar haveria aos poucos a sub-reptícia notícia assim como a moda se espalha sem que ninguém tenha sido obrigada a segui-la. Pois que eram as pessoas senão a consequência de um modo de compreender e de amar de alguém já perdido no tempo? "Ele viveu assim", diria uma pessoa a outra como a senha esperada. "Ele viveu assim", correria o boato.

Martim acabara enfim de enunciar. Só o constrangia um pouco a súbita facilidade em que caíra. Mas quem sabe se era assim mesmo: que depois de enunciada, a verdade era fácil? O obscuro plano lhe pareceu então perfeito como um crime perfeito...

E cheio de si, rebentando de sol como um sapo, a tarefa lhe pareceu grande e simples – enquanto ele agora misturava o pó de cimento à água, preparando argamassa para a cacimba. A caldeira dos santos podia estar ardendo sobre sua cabeça mas ele se concentrava nas sandálias. Sua urgência era tranquila. Não uma urgência que o fizesse querer pular etapas, mas urgência igual à da natureza: sem um instante perdido, quando a própria pausa era um avanço. Ele misturou o cimento com exatidão, com urgência ininterrupta assim como os mil estremecimentos formam a vastidão do silêncio e o silêncio caminha. "A coisa está progredindo", pensou.

Achou este seu pensamento ótimo e seu sentimento ótimo também. Ficou emocionado e grave, parou um instante de trabalhar. "Ofereço isto que senti em homenagem à minha mãe", pensou vagamente, já um pouco distraído. Depois, tendo casualmente tomado um contato mais próximo com o que pensara, achou "tolice". Mas depois ficou muito sentido por ter achado tolice e se disse ofendido: "também não vamos ser bestas a ponto de achar tudo bobagem." Como bobagem era palavra muito larga, que perdia depressa o sentido, ele afinal ficou com coisa nenhuma, e um gosto de nada na boca. Isso o alertou quanto à necessidade de tomar cuidado para não ficar vago, o que era tentação legítima – mas se uma pessoa não se especializava, se perdia facilmente, como se diz de médicos. Era muito difícil ser global e no entanto manter uma forma. Ele não podia se perder de vista.

De modo que procurou se concentrar, um certo plano começou a se delinear, o cimento foi tomando consistência, ele se aplicou com perfeição no trabalho, horas tranquilas passaram.

E a primeira brisa mais fresca soprou.

Assim, quando Ermelinda empurrou a porta do depósito, a tarde se fizera. Como uma continuação da sombra do quarto, toda a tarde se arruinara e cheirava na sombra vacilante a raízes com formigas. Os olhos da moça estavam largos, tranquilos, vingados. Conseguira absorver a segurança do homem contra o campo, e armada com seu talismã olhou em sereno desafio: o campo nada mais era que um depósito maior onde mil árvores tinham espaço para se perderem na distância, o mundo era um lugar. Só isso. E o campo perdera o ilimitado. Ela atravessou sem esforço a multidão de relva, as flores agora amansadas. Não havia uma ruga em seu rosto. Parecia uma índia carregando uma bilha na cabeça e equilibrando-se para equilibrar a bilha. Nada a contradizia. Há esses momentos também.

8

De noite Martim teve uma ideia excelente que se provaria o contrário de excelente. Na verdade mais tarde o homem comparou a excelência da ideia e a subsequente desilusão com uma fruta redonda que alguma vez comera – uma romã – e que aos dentes se provara oca. O que lhe dera, como único prêmio, um instante de absorta meditação e um contato com a experiência.

Nessa noite, pois, ele acendeu a lamparina, pôs os óculos, pegou uma folha de papel, um lápis; e como um escolar sentou-se na cama. Tivera a sensata ideia de pôr ordem nos pensamentos e resumir os resultados a que chegara nessa tarde – uma vez que nessa tarde ele finalmente entendera o que queria. E agora, assim como aprendera a calcular com números, dispôs-se a calcular com palavras. A exaltação que de tarde lhe viera do sol já o abandonara. Ele era agora um homem lento e aplicado, com o rosto que uma mulher tem ao enfiar a linha na agulha. Sua cara estava concentrada no penoso.

Foi com ligeira surpresa que seu pensamento se provou tão rude quanto os dedos engrossados que seguravam o lápis. Para começo de conversa, o lápis lhe pareceu delicado demais para a sua resolução, que também esta fora decidida demais. Ele não sabia que para escrever era preciso começar por se abster da força e apresentar-se à tarefa como quem nada quer. Da lamparina a fumaça enegrecida subia e envolvia a gravura de S. Crispim e S. Crispiniano. De vez em quando vinha até o depósito o som do piano distanciado pelo silêncio. Ermelinda tocava. O tempo passava.

Mas na meia escuridão do depósito, e sem a vantagem da embriaguez da tarde, o homem parecia ter desapontadamente perdido o sentido do que queria anotar. E hesitava, mordia a ponta do lápis como um lavrador embaraçado por ter que transformar o crescimento do trigo em algarismos. De novo revirou o lápis, duvidava e de novo duvidava, com um respeito inesperado pela palavra escrita. Parecia-lhe que aquilo que lançasse no papel ficaria definitivo, ele não teve o desplante de rabiscar a primeira palavra. Tinha a impressão defensiva de que, mal escrevesse a primeira, e seria tarde demais. Tão desleal era a potência da mais simples palavra sobre o mais vasto dos pensamentos. Na realidade o pensamento daquele homem era apenas vasto, o que não o tornava muito utilizável. No entanto parece que ele sentia uma curiosa repulsa em concretizá-lo, e até um pouco ofendido como se lhe fizessem proposta dúbia.

De novo dispôs-se bravamente a começar e umedeceu com a língua a ponta do lápis.

E desinchado, de óculos, tudo o que lhe parecera pronto a ser dito evaporara-se, agora que queria dizê-lo. Aquilo que enchera com realidade os seus dias reduzia-se a nada diante do ultimato de dizer. Como se via, aquele homem não era um realizador, e como tantos outros, só sentia a intenção, da qual o Inferno está repleto. Mas para escrever estava nu como se não lhe tivesse sido permitido levar nada consigo. Nem mesmo a própria experiência. E aquele homem de óculos de repente se sentiu singelamente acanhado diante do papel branco como se sua tarefa não fosse apenas a de anotar o que já existia mas a de criar algo a existir.

Teria havido um erro no modo como ele se sentara na cama ou talvez no modo de segurar o lápis, um erro que o depusera diante de uma dificuldade maior do que ele merecia ou aspirava? Ele mais parecia estar esperando que alguma coisa lhe fosse dada do que dele próprio fosse sair alguma coisa, e então penosamente esperava. Transformou ligeiramente sua posição no bordo da cama e reduziu-se austeramente a ser apenas um homem sentado que ia anotar o que já tinha sido pensado. E de novo se surpreendeu: era incontestável que não sabia escrever. Sorriu constrangido. Como um dócil analfabeto estava em situação de pedir a alguém: escreva uma carta para minha mãe dizendo o que penso. "Afinal que é que está me acontecendo?", inquietou-se de repente. Pegara no lápis com a modesta intenção de anotar seus pensamentos para que se tornassem mais claros, fora apenas isso o que pretendera! reivindicou irritado, e não merecia tanta dificuldade.

Mas como nas histórias em que o príncipe distraído toca por fatal acaso na única rosa proibida do jardim e estarrecido desencanta o jardim todo – Martim incauteloso executara entre mil gestos inócuos algum ato infamiliar que involuntariamente o transportara diante de algo maior. A lanterna esfumaçava um fio negro. Ele olhou o depósito que vacilava à luz escura. As paredes hesitavam. O vento batia à porta. E em torno dele soprava o vazio em que um homem se encontra quando vai criar. Desolado, ele provocara a grande solidão.

E como um velho que não aprendeu a ler ele mediu a distância que o separava da palavra. E a distância que de repente o separou de si mesmo. Entre o homem e a sua própria nudez haveria algum passo possível de ser dado? Mas se fosse possível – havia ainda a estranha resistência que ele opunha. Pois nele acabara de se acordar esse susto interior de que uma pessoa é feita.

Não acreditando no que não poderia explicar, franziu as sobrancelhas como se isso ajudasse a enfiar a linha na agulha. Que esperava com a mão pronta? pois tinha uma experiência, tinha um lápis e um papel, tinha a intenção e o desejo – ninguém nunca teve mais que isto. No entanto era o ato mais desamparado que ele jamais fizera. E de tal modo ele não podia, que o não poder tomara a grandeza de uma Proibição.

E só em pensar em quebrar a Proibição, ele recuava, de novo opondo a imaterial resistência de um duro instinto, de novo cauteloso como se houvesse uma palavra que se um homem dissesse... Essa palavra ausente que no entanto o sustentava. Que no entanto era ele. Que no entanto era aquela coisa que só morria porque o homem morria. Que no entanto era a sua própria energia e o modo como ele respirava. Essa palavra que era a ação e a intenção de um homem. E que não somente ele não sabia sequer balbuciar, como parecia profundamente não querer... Em prudência vital, ele a defendia em si. E só em imaginar que poderia dizê-la ele se fechou austero, intransponível, como se já tivesse se arriscado longe demais. De repente suscetível, caíra em zona sagrada que homem não deixa mulher tocar mas dois homens às vezes se sentam em silêncio à porta de casa ao anoitecer. Dentro desta zona solitária a escolha seria deixar-se tocar com humildade e aviltamento – ou abrigar a integridade do homem que não fala nem age. Caíra na avareza que sempre fizera de sua vida algo pessoal. E que tornara "fazer", que seria dar-se, a ação impossível. Covarde diante da própria grandeza, ele se recusava.

Sem uma palavra a escrever, Martim no entanto não resistiu à tentação de imaginar o que lhe aconteceria se o seu poder fosse mais forte que a sua prudência. "E se de repente eu pudesse?", indagou-se ele. E então não conseguiu se enganar: o que quer que conseguisse escrever seria apenas por não conseguir escrever "a outra coisa". Mesmo dentro do poder, o que dissesse seria apenas por impossibilidade de transmitir uma outra coisa. A Proibição era muito mais funda..., surpreendeu-se Martim.

Como se vê, aquele homem terminara por cair na profundeza que ele sempre sensatamente evitara.

E a escolha tornou-se ainda mais funda: ou ficar com a zona sagrada intata e viver dela – ou traí-la pelo que ele certamente terminaria conseguindo e que seria apenas isto: o alcançável. Como quem não conseguisse beber a água do rio senão enchendo o côncavo das próprias mãos – mas já não seria a silenciosa água do rio, não seria o seu movimento frígido, nem a delicada avidez com que a água tortura pedras, não seria aquilo que é um homem de tarde junto do rio depois de ter tido uma mulher. Seria o côncavo das próprias mãos. Preferia então o silêncio intato. Pois o que se bebe é pouco; e do que se desiste, se vive.

Assim, de aproximação penosa em aproximação penosa – tendo Martim nesse caminhar um sentimento de sofrimento e de conquista – ele terminou se perguntando se tudo o que ele enfim conseguira pensar, quando pensara, também não teria sido apenas por incapacidade de pensar uma outra coisa, nós que aludimos tanto como máximo de objetividade. E se sua vida toda não teria sido apenas alusão. Seria essa a nossa máxima concretização: tentar aludir ao que em silêncio sabemos? Tudo isso Martim pensou, e pensou muito.

E ali estava ele. Que pretendera apenas anotar, nada mais que isto. E cuja inesperada dificuldade era como se ele tivesse tido a presunção de querer transpor em palavras o relance com que dois insetos se fecundam no ar. Mas quem sabe – perguntou-se então na perfeita escuridão do absurdo – quem sabe se não é na expressão final que está o nosso modo de transpor os insetos se glorificando no ar. Quem sabe se o máximo dessa transposição está exatamente e apenas no querer... (E assim ele estava salvando o valor de sua intenção, dessa intenção que não soubera se transformar em ação.) Quem sabe se o nosso objetivo estava em sermos o processo. O absurdo dessa verdade então o envolveu. E se assim for, oh Deus – a grande resignação que se precisa ter em aceitar que nossa beleza maior nos escape, se nós formos apenas o processo.

Assim, pois, sentado, quieto, Martim falhara. O papel estava branco. As sobrancelhas franzidas, atentas.

Mas que se sabe do que se passa numa pessoa? Porque ele, que estava fracassando, não poderia chamar seu fracasso de sofrimento, mesmo que a desilusão e a ofensa recebida tivessem aflorado a seu rosto, tão poucos sentimentos a carne permite. Mas como chamar de sofrimento o fato dele estar passando pela verdade da Proibição como pelo buraco de uma agulha. Como poderia ele sequer revoltar-se com a verdade. Ele era a sua própria impossibilidade. Ele era ele. A esse ponto de grande angústia tranquila ele chegou: aquele homem era a sua própria Proibição.

Sofrimento? pensou com o rosto irreparavelmente ofendido a encarar o papel branco. Mas como não amar mesmo a Proibição? se ela o empurrara até onde ele podia ir? se o empurrara até aquela resistência última onde... Onde a única solução irrazoável era o grande amor? Quando um homem é acuado só o grande amor lhe ocorre. Sofrimento? Só não podendo é que um homem sabia. Um homem afinal se media pela sua carência. E tocar na grande falta era talvez a aspiração de uma pessoa. Tocar na falta seria a arte? Aquele homem gozava sua impotência assim como um homem se reconhece. Estava espantadamente fruindo o que ele era. Pois pela primeira vez na vida sabia quanto era. O que doía como a raiz de um dente.

Uma grande doçura o envolveu, como quando se sofre. Não conseguia encarar sem dor o papel vazio. Onde sua ação falhara.

Mas falhara? Porque a compensação também era fatal. Ele não conseguia deixar de admirar a perfeição da Proibição. Pois, num equilíbrio perfeito, acontecia que se ele não tinha as palavras, tinha o silêncio. E se não tinha a ação, tinha o grande amor. Um homem podia não saber nada; mas sabia como se virar, por exemplo, para o lado do poente: um homem tinha o grande recurso da atitude. Se não tivesse medo de ser mudo.

Oh, não sofrimento. Porque na sua impossibilidade de criar ele não tinha tido o pior: não tinha sido espoliado. Em tudo o mais aquele homem enganara ou fora trapaceado, haviam-no roubado ou ele espertamente roubara. Mas na sua passagem pelo grande vazio, pela primeira vez na sua vida, ele não enganara ou fora enganado. A coisa era limpa: como se tratava de uma pessoa, então o limpo resultado fora cumprir a experiência de não poder. Pareceu-lhe mesmo que poucas pessoas haviam tido a honra de não poder. Pois, numa sensação genial, nascida talvez de sua dor, ele soube que o resultado mais acertado era falhar. Sofrimento? pensou com o rosto ofendido. Mas como não amar a Proibição, se cumpri-la é a nossa tarefa? refletiu em dor o escritor involuntário.

Martim começara agora a se emaranhar numa curiosa sensação de ter conseguido alguma coisa extraordinária. Tinha passado pelo mistério de querer. Como se tivesse tocado no pulso da vida. Ele que sempre se deslumbrara com o milagre espontâneo de seu corpo ser bastante corpo para querer uma mulher, e seu corpo ser bastante corpo para querer comida – ele agora tocara na fonte de tudo isso, e do viver: ele quisera... De um modo geral e profundo, ele quisera.

Para a sua desvantagem, de um modo um pouco profundo demais. Pois ali estava ele confuso, sem entender por que tinha a sensação de se ter cumprido, apesar de não ter dado um passo além do terreno pessoal. Olhou o papel vazio. A bondade então envolveu Martim, como quando se sofre. No seu desamparo teve a tentação de apelar para Deus. Mas, não tendo hábito nem crença, sentiu o temor de provocar presença tão grande, agora já mais cauteloso em não tocar na rosa proibida do jardim.

– Não sei escrever, disse ele então.

Desistira. Sua impressão era a de se ter salvo por um triz. Grande era o seu alívio por ter escapado incólume da oca escuridão. Se bem que também sentisse que nenhum de seus pensamentos futuros viriam isentos de sua verdadeira covardia só agora revelada. Nenhum ato heroico seu seria totalmente livre dessa experiência que se tornou imediatamente velha como a sabedoria.

Tirou os óculos, esfregou os olhos cansados, botou os óculos de novo. E aliviado, abandonando afinal o que o espírito não lhe quisera dar, ele se sentiu pronto para tarefa mais humilde. Modesto, aplicado, míope, simplesmente anotou: "Coisas que preciso fazer."

Escrevendo essa frase ele não era a mesma pessoa que se defrontara com a possibilidade e com sua assustadora promessa. Era alguém que desistira da verdade – qual seria? agora nunca mais! oh nunca mais ele saberia! – e se dedicara a uma verdade tão menor que já tinha suas fronteiras no talento; mas a única verdade ao seu alcance, a única ação ao seu alcance. Humilde, sabendo com remoto sobressalto que estivera "perto" mas que conseguira escapar, mais humilde ainda o homem se tornou. Até mesmo uma frase tão modesta como "coisas que preciso fazer" pareceu-lhe ambiciosa demais. E num ato de contrição riscou-a. Escreveu menos ainda: "Coisas que tentarei saber: número 1."

Então aconteceu que Martim sabia qual era a primeira coisa a procurar saber mas não conseguiu dar-lhe um nome. Pareceu-lhe mesmo que só saberia o nome no instante em que a obtivesse, como se uma pessoa só soubesse o que procurava quando achasse.

Bem, a realidade muito mais simples é que era com esforço que aquele homem estava procurando se manter à altura em que estivera de tarde junto do rio. Estava agora reduzido às próprias proporções e sem a menor grandeza do sol. Perdera a fé e o motivo. E olhava o depósito pobre com estranheza. Mesmo assim insistiu em continuar e, ao lado da "coisa número 1" a tentar saber, escreveu "Aquilo", pois o que ele conseguia era aludir. E releu a frase.

E foi então – foi então que teve o seu primeiro grande prazer emocionado com que fatalmente se ama o que se fez. A frase ainda úmida tinha a graça de uma verdade. E ele gostou dela com um alvoroço de criação. É que reconhecia nela tudo o que quisera dizer! Além do mais achava a frase perfeita pela resistência que esta lhe oferecia: "além daí, eu não poderia mais ir!", de modo que lhe pareceu que a frase tocara no próprio fundo, ele apalpava sua resistência com êxtase. É verdade que um segundo depois, a um relance, Martim percebeu a contragosto o grande equívoco de escritor: fora a sua própria limitação que reduzira a frase ao que ela era, e a resistência que ela oferecia talvez fosse a resistência de sua própria incapacidade. Mas, como ele era pessoa difícil de ser derrubada, pensou o seguinte: "não tem importância porque, se com essa frase eu pelo menos cheguei a sugerir que a coisa é muito mais do que consegui dizer, então na verdade eu fiz muito: eu aludi!" E então Martim ficou contente como um artista: a palavra "aquilo" continha em si tudo o que ele não conseguira dizer!

Escreveu então: "Número 2: como ligar 'aquilo' que eu souber com o estado social."

Porque foi isso o que ele escreveu. Perdida a prática de pensar, e perdido o vocabulário, não conseguiu outra expressão para significar o que queria dizer senão esta: "estado social", que lhe pareceu muito boa e clara, e que tinha um pequeno toque erudito que Martim sempre ambicionara: a erudição, sendo externa, se confundia com a ideia primária que ele fazia de objetividade, e sempre lhe dava a satisfatória sensação de ter acertado.

Quando o homem releu a sua obra, já com os olhos piscando de sono, a realidade deu uma reviravolta, e ele se defrontou no papel com a concretização física e humilde de um pensamento, e teve um riso vazio e largo – onde pela primeira vez o senso do ridículo apareceu, solapando pela primeira vez a sua grandeza. Aquele homem que estava tentando construir a sua grandeza e a grandeza dos outros. Então, em defesa dolorosa, ele começou a rir, um pouco a contragosto e um pouco representando para si próprio, e um pouco por masoquismo, e um pouco para demonstrar como ele era um mártir que fingia não estar sofrendo mas esperava que Deus adivinhasse com arrependimento e piedade que seu filho sofria e que só por heroísmo ria, um pouco para Deus se arrepender, oferecendo-lhe seu sofrimento disfarçado como uma bofetada, como quem diz que não está doendo mas está doendo, e se santifica na sua dor. Depois Martim esbarrou com uma realidade menos lisonjeira e menos possível de ser dramatizada: esbarrou com o fato de que ele era apenas uma pessoa confusa que esquecera os livros que lera mas deles haviam ficado muitas imagens dúbias que ele perseguia, sua terminologia estava fora de moda, ele ficara nas suas primeiras leituras – a realidade de que ele era um homem de compreensão lenta, e, por que não dizer?, pouco inteligente, um homem com um modo de pensar atrapalhado, pessoa mal informada e que aliás não sabia o que fazer das poucas informações que tinha – e que, então desamparado, era obrigado a contar consigo mesmo, o que fazia com que ele vivesse redescobrindo a pólvora, como se uma pessoa só tivesse um recurso: ela própria, "pelo menos hoje em dia é assim", e então ele estava rindo, o que era tolice porque Deus não se ofendia sequer com o erro de ter criado aquilo que ele, Martim, era, porque Deus se compensava com realizações eficazes.

Por puro automartírio riu de novo. E como não ria há muito tempo, começou a tossir, engasgou-se. Deixou então de rir porque a sensação da saliva ter entrado no nariz lhe deu a desagradável sugestão de erro físico: era como se também seu corpo estivesse falhando. Soprou a lamparina e deitou-se.

Mas com o riso o sono desaparecera. E no escuro ele estava inquieto. A rosa que inadvertidamente ele tocara no jardim deixara-o escoiceante como um cavalo que retém o galope. A essa altura as coisas tinham de algum modo perdido o tamanho material. Ninguém jamais teria por um segundo se defrontado com o oco de onde saem as coisas sem ficar para sempre com a indocilidade do desejo. Picado por uma vontade de aproximação, estava indomesticável e afoito. Que é que eu tenho? estranhou-se. Alerta, farejante. Um minuto depois reconheceu que estava no estado de alma de agir ou de amar. Acontecia que ele não podia fazer uma ou outra coisa: não tendo prática de lidar, sem se ferir, com o ato criador, evitou-o; e a noite era vazia, sem o amor de uma mulher. "Estou com insônia", disse então para a sua esposa em tom de queixa e acusação.

Martim não soube o que fazer de seu desejo e como aplicá-lo. De pensamento em pensamento – a maioria deles lhe escapando – refletiu que se falhara na criação do futuro, restava-lhe ainda o passado já criado. Num desejo intenso, ele queria ter enfim alguma coisa na mão. O que lhe pareceu mais fácil e menos passível de desilusão: o barro do que já acontecera era pelo menos um material de onde partir. Então, com a mesma atitude de severa boa vontade com que tentara criar seu plano de ação para o futuro, voltou-se para a memória. "Oh lembre-se de que existem árvores e existem crianças e existem corpos e mesas", se disse o homem tentando se acordar para uma máxima objetividade.

E realmente se tornou objetivo e claro. Mas o que conseguiu? Pedrinhas; ele olhava curioso as pedrinhas dos fatos, seculares pedrinhas duras, indeglutíveis, irredutíveis, imperecíveis. Afogado num mar de seixos. Não só a realidade, mas também a memória pertence a Deus. O homem se revolveu no escuro. Ele tinha ficado preso dentro da construção do próprio passado. Nada jamais tinha saído do mundo, nada jamais tinha entrado no mundo: eram as mesmas pedrinhas sempre, o jogo sempre estivera feito, e a improvisação era impossível! pois esses eram os elementos – os que já estavam ali – e de repente haviam fechado a porta, e a nada mais fora permitido entrar ou sair. E se, para o futuro, ele quisesse fazer nova construção – teria que destruir a primeira a fim de ter pedrinhas a usar, pois nada podia mais entrar no jogo e nada mais podia sair: o material de sua vida era esse mesmo. Mas, pensou ele, que infinita variação! com as mesmas pedrinhas. Ia-se a uma cartomante, ela baralhava as pedrinhas, uma pedrinha pulava, e ela dizia misteriosa de óculos e cabeleira postiça, antes de morrer de câncer: estou vendo uma pedrinha.

Mas acontece, refletiu ele com uma vontade intensa de desistir do futuro, acontece que com essas pedrinhas algo está pelo menos definitivamente organizado. E nele cabemos. É verdade que às vezes cabemos com um braço paralisado pela construção, ou com um olho fechado pela argamassa endurecida por uma construção que secou depressa demais – mas algo está pelo menos definitivamente organizado, e se nele mal cabemos, a verdade é que cabemos. Que faremos? construiremos com as mesmas pedrinhas outra organização definitiva, derrubando antes a primeira? Ou resolveremos sensatamente caber na primeira? É verdade que para cabermos na primeira, temos que comer pouco. Pois engordando, não cabemos, e crescendo não cabemos, e ficamos de calças curtas demais, olhando meditativos os pés expostos. Mas tomamos cuidado, é uma questão de tomar cuidado. Oh bem que tomamos muito cuidado. Até que esquecemos como temos ultimamente crescido e engordado – e distraídos damos um bocejo, e a construção fica curta. É o que se chama de mal-estar.

Era o que aquele homem chamava de mal-estar. Aquele homem cometera um crime porque engordara demais? Martim se revolveu doente, com dor de estômago: ele não cabia. A essa altura, seu pensamento começara a ecoar dentro de uma igreja, o que lhe dava um respeito que era feito de temor e de respeito propriamente dito. E assim como, por motivo ignorado, toda vez que nossos pés ressoam alto, instintivamente procuramos andar sem fazer barulho, o homem tentou agora avançar na ponta dos pés. Seu pensamento tomara a grandeza ecoante de um pesadelo. E o homem de repente se debateu com o velho nojo de pensar, oh não passaria ele jamais de um criador de verdades?

Até que, afortunadamente, percebeu que a criação do mundo estava lhe dando cólicas. Então, feliz de enfim poder se submeter a uma dor, deitou-se sobre a barriga e, com o calor do contato, começou a adormecer.

Mas essa noite era de muitas lições. É preciso ter paciência, às vezes uma noite é longa.

É que nas trevas os pássaros haviam percebido a acidez da aurora e, muito antes que esta raiasse para uma pessoa, eles a respiravam e começaram a despertar. Havia um pássaro, especialmente, que só faltou deixar Martim doido. Era um que chamava a companheira no escuro; com paciência e calma, chamava, chamava. Até que a coisa foi crescendo a ponto de Martim dar um pulo e num safanão abrir a janela. Na janela aberta, foi recebido pelo silêncio súbito do pássaro. Mais com as narinas que com os olhos, o homem percebeu que a escuridão não era estável e que o pássaro já estava vivendo uma madrugada que, para ele, Martim, ainda era o futuro. O que, vagamente, lhe pareceu um pouco simbólico e satisfatório. Voltou e deitou-se de novo. E de novo o passarinho paciente recomeçou. O calmo canto chamando levou o homem a um paroxismo: tapou os ouvidos.

Mas, tapando os ouvidos, ele não ouviu o passarinho.

Foi só então que o homem percebeu que na verdade ansiava por ouvi-lo. Parece que muitas vezes se amava tanto uma coisa que por assim dizer se tentava negá-la, e tantas vezes é o rosto amado o que mais nos constrange. E a Martim que tanto procurava explicações para o seu crime – ocorreu então se ele não fugira do mundo por um amor que ele não pudera tolerar.

Vencido, tirou as mãos dos ouvidos, e agora dócil, de repente aceitando a beleza das pedrinhas, aceitando o canto enlouquecedor do pássaro, aceitando o fato da madrugada preceder a percepção da madrugada – o homem passou a ouvir com sentimentalismo o passarinho que pleiteava. E mais que isto: um pouco tímido, também Martim quis. No escuro sorriu divertido e pungente, porque Ermelinda não era nome que se gritasse, e nem sua virilidade lhe permitia empoleirar-se numa árvore. E mesmo, se ele a chamasse, aquela mulher era bem capaz de vir. E ele não a queria tanto a ponto de desejar que ela viesse. Martim sorriu de novo, muito triste. Como a cólica tinha voltado, de novo virou-se de bruços, e dessa vez adormeceu.

Essa noite tinha sido de uma grande experiência. Destas que não se podem reivindicar num tribunal sem que faltem as palavras e sem que o constrangimento tome um homem porque este, afinal, tem a obrigação de ser responsável pelo que diz, de saber sobre o que fala, e de entender o que se passa com ele.

É verdade que ele não desistiu totalmente. No seu sono agitado, aquele homem obstinado tentou construir em sonho uma outra casa com as mesmas pedras, já que não há outras a usar. Em toda construção que tentou, esqueceu alguma coisa de fora, ou então pôs coisa demais dentro, e a construção estourou. E então é que, pela primeira vez, o homem pareceu ver alguma vantagem no fato das pedras serem mais duras que nossa imaginação, e imutáveis e intransigentes, aquela natureza humana das pedras ou aquela coisa de pedra que é nossa natureza. Pela primeira vez, teve alívio de não ser tarefa sua a criação do mundo: pois na sua construção ele se via de repente como um homem que tivesse construído um quarto sem porta e ficasse preso dentro.

No seu sono agitado, ele se sentou uma ou duas vezes na cama. Mas sua pressa era a pressa inútil de um homem que está sentado num trem que ele não dirige; sentado na cama, devorado por um pensamento que de dia não lhe ocorria tão agudo: que estava próxima a data em que Vitória iria a Vila e se avistaria com o alemão. O tempo passava, o tempo passava, o tempo passava, e indefinível amadurecia-se o futuro.

9

Só quando Vitória foi de novo ao milharal com Francisco é que Ermelinda teve oportunidade de aparecer com uma cesta de comidas:

– Para um piquenique no depósito, disse ela esperando dele alegria pela surpresa.

Mas, aborrecido, ele murmurou qualquer coisa sobre a mania que mulheres têm de fazer piquenique, e por um instante ela murchou desapontada. Só por um instante precisou fazer o vago esforço de fingir que "tudo estava bem". Porque, embora comesse sozinha os sanduíches, refez-se rápida, e agora falava com volubilidade, embriagada pela alegria que, "quisessem ou não", existia num piquenique. Sem pestanejar, Martim recebeu cínico vários pingos de saliva no rosto. Por algum motivo, ele procurou ser irônico e manter-se acima da situação.

Mas a verdade é que para ele era um repouso ter aquela mulher que se dava fácil, como se tê-la à sua disposição já fosse um marco alcançado: até aí ele já dominara. Quanto mais tola, mais dele ela era: ela compensava a dificuldade que Martim estava tendo consigo mesmo. E, num alívio que lhe pareceu dever ter sido o do homem quando a mulher fora enfim criada – tirando-lhe enfim a liberdade e enfim impossibilitando-o de ser formidável – ele já sorrindo, mal a ouvia. A moça era uma dessas que permitiam, sem se ofenderem, que um homem ficasse ausente, o que ele fez com naturalidade como se fossem casados. E em breve, ausente, já sorrindo, ele estava lisonjeado pela tolice que fluía dela com doçura e que o adormentava em paz. A moça tinha um cheiro de caixa de pó de arroz que o nauseava um pouco.

– Você não queria tomar um banho? dissera-lhe ele um dia com muita delicadeza, é que não aguento esse cheiro, disse constrangido.

– Mas é de pó! falou ela surpreendida.

– Pois é, mas não aguento.

– Está bem, disse ela pensativa. E nunca mais cheirou a pó.

Ela agora acariciava seus cabelos com atenção, insinuante, distraída, pequena:

– Você acredita na outra vida? perguntou-lhe então, alisando-lhe imediatamente os cabelos com mais intensidade como se soprasse em cima da picada para que esta doesse menos. Por um instante ele se surpreendeu como se, com a aparência de um passarinho que belisca leve com o bico, ela fosse capaz de dar um bote. Mas foi apenas um instante de desconfiança, o dele, e ele sorriu pegando-a, tola e suave como ela era, e tão curiosa como uma mulher é curiosa, o que fez ele se lembrar de sua esposa.

– Não, não acredito, disse ele.

– Burro! disse ela rindo. Como na intimidade as pessoas costumavam se ofenderem, ofenderem-se seria uma intimidade, e assim eles se sentiam muito bem juntos. Por covardia de suportarem apenas amor, eles já o haviam com certa pressa ultrapassado, entrando na familiaridade e perdendo com alívio o tamanho maior das coisas.

Ali, enfim familiar, toda revelada para ele, o homem a examinou. Ela não seria bonita, se uma pessoa não a amasse. Mas tinha a beleza que se vê quando se ama o que se vê. Toda mãe de filha feia deveria prometer-lhe que ela seria bonita quando a sabedoria do amor esclarecesse um homem, pensou ele. Ao redor da pupilas escuras de Ermelinda, por exemplo, Martim viu um círculo levemente âmbar, o que sem amor escaparia. Viu também que o nascimento dos cabelos na nuca era mais suave, e esses fios curtos demais para se prenderem na trança pairavam em luz no ar. Nos braços os pelos claros douravam a moça como se ela não pudesse ser tocada. Uma vez amada, ela era de rara delicadeza e beleza. Ele olhou-a curioso, simpático. Ela era capaz de fazer a felicidade de um homem; mas estranhamente tivera que enganá-lo com truques até fazê-lo feliz, e só então é que lhe mostrara que não o enganara e que a felicidade que lhe dava era real.

Disso tudo o homem vagamente se dava conta, e olhava-a, sentindo a fina energia que dela se emanava e que ele próprio despertara nela. Que ela própria o obrigara a despertar nela – para que ela, como agora, pudesse lhe dar em troca essa fina energia. Em todo o cerco que Ermelinda fizera até capturá-lo, ela usara meios dúbios, mentirosos, desagradáveis; assim como por intermédio de uma suja arte se revelasse a vida. O amor de ambos ele lhe devia, e à sábia falta de escrúpulos dessa moça que, tendo conseguido o que queria, ali estava, inteiramente inocentada pelo seu próprio prêmio. Tudo isso o homem pensou, com tranquilidade e sabedoria, porque tinham acabado de se abraçar muito concentrados, e era assim que ele agora se sentia: meditativo e tranquilo.

Depois ela perguntou, tendo no rosto a inocência das pessoas muito curiosas:

– Você já gostou assim de outra mulher?

Ele então, no enevoamento que o repouso feminino lhe dava, de olhos semicerrados e quase sem tê-la ouvido, continuou o próprio pensamento sobre a outra mulher e disse assim:

– Ela me procurava, não porque eu era eu ou porque ela era ela, mas me procurava com a preguiça que tinha. Ela era muito preguiçosa, disse ele com prazer em recordar. E me interrompia para dizer que tinha ido ao dentista. Vivia me perguntando que horas eram. De vez em quando me dizia: que horas são.

– Oh, eu sou tão preguiçosa! disse Ermelinda, sou uma preguiçosa: eu só quero ser feliz mas não ter todo esse trabalho horrível de me fazer feliz. Sou uma pessoa tão diferente! muito preguiçosa mas querendo as coisas. Que é que você está pensando? perguntou então com súbita angústia – pois ele estava ali deitado, de repente inacessível como se uma circunferência de um centímetro de isolamento o rodeasse. Que é que você está pensando? implorou ela acusando.

– Em nada, disse ele simples.

Ela suspirou de leve, apaziguada e imediatamente sonhadora, imediatamente ela mesma se isolando garantida dentro de sua própria circunferência.

– Eu sempre quis uma coisa por assim dizer para sempre, disse ela.

Como em relação aos outros ele era muito sensato e usava um ofensivo tom de adulto, ele disse:

– Isso é absurdo.

– Pois é, disse ela concordando apenas para não ficar só, porque quando falava a verdade encontrava a súbita muralha dos outros se defendendo. É absurdo, concordou ela mentindo por sensatez.

Nenhum dos dois se questionou o que queriam dizer com a palavra absurdo, nem se deram conta de que haviam deixado de lado, intocada, a própria coisa sobre o que estavam falando. Assim se passou a conversa a respeito de "para sempre" – sobre a qual eles pensariam mais tarde, quando cada um tivesse de novo a garantia de estar só.

– Ela era bonita? indagou Ermelinda de repente gulosa.

Um pouco espantado, meio ofendido porque a esposa de um homem devia ser intocada pela amante de um homem, ele acordou ligeiramente e olhou-a:

– Não sei, disse muito desconfiado, tentando adivinhar se Ermelinda estava poluindo alguma coisa sagrada. Não sei, disse então mais sossegado, a lucidez do sono voltando. Não sei, há muito tempo já não nos víamos mais, já não falávamos diretamente um com o outro, como se só tivéssemos alma. Que horas são, me perguntava ela. Ela me dizia: que horas são? Hoje fui ao dentista! ela me dizia assim: hoje fui ao dentista.

– Há muito tempo eu não vou ao dentista. Graças a Deus tenho bons dentes, mas é até bom quando vou porque aproveito e passo uns dias em Vila, aproveito e faço compras, vou ao cinema, tenho uma saudade enorme de cinema.

– Ela também tinha bons dentes, disse ele um pouco aborrecido.

– Ora, não estou querendo dizer que ela não tivesse, estou falando exclusivamente de mim, porque afinal nem sei quem é "ela", disse procurando ofendê-lo ao tratá-lo com súbita cerimônia.

Como o tom monótono e doce da moça enchesse o depósito, ele, do fundo da meia-luz em que pairava, disse-lhe:

– Imagine uma pessoa que tenha precisado de um ato de violência, um ato que fizesse com que o rejeitassem porque ele não tinha simplesmente coragem de se rejeitar a si mesmo. Uma pessoa covarde, talvez? – ele parou angustiado, e sentou-se na cama.

– Deite-se, disse Ermelinda com ansiosa autoridade porque ela nunca o tivera à sua disposição por tanto tempo, e tinha tanta coisa ainda a dizer.

Ele olhou-a em suspeita por um momento, mas depois riu apaziguado:

– Não tem perigo que eu esteja lhe contando, disse-lhe gozando o fato dela não entendê-lo, porque estou contando o que sou, e ninguém pode denunciar o que os outros são, ninguém pode fazer sequer uso mental do que os outros são – Martim achou tanta graça em usar a palavra antiga "mental" que riu; era palavra estranha e vazia, e ele estava se caceteando um pouco. – Depois que eu acabar de falar, você me desconhecerá ainda mais: é sempre assim que acontece – quando a gente se revela, os outros começam a nos desconhecer.

– O quê? perguntou ela intrigada, interrompendo por um instante seus próprios pensamentos.

Ele percebeu então que falara demais, a ponto de interessá-la, e olhou-a rapidamente de lado. Mas ou ela não ouvira ou não se interessava. Então, estimulado pela sua presença sem importância, ele disse:

– Imagine uma pessoa – e repetiu tudo.

Depois, como um galo que tivesse orgulhoso cantado sozinho no terreiro, grunhiu com gosto e sacudiu a cabeça várias vezes, assentindo.

– Mas quando consigo ir a Vila, disse ela, tenho tanta coisa para comprar que não dá tempo. Meu ideal seria passar uma semana inteira em Vila, mas Vitória não quer.

– Você não gosta muito de mulheres, não é? disse ele com curiosidade.

– Bem, disse ela relutante se concentrando, numa ilha deserta eu preferia ficar com um homem.

Só depois que falou é que percebeu a malícia implícita, e sorriu excitada e modesta com a sua própria capacidade. Ele também riu um pouco, examinou-a com um carinho também feito de fria curiosidade. Nesse momento Ermelinda estava tranquilamente engolindo uma pílula tirada da cesta de piquenique.

– Por que você toma tanto calmante? perguntou ele sorrindo.

– Ah, disse ela com simplicidade, é assim: vamos dizer que uma pessoa estivesse gritando e então a outra pessoa punha um travesseiro na boca da outra para não se ouvir o grito. Pois quando tomo calmante, eu não ouço meu grito, sei que estou gritando mas não ouço, é assim, disse ela ajeitando a saia.

Embaraçado com a confidência dolorosa que ela fizera sem nenhuma dor, ele riu. Ermelinda notou de repente seu olhar, interrompeu-se, tomou consciência de si mesma – "sou alguém que faz outra pessoa me ver" – e fez um rosto falsamente animado, representando o papel que na certa ele esperava dela. Mas inesperadamente, como se dessa vez ela tivesse ouvido o próprio grito, disse-lhe intensa, dura, sem nenhuma esperança:

– Eu te amo.

– Sim, disse ele depois de uma pausa.

Ambos ficaram um instante calados, esperando que morresse a ressonância do que ela dissera.

Então, como ela se abaixasse por um momento, caíram de sua blusa cascas de maçã. O que, antes mesmo dele entender, confirmou de algum modo a doçura daquela moça. Ele sorriu apanhando as cascas, virou-as entre os dedos, e começou então a não compreender: não havia dúvida, eram mesmo cascas de maçã. Sem interromper a tagarelice, ela o viu com as cascas na mão e disse:

– É que os perfumes são tão caros.

– Mas as cascas estão murchas, disse ele perscrutando-a atento.

– Já? espantou-se ela examinando as cascas com muita curiosidade. Ora veja. Hoje boto outras.

Ela era simples e mulher, e ele podia rir dela – e como outra forma de rir, ele pela primeira vez acariciou seu rosto, afastou com muita delicadeza a espécie de bandós entrançados que lhe emolduravam a cara fina. E a cara que apareceu, despida e forte, fê-lo de súbito retirar as mãos como se ele tivesse pisado sem querer no rabo de um bicho.

Até que ponto ela mentia?! até que ponto se fingia ela de mulher? pois as mandíbulas daquela moça eram mais largas do que ele supusera, e lhe davam um duro ar de beleza que ele não queria nela. Fingira-se ela de fraca? pois com as mandíbulas à mostra, como as de um bicho de presa, ela se revelou encarniçada e suprema. Ele se assustou primariamente como uma criança se assusta quando toca numa coisa que se mexe, e olhou-a acusando-a.

Tendo, porém, no seu espanto, retirado as mãos – os bandós imediatamente caíram no lugar, e um rosto de novo indeciso desmentiu a visão que involuntariamente ele tivera. E agora, sem a força do queixo, os olhos perderam a horrível expressão vitoriosa que viera confirmar a Martim certos vagos pensamentos, logo afastados, de que aquela moça o usava para algum fim – o que o irritava. Ele criara a liberdade de ser só e de fugir dos emaranhamentos, mas cada vez mais o círculo invisível se apertava em torno dele: como nós nos comemos! Vitória sempre mais atenta, como estranho modo de exigir dele alguma coisa; Ermelinda com as mandíbulas da ambição reveladas por um instante. E ele, diante daquelas mulheres fortes, se sentiu abjetamente inocente, com espanto ele parecia ser o mais puro de todos. E se esquivava para não ser contaminado; a vida de todos começava a se entremear obscuramente com a sua. Mas ele próprio? ele próprio, disfarçando a ansiedade, quantas vezes já procurara divisar a filha da mulata, sem sequer saber por que queria tanto o contato de uma criança, como se só ela fosse tão pura quanto ele. O homem antigo voltara? o homem antigo que parecia precisar de uma pureza da qual ele não saberia fazer uso? De novo, em algum momento indeterminado, errara ele de caminho, e voltara a ser o homem antigo?

– De que é que você gostou em mim? perguntou Martim autoritário.

– Ah, disse Ermelinda voluptuosa como se enfim ele tivesse tocado no ponto melhor da questão, e toda a sua atitude agora era a de quem ia ter finalmente uma boa conversa entre mulheres. Pois não sei! disse íntima, e o homem teve a sensação desagradável de que ela não estava falando para ele mas contando a respeito de ambos a uma terceira pessoa. Começou, disse, com uma espécie de curiosidade, e depois foi indo, e foi indo, e quando vi não era curiosidade, não era mais nada: era você e eu!

– Mas, disse ele um pouco irritado, que é que você gostou em mim?

Ermelinda o olhou um pouco espantada, quase ressentida. Imediatamente dentro dela alguma coisa se fechou com dureza: e ela o olhou sem nenhum amor. Veio-lhe à cabeça uma tentação de ofendê-lo com a verdade que ele tão perigosamente pedia – como se a verdade é que não o amava. Mas ela bem sabia que o amava, e teve um riso de alívio como se mudasse de assunto:

– Eu tinha uma espécie de fascinação formidável pelo que você é! disse ela como se inventasse uma história, pois acabara de escolher uma outra verdade igualmente verdadeira, só que esta ela podia lhe participar sem mentir. Eu não sei exatamente o que você é, mas sou tão fascinada por isso. Aconteceu pouco a pouco, em pouco tempo. Não posso lhe dizer o que gosto em você, não consigo separar você em partes. Acho que sinto você como uma pessoa inteira, disse ela muito fina.

– Mas como é que aconteceu você gostar de mim? disse ele duro como se a moça o estivesse deixando amorfo.

– Não sei, certas pequenas coisas, não sei, coisas pequenas que já não sei mais quais são.

O olhar exigente do homem fê-la recuar e, porque ela estava ferida com a falta de cuidado com que ele fazia pergunta tão perigosa, a moça de repente se tornou insolente e irônica:

– Se eu me apaixonar de novo, anotarei todos os dias o que senti para poder depois fazer relatório! Mas tenho certeza, disse ela com desprezo generalizado por pessoas, que olhando minhas anotações eu terei uma mão cheia de poeira.

Pois uma mão cheia de poeira era o que ela estava tendo agora. E o que a moça tinha agora era um passado cheio de desilusão a ponto de ser irônica.

Mas de tarde, seu corpo sendo muito mais esperto do que ela, ela teve uma dor de cabeça que a exprimiu perfeitamente. De tarde, deitada no seu quarto, lidando enfim com uma boa, sólida, satisfatória dor de cabeça, como quem tem uma boa e nutritiva refeição.

Nem sempre as coisas aconteciam iguais. Pois na próxima vez em que estiveram juntos, a perfeição a envolveu. Ali no depósito sujo, Ermelinda se irradiava. Vitória estava longe, o campo era inteiramente cortado pela porta fechada do depósito. E a moça estava como queria: esquecida de seu medo, numa felicidade crepitante, falando sem parar. Tudo nessa tarde lhe pareceu estar tão seguro que ela até podia se gostar em devaneios: enfim presa e concreta, já não temia ir longe demais e não ter para onde voltar. Estava ancorada, e arriscava-se enfim na liberdade, sem temor da possibilidade de ultrapassar a linha divisória quase inexistente entre ela e o campo. Enfim tão segura que podia até mentir. E podia, como agora fazia, se apenas quisesse, inventar um tipo que, mesmo que não a simbolizasse, agradava-lhe como escolha: assim, falando com Martim, ela inclinava a cabeça para trás, o que lhe dava um ar entre ousado, ambicioso e cruel, não tendo ela própria nenhum dos três atributos, nem desejando tê-los.

Ou então fingia de ausente e pensativa, embora na verdade estivesse tão atenta ao seu trabalho de fingimento como uma costureira com os detalhes de sua costura. Viver com Vitória, que a conhecia demais, era horrivelmente restritivo: Vitória sabia demais como lidar com ela. Ao passo que Martim não a conhecia, e com ele ela podia inventar vida nova. E sobretudo um engenheiro, "um homem culto" – quem sabe ele lhe diria antes de ir embora a palavra que lhe tirasse para sempre o medo? Tinha esperança nele porque ela conhecera vários homens cultos que não acreditavam em Deus e não acreditavam que se vivia depois de morrer.

Oh, ele iria embora, sim. Mas ela não se importaria. Contanto que ele deixasse com ela a palavra, talvez de descrença, que lhe desse para sempre a mesma segurança que sua presença lhe dava. Aquele homem teria que deixar ali a parte viva de sua vida. Aquela coisa que faz com que uma pessoa exista aos olhos de uma outra: Ermelinda o olhou ávida e alguém poderia dizer que ela o odiava, mas era ambição apenas, e fome apenas. Um pouco mais pálida, então, porque o tempo era curto e agora era o momento de lhe pedir a palavra – um pouco mais pálida, tomando cuidado para não ser clara demais e se revelar, ela disse com um riso agudo e desagradável:

– Por exemplo, eu não entendo o que é o infinito! ora veja só!

Através da gargalhada com que se disfarçou, ela o olhou intensa como através de um buraco de fechadura, e seu coração batia.

Martim estava nessa tarde pregando algumas tábuas soltas da parede do depósito, e olhou-a de través, divertido.

– Aposto, disse ela bem faceira sacudindo o dedo perto de seu rosto, aposto que um engenheiro sabe dessas coisas!

Martim afastou sem pressa o dedo incômodo de seu rosto, e continuou a trabalhar.

– Como é, continuou ela lutando por manter a coqueteria, tentando tirar do rosto a expressão de urgência, e dos olhos o pedido de socorro – como é que o mundo, por exemplo, nunca acaba? e nem nunca começa, por exemplo... Isso é horrível! não é?

A voz da moça tremeu um pouco e ele, que estava sorrindo lisonjeado pelo fato dela ser ignorante, olhou-a rapidamente: de súbito ela estava tão implorante e emocionada que, ilogicamente, pareceu ao homem que ela viera com sua irritante cesta de piquenique para, através de todos os labirintos, fazer esta pergunta: como é que o mundo nunca acabava nem nunca começava. Martim estava intrigado e riu de novo:

– A ideia é realmente monstruosa, concedeu ele.

Ela se prendia aos lábios do homem com uma atenção tão completa e, pela primeira vez, estava tão desatenta de si mesma, que seu rosto ficou todo exposto – e Martim viu uma cara pálida, nem feia nem bonita, de traços que pareciam ter sido feitos para uma única expressão: a da expectativa.

– Que é que é monstruoso? perguntou assustada como se em vez de lhe ter dado a mão para soerguê-la, ele a tivesse empurrado ainda mais fundo.

– A ideia de um mundo que nunca tenha começado nem jamais acabe, disse ele um pouco aborrecido pelo fato da moça o ter posto em situação de dizer uma coisa que nem ela nem ele compreendiam.

– Então? disse, toda ela aguardando de cabeça torta, então?

Ele não entendeu o que ela esperava, e repetiu:

– Então o quê?

– Então? repetiu ela como se a insistência em si mesma fosse esclarecedora.

Ele alçou os ombros, bateu mais um prego na tábua, e disse:

– Bem, então imagine o contrário: um mundo que um dia começasse e que um dia acabasse. Pois a ideia é igualmente monstruosa.

Ermelinda continuou a esperar como um surdo estende um ouvido surdo. Mas, dando-se inesperadamente conta de que estava muito séria e que isso não agrada aos homens, ela teve um riso – que no entanto se esgotou rápido demais. Sua boca então pareceu sofrer, torceu-se várias vezes involuntariamente:

– Vou embora, disse devagar, levantando-se e sacudindo as migalhas do colo.

No dia seguinte, logo que Vitória desapareceu, Ermelinda, no seu trabalho minucioso, falou com Martim sobre a morte de um peru, e sobre o que estaria agora acontecendo com o peru que fora comido. E tão bem guiou Martim que ele terminou por dizer, talvez inspirado pelo ditado de que o peru morre na véspera:

– A coisa é tão benfeita, disse ele, que ninguém morre um dia antes. Morre-se exatamente no instante da própria morte, nem um minuto antes, a coisa é perfeita, disse ele.

Mas se era exatamente dessa perfeição que ela tinha medo! Ermelinda olhou-o rígida. Martim ficou um pouco embaraçado. Mas guiado por uma intuição que nascia do próprio modo carinhoso como ele sempre a tratava, ele disse ilógico, tateando e sentindo-se generoso sem saber em relação a quê:

– Não se sabe de onde se vem e não se sabe para onde se vai, mas que nós experimentamos, nós experimentamos! e é isto o que temos, Ermelinda, é isto o que temos!

Martim não soube interpretar o olhar branco da moça onde as pupilas pareceram de repente mais um traço inexpressivo do rosto, e não algo com o qual se enxergar. Era como se ela tivesse acabado de cortar em si a possibilidade de pensar. O que fez com que Martim se mexesse inconfortável: ele não sabia que valor tinha o que ele acabara de dizer, nem para ela nem para ele próprio. "Nós já começamos a nos dizer coisas que ficam nadando no ar", pensou ele como se este fosse o sinal de uma transição inescapável e o delicado modo como as coisas se corrompem, sem que nada se possa fazer. Martim notara que ambos já estavam "conversando".

Mas no dia seguinte, mal Vitória se afastou, Ermelinda voltou e, com uma altivez de quem já não tem muito a perder ou a resguardar, perguntou ao homem: "como era o destino".

Desta vez, porém, sem que entendesse por que o engenheiro estava tão colérico a manhã toda – talvez porque já estivesse cansado dela? – desta vez, em lugar de responder, ele repetiu atordoado: o destino? como é o destino?!, repetiu ele com uma surpresa que deixou Ermelinda magoada. Depois, a impossibilidade que ele teve de exprimir a própria cólera deu ao rosto do homem, por um instante, um ar estarrecido que Ermelinda, rejubilando-se, interpretou como participação – até descobrir que a repetição da pergunta era apenas uma violência e um cansaço: qualquer que fosse a palavra seguinte, esta viria como um murro. Ela esperou intimidada.

– Que destino, que nada! disse ele afinal, furioso.

A moça não chorou. Passou imediatamente a falar de coisas que pudessem lisonjeá-lo: a dizer que o sítio mudara tanto depois que ele viera, que tudo tinha agora um aspecto consertado e novo, "que agora era outra coisa". E se isso não chegou a transformar a expressão carrancuda do homem, pelo menos acalmou-o e agradou-o. E a moça calculou rápida, com os olhos piscando, que ainda tinha o direito de voltar ao depósito algumas vezes. Poucas, pois o tempo passava... seu rosto se crispou na antecipação. Com uma esperança que tentou ser mais forte que sua incredulidade, ela se prometeu: quem sabe se da próxima vez... Não se interrompia mais um instante para se perguntar honestamente o que esperava de Martim.

TERCEIRA
PARTE

A MAÇÃ
NO ESCURO

1

e foi assim que chegou o dia em que Vitória partiu para Vila Baixa com o caminhão cheio de tomates e espigas de milho, e o caminhão parecia uma festa de colheita. Todos olharam-no partir com um sorriso e uma ânsia, pois tudo para o que todos haviam trabalhado chegara enfim a seu termo. E se fora exatamente para isso que haviam duramente trabalhado – era com um sorriso e uma ânsia que olhavam o caminhão enguirlandado pelas espigas amarelas. Vitória, disfarçando uma gravidade, olhou-os um instante, solitária com o produto de seu esforço. Constrangidos, eles lhe deram adeus.

Martim ficou olhando-a se afastar. Até que nem a mínima poeira se ergueu mais da terra. E até que, depois do ruído das rodas sair mesmo da memória, o campo se refez em silêncio e vento.

O tempo terminara.

Sem a presença de Vitória uma calmaria súbita dominou a fazenda, num estado de emergência. E como quando alguém vai morrer ou partir, e então o sol brilha e então as plantas ondulam suas palmas – assim os passarinhos voavam atentos.

E assim estava a fazenda onde as pessoas pareciam ter trabalhado em vão, e no entanto não era a verdade. De qualquer ponto de onde Martim olhou o sítio, pareceu vê-lo da distância de anos e anos já idos: o sítio parecia despovoado, sentia-se a brisa soprar. E porque alguma coisa importante ia acontecer num futuro tão próximo – o encontro de Vitória com o alemão – a fazenda estava relegada ao passado, as flores de pé ao vento, o telhado seco faiscando ao sol.

Havia um silêncio como quando há tambores batendo.

Quanto a Ermelinda, ela estava muito ferida porque não o amava mais. Pois não o amava mais. Passara a grande atração que justificava toda uma vida. Ela estava ferida e melancólica. Era uma dor morta. Eis a água – e eu não preciso mais bebê-la. Eis o sol – e eu não preciso mais dele. Eis o homem – e eu não o quero. Seu corpo perdera o sentido. E ela, que se havia concentrado toda na antecipação do dia em que Vitória fosse a Vila e lhe deixasse o homem para si mesma, enfim sem esconderijos, enfim sem cautelas – ela só o procurou uma vez em que lhe disse triste, honesta, indireta:

– Um dia amei um homem. Depois deixei de amá-lo. Não sei por que o amei, não sei por que deixei de amá-lo.

Martim, preocupado com o alemão, não soube o que retrucar e então perguntou:

– E depois você se tornou amiga dele?

E se assim ele perguntou é porque estava desamparado e precisava de amizade.

– Não, disse ela olhando-o devagar. Não. A amizade é muito bonita mesmo. Mas o amor é mais. Eu não podia ter amizade por um homem que eu tinha amado.

– E depois? perguntou ele com uma angústia cujas raízes ele próprio ignorava.

– Depois, disse ela, depois eu chorava de tristeza, até sem dor. Eu pedia: me faça sofrer por amor! Mas nada acontecia, eu estava de novo livre.

– E não era bom estar livre?

– Era como se os anos tivessem passado e eu visse num rosto que antes tinha sido tudo para mim, eu visse nesse rosto aquilo de que é feito o amor: de nós mesmos. E era como se até o amor mais real fosse feito de um sonho. Se isso é ser livre, então eu estava livre.

Como Ermelinda nunca lhe dissera que o amara a ponto de ter tido uma vida, Martim não soube que ele próprio era o homem agora amado, nem entendeu que ela deixara de amá-lo. Mas como se lhe implorasse uma verdade mais piedosa que a realidade, ele pleiteou em desespero a causa de um outro:

– Mas que é que impedia você de se tornar sua amiga? pediu ele.

– Eu estava sozinha, disse ela.

O homem entristeceu, escuro, pesado. Nada fora dito que pudesse ser depois lembrado. Mas os dois se olharam com um sorriso pior que a morte, silenciosamente submissos à natureza. Ciscando a terra com um pé, mantendo as mãos nos bolsos, Martim disse por dentro quieto, intenso: "por favor!" Ele não soube propriamente o que estava pedindo, e disse "por favor". Mas era como um homem que morrendo de fome dissesse polidamente: por favor. As costas que Ermelinda lhe virou para ir embora não tinham rosto, eram estreitas e frágeis costas. No entanto com que amargo vigor elas disseram ao homem: não.

E os tambores continuaram batendo.

O campo era agora todo de Martim para o que ele quisesse fazer ou pensar dele. Mas a espera do que ia acontecer cortara-lhe a comunicação com o que se tornara agora um deserto. E a verdade é que o homem não queria mais nada. Nem mesmo sabia o que é que quisera tanto. Como o amor morrera em Ermelinda, assim a falta de desejo dava silêncio ao coração do homem. Procurou a sua própria fome: mas era o silêncio quem lhe respondia. Ele estava experimentando o que era pior que tudo: não querer mais. O primeiro momento foi muito ruim, mal calculou ele que não querer era tantas vezes a forma mais desesperada de querer.

Se bem que em certos instantes, a uma variação imponderável de tempo, a fazenda se alterava e mostrava uma face mais próxima, e impunha seu campo vivo. E então por um instante o homem e a fazenda vibravam de novo no mesmo nível de atualidade. E de novo, ao olhar o mundo, de novo o homem sentiu essa tensão promissora que parece ser o máximo que uma pessoa pode conseguir, assim como se toma conhecimento de uma pedra porque ela resiste aos dedos. Mais que a tensão? Ele tentou em si próprio ir adiante: mas não, esse parecia ser o limite. Quisesse ele ultrapassar a resistência da pedra, e de súbito nada aconteceria. Por um instante desafiado, Martim ainda tentou pegar o fio interrompido de sua lenta construção, e pelo menos sofrer. Mas o tempo realmente terminara.

No sábado Vitória voltou empoeirada e envelhecida, com o caminhão vazio. Lutara tanto – e perplexamente conseguira, envelhecidamente conseguira; Martim não a entendeu. Enquanto a mulher falava sobre a venda, ele tentou avidamente adivinhar-lhe os olhos e, nestes, adivinhar se ela falara com o alemão. Mas o que conseguiu saber foi apenas o que ela disse sem nenhum entusiasmo como se o cansaço tirasse o interesse da grande notícia: já estava chovendo a seis quilômetros de Vila Baixa.

E foi pela apatia da mulher que Martim soube muito: alguma coisa importante devia ter acontecido, tão importante que tirava a força do fato de já estar chovendo não muito longe do sítio. Tão importante, por exemplo, como se ela tivesse falado com o alemão. Vitória nada mais disse, e desapareceu dentro da casa.

Teria ela visto o alemão? Sob pequenos pretextos Martim rondou a casa, procurou inutilmente Vitória: esta era o único elemento de que ele dispunha para calcular.

Até que, quando cabisbaixo desistira de encontrá-la, viu-a de novo. Mas como a uma estranha. Ela vinha do fundo do corredor, contra a luz. Ele não viu propriamente seu corpo mas apenas seu andar, como se visse apenas o espírito do corpo. Pouco a pouco, já mais perto da claridade, ela foi se materializando até que se tornou opaca – e o homem piscou olhando-a em espanto. É que ela estava de cabelos soltos molhados pelo banho e não usava mais as calças compridas e empoeiradas que já faziam parte do que Martim pensava dela. Pela primeira vez ele a viu com vestido de mulher e ela era uma estranha. Não havia dureza que se sustentasse com as mechas úmidas nos ombros. Olhando-a pela primeira vez sob o ponto de vista de corpo, ela ganhou aos seus olhos um corpo. Que já não era enérgico como ele sempre vira, e cuja força dera ao homem um motivo de obscuramente lutar contra essa força. Era um corpo tão mais dócil que a cara. Escandalizado, sentido, Martim a olhou: era indecente como as roupas femininas a desnudavam como se uma velha revelasse ânsias de menina. Com pudor, ele desviou os olhos. Assim como Ermelinda se negara, Vitória – que lhe servira antes de firme contorno – recusava-se agora a lhe dar uma forma, e deixava-o livre. No rosto de cabelos soltos havia o mesmo olhar cansado com que a mulher voltara de Vila Baixa, e que ele em vão procurou interpretar. Era também a primeira vez que a via cansada. Os olhos da mulher, como se nada mais quisessem contradizer, estavam à tona, negros. Martim tentou espicaçá-la para que ela fosse mais forte que ele. Mas ela respondeu:

– Não, amanhã vamos interromper as valas. O professor vem com o filho.

O olhar de ambos se encontrou e nada foi transmitido nem dito. Ou seria preciso um deus para entender o que se disseram. Eles se disseram talvez: estamos no nada e tocamos no nosso silêncio. Pois por uma fração de segundo eles se haviam olhado no branco das pupilas.

Quando é que Martim ouvira falar no professor pela primeira vez? Devia ter sido nos seus primeiros dias na fazenda, quando a seus olhos entorpecidos Vitória e Ermelinda mal se distinguiam uma da outra. "Bom como o professor" – ouvira ele esta frase? E se ouvira, qual das mulheres a pronunciara? Martim lembrou-se inesperadamente de outra frase: "É o último domingo do mês mas o professor não pode vir, está doente."

Quem a dissera? Martim amaldiçoou-se por não ter prestado atenção em tudo, agora que estava precisando de cada detalhe para poder entender. Ele apenas tivera a impressão de elos lhe escapando – mas quais? Seria o professor a mesma pessoa que o alemão? E nesse caso o filho... o filho seria aquele que ele pensara ser o criado do alemão? Não, pois Vitória se referira a este chamando-o de "alemão" mas chamava o visitante do dia seguinte de "professor"...

E de súbito Martim não conseguiu mais ver nenhum perigo nessa vinda: o professor, ao que ele compreendia, visitava-as no último domingo do mês, embora por coincidência tivesse falhado até agora. E o dia seguinte era exatamente o último domingo do mês! Nada havia de suspeito, então. Era uma simples visita...

De suspeito apenas a inesperada quebra do modo de ser de Vitória: ela cessara as ordens e da única vez em que lhe falara esquivara-se como uma mulher tímida.

Ao mesmo tempo Martim não pôde ter certeza se a mudança em Vitória era real, ou se ela lhe parecia diferente apenas por estar usando roupas femininas e por ter desenrolado os cabelos como se pela primeira vez tivesse aqueles cabelos grisalhos. Sim, devia ser apenas uma transformação superficial de aparência. Mas então ocorreu a Martim com sagacidade: "e por que de repente Vitória transformara o modo de se vestir? qual o motivo?" Sem conseguir nenhuma explicação lógica, ele de novo suspeitava.

Neste sábado, interrompidos os trabalhos da fazenda – "por que quisera Vitória que os interrompessem? oh, talvez apenas porque quisesse a seu seco modo festejar a venda dos produtos?" – interrompidos os trabalhos, a fazenda se tornara ainda mais vasta como se já fosse um domingo, um vento brando percorria sem obstáculos o campo. Martim andava solto, de súbito cortada a sequência dos dias. Chovia perto de Vila, e a notícia de que a seca ia acabar deixava todos calmos, desocupados. No sábado silencioso a tarde caiu rápida e mansa. Nem Ermelinda, Martim via. E isso também o inquietou. Tinham lhe dado uma liberdade súbita. Ele sentiu falta do círculo de mulheres que antes o estreitara. A mulata parecia não sair mais da cozinha. Ninguém o procurava. Martim errou pelo campo sem saber de onde viria o perigo.

Foi pois de coração batendo que ele viu a menina brincando perto do curral. Os tambores tinham subitamente cessado.

Seu primeiro ávido movimento foi precipitar-se para pegá-la antes que também ela escapulisse. Mas refreou os passos para não assustá-la. Mal podia conter o receio de que também ela se negasse. Com um andar casual, o coração batendo de sede, ele se adiantou. E ao lado dela, por medo e delicadeza de sentimentos, não a olhou.

Mas a menina – a menina ergueu os olhos dos tijolos com que brincava. Olhou-o – e sorriu. O coração do homem se contraiu na aflição da alegria: ela não tinha medo dele!

Talvez nunca tivesse tido! pensou então. Por um instante uma suspeita o atravessou: "estivera ele imaginando durante todo o tempo um perigo no encontro de Vitória com o alemão e tinha ele inventado aquele vazio da fazenda – assim como agora se provava claramente que ele estivera apenas imaginando que aquela criança o temia?" Pois a menina lhe sorrira, e agora mostrava-lhe com o dedo a pequena construção instável que obtivera com os tijolos...

Havia no entanto outra possibilidade: a de que a criança realmente o temera e apenas terminara por se habituar agora à sua presença nos arredores. Se esta última hipótese fosse a certa, e se ele não tivesse apenas imaginado o medo ou a recusa da menina – então também o perigo do alemão podia se manter como realidade! Temendo obter uma prova de que tivera razão, ele olhou a menina sem coragem de lhe falar.

A menina empilhava os tijolos, tranquila. E ele, em pé, aos poucos começava a se emocionar com a indiferença gentil com que ela o admitira, grato por ela tratá-lo como a um igual, esse mesmo modo óbvio que as crianças tinham de brincar uma com a outra.

– Nesta casa engraçada, disse a menina de repente mostrando os tijolos, mora um homem engraçado. O nome dele é Engraçado porque ele é engraçado.

"Oh perdoai-me", se disse obscuramente o homem, tímido, feliz. Uma criança era a seta que disparamos, uma criança era o nosso investimento – ele estava tão ávido dela que tomou cuidado de não olhá-la. Ficou quieto, o coração batendo ao receber a bondade humana. Estava grande e desajeitado, e sentir-se abandonado não melhorou sua situação canhestra. Ficou quieto, com medo de errar. Ele queria tanto acertar, e não queria poluir a primeira coisa que lhe estava sendo dada. Oh Deus, já estraguei tanto, já entendi tão pouco, já recusei tanto, falei quando não deveria ter falado, já estraguei tanto. Ele que pela primeira vez estava experimentando a solidão pior, a que não tem nenhuma vaidade; e então queria a menina. Mas ele estragara tudo o que lhe tinha sido dado! A ele, que uma vez tinha sido dado de novo o primeiro domingo de um homem. E de tudo isso, o que aos poucos estava restando, era um crime.

Martim não soube que palavra dizer à menina sem que sua mão pesada quebrasse. A criança estava em silêncio. Quem sabe se era também o silêncio que ela esperava dele. Mas que espécie de silêncio queria ela partilhar com ele? Pronto a desistir de tudo o que ele próprio queria, desejava ser apenas o que a menina quisesse que ele fosse. Uma criança era o lugar-comum de um homem, ele queria participar dela.

Mas o silêncio da menina ocupada era diferente do silêncio que ele partilhara com as vacas e era diferente do silêncio do alto frio de uma encosta. Ficou quieto. Como primeira dádiva de si, absteve-se então de pensar. E assim ele se aproximou do coração natural de uma menina. Entre ambos, aos poucos, o silêncio se tornou um silêncio que caberia numa caixa de fósforos, onde crianças guardam botões e rodinhas. Ambos ficaram, pois, em calmo segredo. Só que ele tinha medo porque ele já estragara tanto.

Então ela disse:

– Um dia fui a Vila e entrei na farmácia, disse ela que sabia tão bem falar sem quebrar aquele silêncio em que ambos se entendiam e que ele, com o coração agora suave, amava. Quando eu fui na farmácia eu corri e já nem caí. Depois pesei na balança da farmácia com mamãe.

Ajeitou os tijolos e acrescentou educada:

– Sabe de uma coisa? Eu não peso. Foi até mamãe que disse. Ela disse que eu não peso nada. Depois eu corri que nem caí, e quase atravessei a rua sozinha mas eu sou mais sabida que os automóveis. Mamãe não quer que eu durma na cama dela e fica vendo revista, vendo revista, vendo revista. De noite então ela saiu com sapato alto mas eu não chorei: dormi, dormi, dormi. Amanhã de manhã quando acordei bati no pé aqui na cama do quarto. Você pensa que doeu? indagou ela e ficou esperando com os olhos amarelos e calmos.

Quando o homem enfim conseguiu falar, disse com esforço:

– Não sei, menina, não sei.

– Pois não doeu, informou ela com bondade impessoal.

Era quase preta e tinha os dentes miúdos. Recomeçou a pôr um tijolo em cima do outro, e depois olhou para cima – para o homem alto que estava de pé. Eles se olharam. O coração do homem cedeu difícil, ele não conseguiu engolir a saliva, uma doçura extremamente dolorosa amoleceu-o. Oh Deus, então não é com o pensamento que se ama! não é com o pensamento que construímos os outros! e uma menina escapa à minha força, e que é que se faz com um passarinho que canta?

A menina o olhava atentamente.

– Você não quer me dar uma coisa? me dá uma coisa, disse atenta, expectante, e sua carinha era a de uma prostituta.

Então o homem não quis encarar a menina. Olhou duramente para uma árvore, estoico.

– Me dá, hein? qualquer coisa serve! disse ela muito íntima.

– Dou, disse ele rouco.

De repente satisfeita, apaziguada, seu rosto se tornou de novo infantil e extremamente polido:

– Você sabe que a avó de José um dia morreu? disse-lhe como agradecimento.

– Não, não sabia.

– Juro por Nossa Senhora, disse ela sem insistir. Eu até fui na morte dela.

Arrumou melhor os tijolos, social, cuidadosa, maternal. Mas uma inquietação leve passou-lhe pelo rosto – ela o ergueu com os olhos piscando e de novo uma falsa bajulação apareceu nos seus traços que eram maduros, doces, corruptos:

– Você me dá mesmo uma coisinha? me dá um presentinho? Não precisa ser hoje, concedeu-lhe ávida, mas amanhã? sim? amanhã?

– Amanhã? disse ele perdido, amanhã? disse com horror.

– Amanhã, sim! repetiu ela autoritária, rindo. Amanhã, seu bobo, é o que vem quando se dorme!

O homem horrorizado recuou. Não pôde se afastar logo. Mas quando conseguiu se despregar das cobiçosas garras da criança ele quase correu – e como olhasse para trás com incredulidade viu com mais horror ainda que a menina ria, ria, ria. Como se estivesse horrorizado consigo mesmo, ele quase corria. A água – a água estava infetada, a menina não lhe quisera dar o símbolo de criança. Pela primeira vez então ele pensou que era um criminoso, e confundiu-se todo porque, sendo um criminoso, tivera no entanto horror da impureza. E o que o confundia ainda mais é que aquela criança também era pura, com seus agudos dentinhos que mordem e seus olhos amarelados, expectantes e imundos e cheios de esperança, olhos perdoados e delicados como os de um bicho – ele quase corria. De que é que também ele precisava tanto, mas gelava quando lhe pediam? Reviu Vitória com seus cabelos grisalhos que agora lhe pareceram luxuriantes e lascivos, sentiu no coração a dureza com que Ermelinda podia deixar de amar – "nós somos ruins?", perguntou-se perplexo como se nunca tivesse vivido. Que coisa escura é essa de que precisamos, que coisa ávida é esse existir que faz com que a mão arranhe como garra? e no entanto esse ávido querer é a nossa força, e nossas crianças astutas e desamparadas nascem de nossa escuridão e herdam-na, e a beleza está nesse sujo querer, querer, querer – oh corpo e alma, como julgar-vos se nós vos amamos? "Nós somos ruins?" – nunca isso lhe ocorrera senão como uma abstração. Nós somos ruins? perguntou-se, ele que não cometera um crime por maldade. Nem seu próprio crime lhe dera jamais a ideia de podridão e de ânsia e de perdão e de irreparável – como a inocência da menina preta.

Agora era de noite e tudo estava calmo. Ele passou a noite esperando. Os tambores bateram o tempo todo. Não conseguiu ficar deitado. Então sentou-se na cama e esperou a noite inteira.

2

No domingo límpido que parecia ter amanhecido antes da hora o homem teve a impressão de ter apenas inventado o perigo. No céu redondo os anjos seguravam a ponta das nuvens – foi assim que ele teve ideia de paz inofensiva.

Vendo mais tarde Ermelinda com os cabelos frisados tornou-se claro que ela desaparecera no dia anterior para ondular o penteado: fora apenas isso então! E – por que não? – a calmaria apenas significara talvez a véspera do último domingo do mês pois agora Martim compreendia o que representava como revolução a visita do professor e de seu filho: na manhã alegre duas galinhas aos gritos foram agarradas e apareceram mortas na cozinha. Da despensa saiu marmelada para rechear um bolo.

E às onze horas, detrás da porta do depósito, ele viu afinal um carro velho se aproximar. O homem baixo e gordo que descia nada tinha do alemão! e o rapaz desconfiado que o acompanhava olhou timidamente para Ermelinda e Vitória que aguardavam bem-vestidas no alpendre. Depois as visitas desapareceram dentro da casa...

Então tudo fora apenas imaginação sua! Quase rindo, passando a mão trêmula pela secura da boca, com alívio Martim ouviu durante tempo indeterminado sons de conversa que vinham da casa, rumor de pratos; os ruídos eram familiares, inocentes e asseguradores. Livre enfim da tensão, o homem caiu na cama e dormiu profundamente.

Quando acordou, a tarde se fizera tranquila e vasta. E pouco depois Vitória surgia. Parecia ainda mais cansada e vencida, ereta diante da porta do depósito:

– Como o senhor é engenheiro, disse-lhe, e ele é professor, os dois têm conversa.

Como Martim não respondesse, ela acrescentou mais fatigada ainda:

– O professor é inteligente, faz trocadilhos estupendos.

Fez uma pausa vazia.

– Estamos esperando o senhor, está bem?

Martim passou a mão pelo rosto áspero que havia dias não barbeara. Ela notou o gesto e fez um outro de inexplicável desânimo:

– Não tem importância, disse, o professor é pessoa superior a essas coisas.

Já ia embora, interrompeu os passos. Pareceu tomar uma resolução e explicou-lhe:

– Ele não é diretor mas manda na escola toda porque tem muita personalidade. Faz trocadilhos ótimos. É muito inteligente e superior.

O sono deixara Martim calmo e alimentado, e agora que não havia mais perigo olhou-a esperando.

– O professor manda mas é muito paternal com os alunos, a teoria dele é que um professor tem direito sobre os alunos.

Ele não fazia nenhuma pergunta e olhava-a sereno. Ela estava bonita e cansada. Ele nunca a vira tão enfeitada. Ela ainda esperou um pouco, e ambos estavam pela primeira vez falando de qualquer coisa que não fosse o trabalho. Foi então que Martim, tomando consciência da novidade, perscrutou-a desconfiado.

– Ele tem direito sobre os alunos, muito direito, repetiu ela monótona e não parecia prestar muita atenção ao que dizia. Um dia um aluno conversou na classe, e então no fim da aula, diante de todos, o professor chamou o aluno e fez um discurso tão comovente, chamando-o de filho e pedindo que ele elevasse seus sentimentos a Deus, que o menino arrependido não podia mais parar de soluçar. Ninguém ri do professor, isso ele não deixa. Os alunos riem dos outros professores, mas não dele.

– Sim, disse Martim como um médico a um doente.

– O aluno soluçou tanto, disse a mulher exausta, que foi preciso lhe dar água. Ele ficou um verdadeiro escravo do professor. O professor é muito culto. O menino ficou um verdadeiro escravo, ele é muito culto.

Pela primeira vez Vitória não parecia se impacientar com o silêncio de Martim. E ali em pé, como se não tivesse mais nada a fazer nem pretendesse ir embora, com os traços repuxados pela fadiga, continuou a recitar:

– O professor até hoje cita o menino como exemplo. O menino parece agora um anjo, ficou mais pálido, parece um santo. O professor gostou tanto do que fez, foi uma vitória moral tão grande, que ele até engordou um pouco, disse exausta.

– Engordou, repetiu Martim cauteloso como se temesse acordá-la.

– Engordou, disse ela despertando um pouco espantada. Mas ele sofria! acrescentou depressa como se Martim tivesse acusado o professor. Ele é bom, ele sofre como uma pessoa que manda! disse ela em revolta, ele tem o coração de ouro! disse olhando-o com certa raiva. Ele sofre o sofrimento dos outros, o sofrimento que os outros têm no coração! acrescentou com ardor súbito.

E como se soubesse que Martim não compreendera nada, olhou-o com rancor.

O professor ocupava a melhor poltrona da sala e na disposição da cena, a um relance, Martim entendeu o papel que o homem representava no pequeno grupo. Ermelinda acabara de se sentar ao piano, com seus cabelos muito frisados, com ar distraído e tenso. O mogno da mobília estava desempoeirado. Martim parou à porta e ninguém parecia tê-lo visto. Talvez apenas o professor que, com um sinal de dedo na boca pedindo silêncio, pareceu dirigir-se especialmente ao recém-chegado. O filho roía as unhas com os olhos baixos. Vitória mantinha a atenção num bordado, numa posição corcunda e feminina – Martim não pôde ver-lhe o rosto e procurou-o, buscando nele a severidade que era o que ele amava nos seus olhos. Martim sentou-se perto da porta.

Ermelinda tocava sem olhar o teclado:

– Consegui decorar, disse muito suave. Sentimento, acrescentou em ordem para si mesma.

O sentimento saiu de seus dedos com facilidade, do que ela pareceu tirar orgulho, considerando talvez o fato como indicação de aperfeiçoamento:

– Eu já toco sem mesmo prestar atenção, informou de novo virando a cabeça ligeiramente para trás.

– Não fale! disse de repente o professor como se sofresse, a música não deve ser interrompida com palavras! disse sofrendo com o fato dele próprio ter sido obrigado a falar.

Martim surpreendeu-se com a grosseria.

– O professor é espírita, disse Vitória de súbito para Martim como se isso explicasse.

Sem olhar o teclado e sem precisar mais prestar atenção, a música de Ermelinda saiu mecânica e leve na trégua do domingo. O piano estava o bastante desafinado para ter um som de cristal e de clavicórdio, e as notas pareciam se tocarem sozinhas com a delicada impersonalidade de uma pianola; o som de algum modo se escapava puro como quando se ouve e não se sabe quem toca. Ermelinda mesma pareceu enfim emocionar-se: a música aparentemente começara a lhe dizer tantas e tão confusas coisas – talvez de amor, a julgar pela expressão de ânsia e desejo triste no seu rosto – que ela parou de tocar e virou-se abruptamente no banco giratório com um ar surpreendido que nada comunicou aos outros.

– A música é o próprio espírito, disse o professor com muita segurança.

– Eu, disse o filho de repente, eu gosto é de ópera, para mim é o melhor.

O professor ficou vermelho, olhou para o chão.

– Já lhe expliquei, disse muito baixo e suave, que você está errado.

– Ópera é que é, repetiu o rapaz com obstinação corajosa; seu rosto era pálido e feio.

– Está errado! gritou o professor explodindo. Já disse ao senhor que está errado! gritou o professor com os olhos perdidos de sofrimento e cólera. Já lhe expliquei que ópera é hoje considerada música de segunda classe! você é o único que não obedece! já lhe expliquei!

– Pode ser, disse o rapaz com dolorosa altivez, mas para mim ópera é que é.

O professor olhou-o com olhos esbugalhados. A veia do pescoço latejava. O rapaz então perdeu a força, abaixou a cabeça e recomeçou a roer as unhas.

– O professor é pessoa muito emotiva, disse Vitória simplesmente para Martim.

Com essa frase de Vitória, o professor pareceu de súbito se acalmar, a cor pálida voltou à face gorda e como se inesperadamente ele tivesse resolvido esquecer o problema do filho, voltou-se resoluto e tranquilo para Martim:

– E então, disse com extrema atenção, o que diz de nossa Vitória?

Vitória abaixou a cabeça para o bordado e o rubor subiu-lhe ao rosto.

– Tanta secura – disse o professor – encobre, com perdão pela beleza das palavras, um coração que se quebra de amor.

Vitória tentou levemente protestar, afogueada:

– O professor – disse ela com voz confusa e implorante, e Martim não soube se o que ela disse era um elogio ou uma escusa – o professor devia escrever um romance!

– Não poderia! saltou o professor, aí é que está! não poderia, exclamou penoso, não poderia porque tenho todas as soluções! já sei como resolver tudo! não sei como sair desse impasse! para tudo, disse ele abrindo os braços em perplexidade, para tudo eu sei uma resposta!

Ninguém pareceu entender muito bem o que ele quisera dizer, nem por que é que isso faria com que ele não pudesse escrever romances. Como se ele próprio percebesse que ninguém entendera, de novo pareceu então abandonar o problema, deixou-o inacabado – e voltou-se para Martim com mais calma, já esfriado.

Sentindo os olhos atentos do professor sobre si, Martim abaixou os seus e procurando controlar-se pegou a pele de vaca já meio curtida que estava no canto da sala. Quando se acalmou, deu fé que também pegara no martelo e que agora martelava a pele curtindo-a. Vitória olhou-o espantada como se ele tivesse ousado demais, e perscrutou inquieta o professor. Este, a custo engolindo o desaforo, fechou os olhos por um instante e sua cara parecia pedir a Deus humildade. Quando abriu os olhos, realmente já sorria compreensivo e irônico, e pôde olhar impassível aquele homem que sem avisar martelava um couro.

– Desde de manhã, disse Ermelinda não suportando mais o silêncio, desde de manhã estou com uma sede! Uma sede, como se diz, canina.

– Acho que não é assim que se diz, se me permite – disse polido o professor, mas com uma rapidez de arraia – é fome canina que se diz, se me permite, repetiu com uma mesura, entre cerimonioso e desgostado.

– Mas se é sede o que eu tenho..., arriscou ela muito tímida.

Vitória destruiu-a com os olhos. A outra desviou o olhar e cruzou as mãos.

Vitória voltara ao bordado. Martim martelava baixo. A tarde se espalhara suave, entrava pela sala e fazia o silêncio. Nada havia que tornasse a tarde mais evidente que o bater espaçado do martelo: a cada pancada, mais longe se tornava a distância, mais frondosos os galhos, mais perdido o que se perdera, uma galinha cacarejou na sombra. E um vago desejo pareceu nascer como quando se sonha. O filho do professor, entregue a si mesmo, roía as unhas com voracidade melancólica. Vitória mantinha um rosto escurecido sobre o bordado. Ermelinda sentada no banco, de costas para o piano aberto, enfrentava todos com um sorriso intenso e imóvel como se sua cara brilhasse por si mesma já sem auxílio de pensamento. Martim de cabeça baixa aplacava cadenciadamente a pele de vaca. O cheiro de couro e as marteladas tiravam da cena a sua total imobilidade e deu-lhe um caminhar progressivo: pouco a pouco o cheiro mais intenso e as marteladas levaram a situação a um final – Vitória ergueu do bordado os olhos alargados, o filho do professor tossiu e assustado consigo mesmo olhou para o pai, Ermelinda esmaeceu um pouco o sorriso, o lábio seco ficou ligeiramente preso por um dente. Martim, autor inconsciente do destino dos momentos, continuou a martelar. O professor mantinha os olhos entrefechados, sombrios, onde um ponto arguto pensava. Vitória percebeu-o com inquietação e precipitou-se:

– Sonhei, disse ela alto, que estava rodeada de navios.

– Iluminados ou escuros? perguntou imediatamente Ermelinda despertando.

– Que diferença faz! explodiu Vitória.

Ermelinda abaixou a cabeça.

– É que iluminado é mais bonito, disse Martim olhando com suavidade para Ermelinda.

Vitória voltou-se rápida para ele, magoada. O professor imediatamente examinou-o, entrefechando mais os olhos: era a primeira vez que Martim falara.

Passado um segundo de espanto, Ermelinda riu muito:

– Iluminado é mais bonito, é sim! iluminado é mais feliz, repetiu com gosto.

– De fora, minha cara amiga, disse o professor com grande frieza, de fora um navio é muito mais total que de dentro, disse com um sorriso experimentado e amargo.

De novo ninguém entendeu e ninguém pareceu se alterar por não entender. Percebendo-o, o professor piscou várias vezes os olhos. A noite descera. Vitória se ergueu devagar e acendeu as lâmpadas.

O professor agora falava calmo, todo recostado na poltrona, o que deixava o ventre gordo em saliência. Martim não sabia se esperavam que ele saísse ou ficasse.

– Dividamos o caminho da humanidade em etapas, dizia o professor.

As marteladas haviam cessado, os sapos coaxavam. O professor falava e brincava com o molho de chaves, girava-o no ar e sem soltá-lo abocanhava-o com a mão. Foi quando as chaves caíram.

Martim automaticamente abaixou-se para apanhá-las. Mas o professor, aparentemente sem se apressar, foi mais ágil que Martim e apanhou-as. E como se tivesse tranquilamente demonstrado do que era capaz, sorriu para o outro. Ainda com o gesto esboçado nas mãos, Martim olhou-o com surpresa: não teria imaginado que aquele homem pequeno e gordo fosse capaz de movimento tão lépido. Então o professor, compreendendo, riu ainda mais e recomeçou a girar as chaves.

O homem estava demonstrando alguma coisa – a boca de Martim ficou um pouco seca, ele não tirava os olhos da chave. Também Vitória acompanhava com olhos fascinados o movimento rotativo da pequena mão do professor.

– Dividindo o caminho da humanidade em etapas, podemos chegar à conclusão de que estamos hoje na etapa da perplexidade. Diríamos que o homem moderno é um homem que não encontra mais uma lição na perene lição dos antigos. Em seguida eu diria...

Vitória escutava-o ereta, sonâmbula, olhando as chaves. Afinal o professor interrompeu-se, olhou o relógio. Reteve a respiração um instante e enfim disse:

– Meu jogo é a charada humana, disse clareando a voz num pigarro. O senhor não me contesta? perguntou de repente. O senhor, um engenheiro?

Como se algo tivesse enfim acontecido, Vitória mexeu-se em sobressalto na cadeira. Entorpecido pela longa imobilidade, Martim mudou a posição das pernas:

– Sim, sim, disse.

– Tudo o que é humano me interessa, o senhor não contesta?

– Não...

– Eu, disse o professor com prazer, sou um mistificador nato.

Vitória agitou-se. Martim passou seu olhar do professor para Vitória e desta para o professor, tentando remotamente captar o que acontecia; um círculo incompreensível estava se fechando em torno dele, ele se perturbou sem saber por quê.

– Exatamente porque a charada humana – como por humorismo inglês costumo chamar o mistério humano – exatamente porque a charada humana, como eu ia dizendo, me interessa é que me pergunto o seguinte: o que é que um engenheiro, um homem digamos de tão alta qualidade, faz aqui?

Bem. Então era para isso que o haviam chamado.

– Digamos, que é que um homem fez para largar um lugar como S. Paulo, pois a pronúncia evidencia a localidade onde Vossência se origina, e não do Rio de Janeiro como Vossência afirmou. Como eu ia dizendo, que fez um homem para não ficar nos seus altos misteres, como seja o de construir uma cidade, que é função por excelência de um engenheiro, que fez ele, como dizíamos nós, para terminar nas vizinhanças de Vila Baixa, onde os únicos recursos são os do espírito? E mais: Vossência ignorava até onde se achava, como notou um homem ignorante e iletrado como Francisco, que não tem os dons de argúcia que a evolução espiritual empresta a um homem, mas *quand même* possui em elemento o instinto da pesquisa. Como dizíamos nós, que fez ou o que pensou um homem para vir para cá? que fez ele, pergunto eu muito bem, já que Vossência acaba de concordar que meu jogo é o da charada humana?

– Adivinhe, disse Martim tentando sorrir com os lábios secos.

O professor não teve dúvida: abriu os olhos e fitou-o com crueza. Martim sorriu pálido.

– Adivinharei, disse abruptamente o professor.

Levantou-se olhando ao mesmo tempo o relógio.

Atrás de uma sebe, enquanto os outros se despediam no alpendre, Martim procurou em vão divisar o rosto de cada um na escuridão mas o que conseguiu apenas foi captar um tom geral de despedida. Tentou violentamente analisar cada rosto escuro e perceber um indício a mais, embora a própria violência com que o desejava dificultasse essa procura. A luz amarelada que se escoava fraca de dentro da casa não era suficiente para que ele distinguisse mais que vultos, e a zoeira do sangue nos próprios ouvidos não lhe permitiu perceber palavras. A desordem interna deixara-o ao mesmo tempo agudo e perdido, como alertíssima a um vácuo. Nada lhe pareceu muito real, e ele estava embaraçado com o fato estranhíssimo do professor, não sendo o alemão, no entanto...

Afinal o carro se afastou, as duas mulheres subiram lentamente ao alpendre e desapareceram dentro da casa.

3

A porta do casarão, ao se fechar, isolou-o fora. Em breve uma luz se acendia no andar de cima. E Martim ficou sozinho arfando na escuridão.

"Muito bem", disse de repente com falso desembaraço e uma boa disposição onde pôs alguma ironia, "e agora", acrescentou simpático e cordato, "vamos dormir." Sentiu que de algum modo estava sendo mais forte do que era, e a piedade de si mesmo o tomou. "Pois muito bem", repetiu com sarcasmo.

Ao mesmo tempo que decidia encerrar-se no depósito e como primeira providência acalmar a cabeça quente, dirigiu-se atordoado e distraído para o rumo contrário. A princípio a falta de compreensão do que ele próprio pretendia fê-lo cambalear, e ele avançou quase aos recuos. Depois sua direção de fuga tornou-se mais que um impulso obscuro – e quando ele de repente se entendeu, o pânico o tomou e ele quase corria. "Muito bem", disse ainda como um homem que tivesse tempo de ajeitar a camisa antes de cair morto. Foi quando começou a correr de fato, a correr desencadeado em direção ao rio, e seu nebuloso objetivo era o bosque, o bosque escuro. Tomado pelo rumor do próprio pânico atravessou a água fria tropeçando nas pedras, suas pernas se aterrorizaram com a gelidez da água negra, ele correu muito espantado, e entrou no bosque – mas não lhe bastou a orla do bosque, com uma cobiça de grito ele queria era o negro coração do bosque, não pôde correr livremente por causa dos galhos mas corria arranhando-se e quebrando galhos como um cavalo solto.

Até que inesperadamente sentiu que chegara aonde queria e parou arfando, com o peito batendo todo, os olhos bem abertos nas trevas. E Deus é testemunha de que ele não sabia o que viera procurar no bosque. Mas, sem conseguir recuperar o fôlego, ali estava, e a mera possibilidade de não estar ali assustou-o. O ar pesado estava próximo de seu rosto como se o escuro estivesse cheio da respiração de um cachorro.

Ali o homem ficou resfolegando alto, o olho aberto e maldoso. Sentia-se elementarmente protegido pela escuridão, apesar de que era a própria escuridão o que mais o assustava. Nenhum pensamento lhe ocorreu, sua alma esfomeada se alimentava da total cegueira das trevas, e ele respirava grosseiro e astuto, ouviu com grande avidez a própria respiração que se tornara a sua garantia mais primária: enquanto respirasse, ele seria um grande esperto. Mexia a cabeça de um lado para outro, pronto para dar um pulo, o que, se o fizesse, faria dando ao mesmo tempo um grito feroz. Sentir que teria o recurso de dar esse grito também o tranquilizou. Embora nenhuma dessas garantias fizesse com que ele deixasse de tremer e bater com os dentes.

Passou várias vezes a mão pela boca – e com espanto notou que estava rindo. Sem conseguir tirar o riso idiota da boca, olhou então no escuro a mão que tocara no sorriso como se esta pudesse ter voltado molhada de sangue. Os dentes batiam leves e precisos, sem que Martim tivesse nada a ver com eles. E como se lhe tivessem acabado de contar que ele estava com medo, riu.

É que era um medo que nada tinha a ver com as equações que ele armara antes da vinda do professor – como se o medo estivesse acontecendo a outra pessoa. Só que essa outra pessoa era assustadoramente – ele mesmo. Quem era ele? Martim caíra tão em si próprio que não se reconheceu. Como se até agora tivesse apenas brincado. Quem era ele? Teve a certeza intuitiva de que não somos nada do que pensamos e somos o que ele estava sendo agora, um dia depois que nascemos nós nos inventamos – mas nós somos o que ele era agora. Martim caíra na verdade como uma pessoa cai na loucura, e então batia os dentes. Seria uma verdade caótica apenas enquanto ele tentasse compreendê-la. Mas em si mesma ela era toda perfeita. E ele – ele era aquele que batia os dentes. Batia os dentes num medo que o fez esquecer que tinha encetado uma tarefa de super-homem. Tinha medo como se tivesse enfim caído na armadilha – nessa armadilha que ele negaria enquanto pudesse, mas como se sentiria frustrado se não caísse nela, Martim que fora feito para cair. No entanto ainda continuava a negá-la e seu medo era mesquinho como se ele tivesse roubado, não o medo grandemente punível de quem assassina mas o medo de quem rouba.

Aos poucos a escuridão o tranquilizou. Mas logo em seguida tornou a apavorá-lo, e seus olhos brilharam muito. Até que a impassibilidade da escuridão que acabara de aterrorizá-lo, de novo o acalmou pela mesma qualidade de impassível permanência, e ele deixou de tremer, tão de súbito como começara.

Imediatamente tomando isso como sinal de que a crise passara e de que tudo não passara de uma crise, Martim se disse mecanicamente: "pois muito bem!", e se dispôs a recuperar-se o mais depressa possível, precipitando-se em unir-se mentalmente ao passado que a ameaça do professor interrompera. Para sua surpresa, não conseguiu. Então passou a mão pela boca que continuava sorrindo. Mas simplesmente não conseguiu. Um instante de verdadeiro medo tinha-o feito cair em si. E o homem se revolveu sem apoio em nenhum dos pensamentos que, apenas alguns dias antes, haviam começado a fazer dele o homem que ele inventara ser. Logo agora! logo quando começara a se sentir com as sandálias quase prontas, já perto do domínio do círculo esfumaçado onde a caldeira fervia – logo agora que era o fim da jornada! Mas que conseguira ele no fim da jornada? O medo...

Chorando de raiva e medo ele apertou os dentes e deu vários socos na árvore, e quanto mais doeram as mãos mais ele se sentiu compensado e mais a raiva cresceu, e mais o medo fechou seu coração tão desconhecido. No ponto em que ele estava, era como se nenhum passo tivesse sido jamais dado! Como se todos os seus passos tivessem sido inúteis. Oh tolo, tolo! disse-se chorando. Ele tivera tudo à sua disposição mas – "eu não sei deduzir! eu não soube deduzir!", disse dando socos na árvore, "nem o passarinho coube dentro da construção, quanto mais eu!"

Depois do que, como se tivesse dito algo tão formidável que chegasse a ser incompreensível para ele próprio, aquietou-se fungando. "Besteira", disse então passando a mão pela cara barbuda e sentindo pelo tato que o riso não lhe saíra do rosto. Assoou o nariz com minúcia.

Como se nenhum passo tivesse sido dado. Pois no escuro ele era agora apenas aquela coisa informe com um único sentimento primário. Num único pulo de recuo, ele de novo acabara de se afastar do território da palavra – ele que começara a poder mais que balbuciar. E como se nenhum passo tivesse sido dado, ele agora não se distinguiria de um cavalo espantado no escuro. Mas a verdade é que Martim nesse momento já não queria sequer uma das mínimas coisas que orgulhosamente quisera, e até se surpreendia de tê-las desejado, estranhava-as como um homem na hora da morte se espanta de se ter preocupado com o atraso do alfaiate. Agora queria miseravelmente apenas a imediata e urgente solução para o medo, e ávido ele faria qualquer barganha.

O pior é que não havia sequer glória nesse castigo, nem sequer martírio: aquela coisa de olhos assustados que um dia tinha subido temerariamente até o crime e depois até uma montanha, aquela coisa que ele era não se distinguia mais de um bicho que tivesse ousado fugir do cercado: ambos teriam o mesmo indiscriminado castigo, o medo que os reduzia de repente ao mesmo sério destino.

De repente pareceu mesmo a Martim que até agora ele andara em caminhos superpostos. E que sua verdadeira e invisível jornada se fizera na realidade embaixo do caminho que ele julgara palmilhar. E que a verdadeira jornada estava agora saindo subitamente à luz como de um túnel. E a verdadeira jornada fora esta: que ele saíra um dia de sua casa de homem e de sua cidade de homem em busca, através da aventura, exatamente dessa coisa que ele agora estava experimentando no escuro, em busca da grande humilhação, e consigo ele humilhava ferozmente com gosto toda uma raça humana. O medo o humilhou e ele então assoou violentamente o nariz.

Se tinha encetado uma tarefa de homem, agora parecia-lhe que havia mexido em coisas em que não se mexe: ele tocara de perto demais a ilusão. E havia procurado compreender mais do que era permitido e amar mais do que era possível. Para entrar na vida, um monge renunciava – não agia. Seu erro fora agir? Ele cometera um ato total mas ele não era total: tinha medo assim como se ama uma mulher e não todas as mulheres, tinha medo assim como se tem a fome própria e não a dos outros; ele era apenas ele, e seu medo tinha o seu particular tamanho.

Então no escuro, não sabendo ao certo do que tinha medo, o homem teve medo do grande crime que cometera.

Face a face com a palavra crime, recomeçou a tremer e a sentir frio, sem conseguir desmanchar o riso que ressurgira. E o criminoso teve tanto medo que pela primeira vez compreendeu em todo o seu inexprimível sentido o que significava a salvação.

Salvação? Seu coração então bateu com força como se os limites tivessem caído. Pois, quem sabe, talvez fosse esta a grande barganha que ele poderia fazer – a salvação. Tudo então que em Martim era individual, cessou. Ele só queria agora se agregar aos salvos e pertencer – o medo levara-o a isso. À salvação. E com o coração ferido de surpresa e alegria, pareceu-lhe por um instante que acabara de encontrar a palavra. Seria à procura dessa palavra que ele saíra de casa? Ou de novo seriam apenas os restos de uma palavra antiga? Salvação – que palavra estranha e inventada, e o escuro o rodeava.

Salvação? Ele se espantou. E se fosse esta a palavra – seria então assim que ela acontecia? Então tivera ele que viver tudo o que vivera para experimentar o que poderia ter sido dito numa só palavra? se essa palavra pudesse ser dita, e ele ainda não a dissera. Andara ele o mundo inteiro, somente porque era mais difícil dar um só e único passo? se esse passo pudesse jamais ser dado!

O absurdo envolveu o homem, lógico, magnificente, horrível, perfeito – o escuro o envolveu. No entanto, por pouco que entendesse, ele pareceu sentir a perfeição que houvera no seu caminho obscuro até chegar ao bosque: havia nos seus passos uma perfeição impessoal, e era como se o tempo de uma vida tivesse sido o tempo rigorosamente calculado para a maturação de um fruto, nem um minuto mais, nem um minuto menos – se o fruto amadurecesse! Porque o medo pareceu-lhe estabelecer uma harmonia, a harmonia terrificante – digo-te, Deus, eu te compreendo! – e ele de novo acabara de cair na armadilha da harmonia como se às cegas e por caminhos tortos tivesse executado em pura obediência um círculo fatal perfeito – até encontrar-se de novo, como agora se encontrava, no mesmo ponto de partida que era o próprio ponto final. E se esse caminho apenas circular acabara de tornar inúteis todos os passos que ele dera, no fundo mesmo de seu medo o homem de repente pareceu concordar com esse caminho, com dor e com medo pareceu admitir que sua natureza desconhecida fosse mais poderosa que sua liberdade. Pois de que me valeu a liberdade, gritou-se ele. Nada fizera dela...

De que lhe valera a liberdade profunda mas sem poder. Ele tinha tentado inventar um novo modo de ver ou de entender ou de organizar, e tinha querido que esse modo fosse tão perfeito quanto o da realidade. Mas o que experimentara fora apenas a liberdade de um cão sem dentes. A liberdade de ir em busca da promessa que o rodeava – pensou o homem tremendo. E tão vasta era a promessa que, se a pessoa a perdia de vista por um segundo, então se perdia de si própria num mundo vazio e completo que não parece precisar de um homem a mais. Perdia-se até que exaustivamente, e nascida do nada, se erguesse a esperança – e então de novo, como para um cão sem dentes, o mundo se tornasse passeável, tocável. Mas apenas tocável. Então quem gritasse mais alto ou ganisse mais melodioso seria o rei dos cães. Ou quem se ajoelhasse mais profundamente – pois ajoelhar-se ainda era um modo de instante por instante não perder de vista a promessa. Ou então quem se revoltasse. A sua greve!

A sua greve, que era a única coisa de que até hoje ele podia se orgulhar.

Até que de novo nascesse o desejo de um cão sem dentes? Sim, assim era. E tudo isso até um dia morrer? Pois se morria. No seu medo o homem viu que se morria. E se não fosse a dor – que era a nossa resposta – seria apenas assim: ter-se-ia morrido um dia?

Mas não tão simplesmente! gritou-se o homem apavorado. Pois no escuro ele pareceu ter a grande intuição de que se morre com a mesma intensa e impalpável energia com que se vive, com a mesma espécie de oferenda que se faz de si, e com aquele mesmo mudo ardor, e que se morria estranhamente feliz apesar de tudo: submisso à perfeição que nos usa. A essa perfeição que fazia com que, até o último instante de vida, se farejasse com intensidade o mundo seco, se farejasse com alegria e aceitando... Sim, por fatalidade de amor, aceitando; por estranha adequação, aceitando...

Apenas isso? Quase nada! ainda rebelou-se o homem, mas meu Deus isso é quase nada.

Não, isso é muito. Porque, por Deus, havia muito mais que isto. Para cada homem provavelmente havia um certo momento não identificável em que teria havido mais do que farejar: em que a ilusão fora tão maior que se teria atingido a íntima veracidade do sonho. Em que as pedras teriam aberto seu coração de pedra e os bichos teriam aberto seu segredo de carne e os homens não teriam sido "os outros", teriam sido "nós", e o mundo teria sido um vislumbre que se reconhece como se se tivesse sonhado com ele; para cada homem teria havido aquele momento não identificável em que se teria aceito mesmo a monstruosa paciência de Deus? Essa paciência que permitia que homens durante séculos aniquilassem com o mesmo obstinado erro os outros homens. A monstruosa bondade de Deus que não tem pressa. Aquela Sua certeza que fazia com que Ele permitisse que um homem assassinasse – porque sabia que um dia esse homem teria medo e nesse instante de medo, enfim capturado, enfim impossibilitado de não encarar o próprio rosto, esse homem diria "sim" àquela harmonia feita de beleza e horror e perfeição e beleza e perfeição e horror; a perfeição que nos usa.

E esse homem, com o grande respeito do medo, diria "sim", mesmo sabendo com vergonha que este seria o seu maior crime talvez: porque havia uma falta essencial de direito de achar tudo isso belo e fatal, havia uma falta essencial de direito de um homem se agregar à divindade

– até que ponto um homem tinha o direito de ser divino e dizer sim? Pelo menos não antes de arrumar os seus negócios!

Mas não. Mesmo sem saber como arrumar nossos negócios, o homem terminaria cometendo o crime de dizer sim. Pois atingido o nó incompreensível do sonho, aceitava-se este grande absurdo: que o mistério é a salvação.

Oh Deus, disse então Martim em calmo desespero. Oh Deus, disse ele. Porque nossos pais já estão mortos e é inútil perguntar a eles "que luz é essa", não é mais a eles, é a nós mesmos. Nossos pais estão mortos – quando enfim encararemos isto? Oh Deus, disse então. Porque olhou a escuridão ao redor de si e como cada outro ser estava definitivamente na sua própria casa e ninguém no mundo o guiaria, então na sua carne em cólica ele inventava Deus. E bastou inventá-lo para que da profundeza de séculos de medo e de desamparo uma nova força se agigantasse num lugar onde nada existira antes. Um homem no escuro era um criador. Na escuridão as grandes barganhas se fazem. Foi dizendo "oh Deus" que Martim sentiu o primeiro peso de alívio no peito. Respirou devagar e com cuidado: crescer dói. Respirou muito devagar e com cuidado. Tornar-se dói. O homem teve a penosa impressão de ter ido longe demais.

Talvez. Mas pelo menos por um instante de trégua não teve mais medo. Só que sentiu aquela solidão inesperada.A solidão de uma pessoa que em vez de ser criada cria. Ali em pé no escuro, sucumbido. A solidão do homem completo. A solidão da grande possibilidade de escolha. A solidão de ter que fabricar os seus próprios instrumentos. A solidão de já ter escolhido. E ter escolhido logo o irreparável: Deus.

Até que, sozinho diante de sua própria grandeza, Martim não a suportou mais. Ele soube que teria que se diminuir diante do que criara até caber no mundo, e diminuir-se até se tornar filho do Deus que ele criara porque só assim receberia a ternura. "Não sou nada", e então cabe-se dentro do mistério.

E aquele homem com olhar espantado, com o medo renascido, só queria agora uma coisa deste mundo: caber nele. Mas como? O vento encheu-lhe a boca de poeira, o vento que só agora ele notara e que também o assustou. Recomeçou a tremer, passou a mão pela boca seca e ávida. O medo de jamais atingir a bondade de Deus o tomou. Ele chamara a força de Deus mas ainda não sabia como provocar a Sua bondade. Foi então que de repente ele disse em si mesmo: eu matei, eu matei, confessou afinal.

Pois talvez fosse isso o que estavam esperando dele para livrá-lo do medo? e ele oferecia seu crime como refém.

Mas – revoltou-se ele logo em seguida justificando-se para Deus – alguém tinha que se sacrificar e levar o sofrimento sem consolo até o último termo e então se tornar o símbolo do sofrimento! alguém tinha que se sacrificar, eu quis simbolizar o meu próprio sofrimento! eu me sacrifiquei! eu quis o símbolo porque o símbolo é a verdadeira realidade e nossa vida é que é simbólica ao símbolo, assim como macaqueamos a nossa própria natureza e procuramos nos copiar! agora entendo a imitação: é um sacrifício! eu me sacrifiquei! disse ele para Deus, lembrando-Lhe que Ele mesmo sacrificara um filho e que também nós tínhamos direito de imitá-Lo, nós tínhamos que renovar o mistério porque a realidade se perde! Oh Deus, disse ele em reivindicação, não respeitais sequer a nossa indignação? meu ódio sempre salvou minha vida, eu não quis ser triste, se não fosse a minha cólera eu seria doçura e tristeza, mas a raiva é filha de minha mais pura alegria, e de minha esperança. E quereis que eu ceda o melhor de minha cólera, vós que tivestes a Vossa, acusou ele, porque assim me disseram, e se disseram não mentiram porque eles devem ter sentido na carne a vossa cólera, acusou ele.

O que aconteceu, então, foi que Martim teve medo de sua própria cólera como se tem medo da própria força. A escuridão o rodeava. E o silêncio que o envolveu respondeu-lhe que não era assim que ele caberia no mundo e que não era assim que ele se livraria de si mesmo. E ele – ele queria caber. Mas como? Seria no entanto tão simples. Se os bichos eram a própria natureza, nós éramos os seres a quem as coisas se davam: seria tão simples apenas recebê-las. Bastava receber, só isso! Tão simples.

Mas uma pessoa não sabe como.

Como? como é que se faz? perguntou-se. O vento deixava-lhe a boca seca de poeira. Mais que o medo de ser denunciado à polícia pelo professor, um medo total fazia-o ter vontade de enfim ceder. Na verdade já não sabia se queria aceitar porque não tinha mais outra saída, ou se porque aceitar estava tomando um grande e obscuro sentido que vinha de encontro à criatura desconhecida que ele era. Já não lhe importava sequer que, no ato de aceitar, ele tivesse consciência de trair o mais valioso de si mesmo: a sua revolta. Nem mesmo apenas a própria revolta. Mas também a revolta dos outros. Ele, que se havia feito depositário da cólera alheia. Ele, que havia precisado de um grande crime para provar alguma coisa. Martim sabia que estava traindo o próprio sacrifício. Mesmo assim ele quis. Embora, tendo consciência de sua traição, ele fosse agora um homem muito velho. Já não poderia mais ser entendido por um adolescente. Nunca mais, nunca mais seria compreendido. Nem por si mesmo. Mais que isto: sabia, como se tivesse feito um juramento de sangue, que nenhum pensamento seu futuro se livraria jamais da marca de sua covardia agora revelada, essa covardia que é a submissão necessária de um homem, e a sua experiência. Estava consciente de que nunca mais poderia começar a ser livre sem se lembrar do medo que agora sentia.

Sabia. Mas na escuridão do bosque não queria senão se livrar. Como? Sem nenhum treino, ele não sabia de que modo uma pessoa aceita. Como se devesse haver um ritual que não apenas simbolizasse a submissão mas a realizasse. Oh não lhe importava sequer que, logo depois de aceitar, se organizasse no caleidoscópio imediatamente uma nova falta de sentido. Uma falta de sentido harmoniosa e intangível, num sistema de novo fechado onde de novo ele não poderia entrar. O que importava mesmo era fazer parte de um sistema – e livrar-se daquela sua natureza que de repente fez com que o homem recomeçasse a tremer da cabeça aos pés. Oh não importava, pois ele já fora longe demais, e ter medo era tarde demais, já significava pertencer à salvação, o que quer que isso quisesse dizer. Que importa se era essa ou não a palavra! nós que aludimos, nós que apenas aludimos.

Na noite do bosque o enorme cansaço fazia o homem perder a lucidez, e instintivamente seu pensamento cego queria buscar a fonte mais remota. Adivinhava que nessa fonte escura tudo seria possível porque nela a lei era tão primária e vasta que dentro dela caberia também a grande confusão de um homem. Só que, antes de ser admitido na primeira lei, um homem teria que perder humildemente o próprio nome. Essa era a condição. Mas um náufrago tinha que escolher entre perder a pesada riqueza ou afundar com ela no mar. Para ser admitido na fonte vasta, aquele homem sabia que tinha de acreditar apenas em claridade e em escuridão. Esta era a condição – e depois desse passo ele faria parte vencida daquilo que ele desconhecia e amava.

O vento soprava mais forte nas árvores, na escuridão as folhas arrancadas bateram-lhe no rosto. Com o peito ferido e doce, respirou a umidade que se aproximava. Perguntou-se curioso se ainda naquela noite choveria. Como não sentia coragem de sair do agasalho do bosque, soube que a chuva viria encontrá-lo ali indefeso. E a essa ideia, de novo recomeçou a tremer com medo do escuro e da chuva. Também ele, igual aos outros – pois lhe tinham contado que mesmo aos mais vigorosos acontecia, e os marinheiros sabiam disso.

Como os outros, um dia na cólera ele realizara a sua força. E no arrependimento, sua doçura até o mel. Até que, transfigurado pela própria natureza, agora nada dizia e no escuro nada via. Mas ser cego é ter visão contínua. Seria esta talvez a mensagem?

Mas antes a tua cólera e o teu arrependimento. Até que na extrema-unção um homem viria e, para que este próprio homem se salvasse, te imploraria com rosto ameaçador, nesse grito de resumo com que procuramos entender o que nos pertence: "diga sim! uma vez! agora! já! diga sim uma vez antes de morrer! não morra danado, não morra em cólera! o milagre da cegueira é apenas este: dizer sim!"

Era isso pois o que queriam dele? Que dissesse sim. Em troca de tudo o que ele sabia, que exigiam de um homem? Em troca pediam de um homem – que ele acreditasse. Comesse barro até estourar mas pede-se que ele creia. Que ele próprio tenha roubado o pão dos outros – mas pede-se que horrorizado consigo mesmo ele creia. Que nunca tenha feito um ato de bondade – mas pede-se que ele creia. Que tenha esquecido de responder à carta de uma mulher que pedia dinheiro para a doença do filho – mas pede-se que ele creia.

E ele crê. "Eu creio", disse Martim apavorado consigo mesmo, "eu creio, eu creio! não sei qual a verdade mas sei que poderia reconhecê-la!", reivindicou ele, "me dai uma oportunidade de saber no que creio!"

Mas não lhe foi dada. E então, como ele não sabia qual era a verdade, ele se disse no bosque: eu creio na verdade, creio assim como vejo esta escuridão, creio assim como não entendo, creio assim como assassinamos, creio assim como nunca dei para quem tem fome, creio que somos o que somos, creio no espírito, creio na vida, creio na fome, creio na morte! – disse ele usando palavras que não eram suas. E porque não eram suas tiveram o valor do ritual que apenas esperavam para livrá-lo do medo, a única palavra de passe: creio.

O homem fungou envergonhado. Uma nova e dolorosa dimensão se abrira nele. O que "Deus" silenciosamente devia ter previsto na Sua estranha visão de nós. Na verdade o homem por um instante parecia ter perdido sua relatividade, assim como um cavalo às vezes fica desamparadamente absoluto. Seria isso o que Deus pacientemente esperara que ele compreendesse? era isso o que lhe prometera. Mas mesmo que Deus pudesse falar, nada lhe teria dito porque se dissesse não seria compreendido. E mesmo agora o homem não compreendia.

Humilhado, o homem fungou enxugando as lágrimas, um pouco intimidado. O primeiro relâmpago enfim abriu o céu – o casarão alto iluminou-se e se escureceu de novo. Depois de um instante de silêncio rolou pelas montanhas em resposta à trovoada seca. Até se desmanchar no rosnado murmúrio de quietude. Fungando, o homem achou que isso era uma harmonia.

Então o vento começou a soprar mais forte, fazendo bater janelas. E Vitória sentou-se na cama.

Nenhum pensamento ocorrera ainda àquela senhora mas seu coração bem que ouvira a trovoada. Era a chuva que viria. Era a chuva que viria! Reconheceu-a pela sufocação do ar e pela cólera do vento preso, era a chuva que viria. Seu coração se alegrou feroz: triunfo, triunfo seu, ela soubera esperar.

Só então compreendeu com alguma estranheza que estava acordada. Fazia frio e no entanto ela estava asfixiada, com o coração inchado no peito, talvez porque nenhuma gota tivesse ainda caído.

Então, sentada na escuridão e como se não tivesse havido interrupção, retomou o pensamento que tivera ao ver Martim pela primeira vez diante do alpendre: um homem de pé tendo na cara a grosseira beatitude de ter satisfeito a sede – e já então ela não soubera dizer se achava isso bonito ou feio. E como se fosse muito natural estar pensando no homem no meio da noite, a senhora de novo pareceu intrigada com aquela cara indiferente onde no entanto os traços físicos eram de pura malícia. Mas era como um tigre que parece rir e depois se vê com alívio que é apenas o corte da boca. O que, no entanto, não chegava a tranquilizá-la pois as coisas físicas também têm a sua intenção. O que suavizava no homem o seu perigo era a dualidade contraditória do rosto físico com uma expressão que não o confirmava. Por uma curiosidade maligna a mulher imaginou que se ao lado dos traços maliciosos a expressão também se tornasse maliciosa, então – então ela teria visto a cara do riso e do mal. Estremeceu então de prazer.

O prazer assustou-a, ela se revolveu com espanto. Talvez seu espanto viesse de estar acordada no meio da noite ou de estar pensando no homem. Ajeitou imediatamente os lençóis, preparando-se severa para dormir de novo.

Sabia porém que era mentira e que não estava se preparando para dormir. Assim, pois, ficou quieta na escuridão. A escuridão compacta permitia tudo porque seu rosto não seria visto sequer pelas paredes. E como acontece, a noite parecia sussurrar-lhe que ela poderia ter qualquer pensamento. Como se os bichos se tivessem soltado no campo negro antes que a tempestade caísse e a senhora pudesse aproveitar o vento para misturar-se furtiva entre eles. Eu te amo, experimentou com cuidado dando uma primeira cautelosa amostra de si mesma no escuro para ver se era verdade que nada lhe aconteceria. E nada aconteceu. A senhora pareceu decepcionada como se na verdade tivesse esperado que depois da audaciosa frase a escuridão se fizesse dia ou que enfim começasse a chover ou que ela de súbito pudesse se ter transformado em outra pessoa.

Embora a frase tivesse ecos e ecos no vento temporariamente amainado.

Nada acontecera. Uma tristeza tranquila encheu o quarto. Se era amor o que aquela senhora sentia com o corpo quente de sono. Se era amor essa tristeza de besta misturada com raiva e com trevas; trevas eram o seu amor. Não podia ser amor essa coisa como se ela fosse a única pessoa viva na escuridão. Nunca tinha ouvido falar de amor assim. Mas o vento soprava... E incerta ela procurava o amor como a escuridão procura a escuridão, como a chama de uma vela parece querer se apagar vencida enfim pelo que é tão maior que a pequena chama de uma vela. Se não era amor, o homem lhe devia isso antes de ir embora: a senhora aos poucos se tornara tão obstinada como se fica no meio da noite.

A janela se abria para a noite opaca. Essa opacidade que se transformaria em trêmula transparência quando a escuridão enfim ficasse molhada. E a senhora, tentando se apaziguar, se disse que na certa dormiria logo que começasse a chover. "Era só por isso que não dormia". Por enquanto, por mais que seus olhos perfurassem a escuridão, nada encontraram, e nenhum obstáculo que lhe impedisse de ir adiante. Por hábito ela procurava um impedimento, até agora os obstáculos lhe tinham servido de grande apoio. Mas agora cercada de amor, de vento nas árvores, de permissão. Já não seria sequer o abraço que simbolizaria o amor daquela mulher. Ali sentada, já chegara ao ponto de usar a alma que era a parte mais negra de seu corpo, e a sua parte mais triste. Eu te amo, experimentou de novo com voz dura e altiva. Mas amor não podia ser isso. Amar assim era a melancolia. "Os bichos estão soltos", pensou então suave, suave, melancólica.

"Que bichos?", sobressaltou-se quando se deu conta do que pensara, e a pequena chama da vela tentou uma derradeira justificação antes de se entregar. "Que bichos?", perguntou-se forçando-se austera a uma lógica que a fizesse "estranhar", e estranhar seria defender-se. Mas ela mesma respondeu-se com uma obstinação de prazer: "os bichos de que é feita a escuridão".

Depois do que, a mulher tentou penosamente recuperar-se: era preciso se manter lúcida e clara como ela era de dia. Não conseguira enfim viver tranquila na sua fazenda, ocupada com os seus deveres? Não conseguira enfim se livrar daquela ameaça que era a ânsia de viver? e livrar-se daquele duro e vazio ardor que a teria levado como nunca se saberia até onde?

Consegui! respondeu-se com dor, sentindo a sua grande perda. E não conseguira ela Deus com tanto esforço? Consegui, respondeu espantada. O que ela chamava de Deus, não se sabe propriamente. Mas conseguira. Então o que deveria logicamente fazer era deitar-se e dormir.

Conseguira, sim. Mas como para uma curada de vício que não pudesse mais lutar contra a tentação – aparecera um homem que pela transitoriedade de sua passagem parecia exigir em ultimato que ela de novo conseguisse. E renovasse a decisão. Por que teria uma pessoa que decidir cada dia e cada noite? que liberdade era essa que aquela mulher não pedira sequer? E como se já não tivesse com tanto esforço escolhido, de novo e de novo tinha que escolher; como se já não tivesse escolhido. A rapidez da passagem do homem pelo sítio lembrava em eco obscuro outra transitoriedade e outra urgência – quais? – e dava-lhe a última oportunidade. Oportunidade de quê? E a alma pesada, que com tanto orgulho havia desistido, sentia-se obrigada a escolher entre continuar a lutar ou ceder. Ceder a quê? Mal olhara o homem pela primeira vez diante do alpendre, e em cólera adivinhara que de novo teria que decidir.

"O que não quer dizer que eu não tenha lutado!", gritou-se em reivindicação, exigindo encolerizada o direito de receber misericórdia. Ela que, por cautela, denunciara o homem ao professor. E não era isto sinal de luta? Era. Então, já que fizera o seu dever, já que o denunciara, ia dormir tranquila.

Mas continuou sentada. Eu te amo, experimentou com cuidado. Como se amar fosse obscuramente o modo de chegar ao seu próprio limite, e o modo de entregar-se ao mundo escuro que a chamava. Como sou infeliz, pensou com a tranquilidade de quem olhasse para muito longe. A menos que isso que estava sentindo fosse felicidade. Pois se parecia tanto. Ficou quieta, sentada, ouvindo os sapos. Quieta, com sua ferida de amor. E sozinha para resolver, sem os recursos da compreensão, o fato de ter denunciado o homem. A calma expectância da noite a encurralava assim como o silêncio obriga a falar.

De repente Vitória voltou à sensatez: "Afinal", pensou com autoridade, "afinal tenho meus direitos e deveres, e não há motivo para estar acordada no escuro, afinal não estou perdida na África!"

Mas estava. Os sapos coaxavam como se estivessem dentro do quarto, o negro vento entrava pela janela. A mulher se arrepiou. "Aquela coisa escura e boa e agasalhante que era o mal." A única palavra que lhe sobrou do pensamento ignorado e que lhe ocorreu em novo arrepio foi: "o mal". O mal? por que usar essa palavra ruim? No entanto era o que sentia: no escuro, toda rodeada e agasalhada e recebida. Que etapas lhe haviam escapado para ela chegar ao ponto em que a escuridão a recebia? Só sentiria ela do amor a sua crueldade? No amor o que havia de diluído sentimento pela vida se reunia num só instante de pavor, e a raiva que ela vivia se transformara diante do homem concreto em ódio mortal de amor, como se o verde espalhado de todas as árvores se reunisse numa só cor negra. No amor o que havia de vago pressentimento de vida se reunia num só instante de pavor.

E no entanto – no entanto dir-se-ia que ela amava esse pavor e essa escuridão, e que daí vinha a alegria ruim em que a mulher estava no escuro. Sua ambição de dedos crus voltara. Tocada por aquilo a que não se sabe que outro nome dar, senão o de amor – tão diverso do que se esperou que amor e suavidade e bondade significassem – sua ambição voltara, anulando os claros e ocupados dias da fazenda. No escuro do quarto, a obscura ambição, a obscura violência, o obscuro medo que faz atacar, ela que por medo havia denunciado o homem.

A noite foi feita para se dormir. Para que uma pessoa nunca assista ao que acontece na escuridão. Pois com os olhos cegos pelas trevas, sentada e quieta, aquela senhora mais parecia estar espiando como o corpo funciona por dentro: ela própria era o estômago escuro com seus enjoos, os pulmões em tranquilo fole, o calor da língua, o coração que em crueldade jamais teve forma de coração, os intestinos em labirinto delicadíssimo – essas coisas que enquanto se dorme não param, e de noite avultam, e agora eram ela. Sentada com seu corpo, de repente tanto corpo. À meia-noite Cinderela seria os trapos que na verdade era, a carruagem se transformaria na grande abóbora e os cavalos eram ratos – assim foi inventado e não mentiram. À meia-noite entrava-se no domínio de Deus. Que era um domínio tão espesso que uma pessoa, não conseguindo atravessá-lo, ficava perdida nos meios de Deus, sem entender seus claros fins. Pois ali estava aquela senhora em face de seu corpo que era um meio, e onde ela de repente se enlaçara sem poder sair. E os meios de Deus eram uma tão pesada força de escuridão envolvente – que os bichos saíam um por um da toca, protegidos pela suave possibilidade animal da noite. "Está escuro", disse a senhora como senha esperada para iniciá-la no inferno, pois que os meios de Deus mais pareciam um inferno. E o inferno era o modo de quem adorava os meios de Deus. Absorta, quieta, ela ouvia os sapos. Ser sapo era a humilde e grosseira forma de ser um bicho de Deus. E como se a pureza e a beleza não fossem mais um modo possível de servi-Lo, também a senhora parecia um sapo na cama, com aquela alegria primária de demônio que as coisas no escuro têm, tão enroladas são, e elas mesmas tão escuras. Como um bicho verde, pois, sentada na cama.

A noite foi feita para se dormir porque senão no escuro se compreende o que se quis dizer quando falaram em inferno, e tudo aquilo no que uma mulher não acredita de dia, de noite ela entenderá. Pois no escuro do quarto, com um peso de prazer, ela parecia entender porque disseram "inferno" e porque as pessoas queriam o inferno. Parecia compreender o que significa a figura de um monge negro nas histórias da infância. E o que há de tenebroso no voo de uma grande borboleta. E se olhasse agora um cão escuro seria inútil saber que neste não habitava a alma do demônio: pois agora a senhora talvez soubesse o que se quisera dizer quando inventaram que um cão negro é habitado pelo mal. É que num cão negro alguma coisa está sendo dita. E imóvel, sem cometer nenhum pecado, ela também sabia o que era o mal e o pecado. E se os morcegos não existissem, terminariam por entrar pela janela ao anoitecer: só para dizerem com sua forma de asas o que nós sabemos. "Tudo o que sei está oculto", sentia ela, e estava sentada na cama, capturada pelo que sabia. Mas também era verdade que, enquanto ela não era obscura, seu coração não reconhecia a verdade.

Seus olhos estavam macios, constrangidos, intensos. Talvez ela também estivesse entendendo por que é que Deus, na sua infinita sabedoria, deu e ordenou somente algumas determinadas palavras para serem pensadas – e somente elas. Era para que se vivesse delas, e somente delas. Talvez ela tivesse entendido, pois lembrou-se, vindo do nada, de que o professor dissera ter existido uma época em que era considerado heresia haver na música litúrgica mais do que um fio melódico; sim, o professor dissera que era considerado demoníaco. É que, mais que um fio melódico, e ficava-se entregue à riqueza. A mulher tonta se lembrou de histórias que lhe tinham contado sobre homens tranquilos que se haviam desnorteado por terem uma vez experimentado viver de noite, e então haviam abandonado esposa e filhos, e então começavam a beber para esquecer o que tinham sentido ou para se manterem à altura da noite.

De repente a senhora, que fora arrastada pelo curso de seus sentimentos, passou a mão pelo rosto tentando acordar-se. Fora erro involuntário o seu o de acordar durante a noite que é feita para se dormir, como se tivesse aberto sem querer a porta proibida do segredo e visse as lívidas esposas do Barba Azul. Fora erro involuntário e perdoável. Mas já era mais que simples erro não ter fechado a porta, e ter cedido à tentação de ganhar poder naquele silêncio onde, porque ela não quisera se limitar a usar apenas as Suas palavras compreensíveis, Deus a deixara só. Provavelmente ela contara com um Deus mais forte que seu erro e mais forte que sua vontade de errar. Mas o silêncio a envolvia. E a senhora, em face de sua cobiça, estava sentada. Meu Deus, eu Vos perdoo, disse fechando os olhos antes de continuar irreprimível na sua alegria.

E tudo isso era amor. Era assim, pois, que acontecia. Com essa escuridão e esse silêncio e esse vento e as árvores sacudidas. Mas eu Vos perdoo que assim seja porque quero que assim seja.

Sozinha, com a miséria de sua luxúria. Que não era sequer luxúria de amor. Era mais grave. Era a luxúria de estar viva. Os sapos estavam agora enormes, com a boca aberta perto da janela. As patas que saíam daquelas cabeças sem pescoço, aquelas bocas rasgadas coaxando um ruído antigo, os pequenos monstros da terra. E por um instante, numa tortura de alegria, também a mulher parecia ter patas na cama, pois algo acontece na umidade da noite. No meio de seu sofrimento, agora atingido em pleno, somente um mínimo de consciência impedia que ela fosse se reunir aos sapos junto da janela. Um mínimo de consciência dentro de seu pesadelo acordado impedia que aquilo que nela era escuridão fosse se reunir à orgia dos sapos. Esse esforço que semiacordada ela fez para não ser um animal, pois as orelhas deste nós já as temos e a cara inocente também a temos. Um mínimo de consciência impedia-lhe que, tão favorecida enfim pela umidade nascente, ela seguisse o desígnio do que havia de lamento e uivo dentro de uma pessoa. E que a escuridão do campo prometia, tentadora, abençoar.

Sentindo talvez que não tinha mais medo, ela ousou se perguntar:

– Por que o denunciei?

Mas mesmo na escuridão agasalhante o remorso lhe deu acidez ao sangue. E o pior do remorso era não compreender a utilidade de sua vingança: por que o denunciei? por que essa crueldade, por quê? Então, num bálsamo, ela se lembrou de uma frase num livro para crianças: "O leão não é um animal cruel. Ele não mata mais do que pode comer." O leão não é um animal cruel, ele não mata mais do que pode comer, o leão não é um animal cruel – e era culpa sua, se sua fome era tão grande? Mas poderia jamais comer tanto quanto matara? ela que já matara tanto, ela que já matara tanto. Sentada na cama, matara mais do que poderia comer. Eis toda a sua grande culpa. Seu espanto infantil era que, tendo denunciado o homem ao professor, o homem ficasse denunciado.

Se a senhora pensara que no escuro não teria remorso do que fizera, enganara-se. Mesmo no escuro o ponto inexplicável doía. E humilhada ela não aguentava o peso de seu pequeno crime. Essa vontade de arder no Inferno para o qual todos são chamados e tão poucos se danam. Não tinha a força da maldade, a carne é fraca: ela era boa. E o demônio era tão difícil como a santidade.

Ela o denunciara, e o homem certamente terminaria sendo preso. Oh Deus, disse então altiva sem implorar, tem piedade de um coração fraco. Porque ela, ela não tinha. Sentia apenas desprezo diante da pequenez de seu crime, e não queria sequer consolo. O consolo lhe pareceu mesquinho diante da profundeza da escura luz que era o sofrimento, e onde ela de novo parecia feliz e assustada.

Mas um mínimo de consciência fazia com que ela soubesse que daí a um momento teria enfim força de se libertar de seu pesadelo e de se libertar de sua má alegria na escuridão. Daí a um instante a senhora teria enfim força para sair daquele estado regozijante onde perigosamente caíra como quem cai num buraco enquanto procura um caminho. Tão longe ela já fora que só conseguiria entender o que se passava com ela se chamasse de pesadelo. Pois tinha que ser um pesadelo estar sozinha com aquele sentimento quente de viver que ninguém pode utilizar. Deus, que por pura bondade, considerara este sentimento pecado. Para que ninguém ousasse e ninguém sofresse a verdade. Sozinha com o quente sentimento de viver. Como uma rosa cuja graça não se pode aproveitar. Como um rio que é apenas para se ouvir o seu murmúrio. Sentimento quente que a mulher não poderia traduzir por nenhum movimento ou pensamento. Inútil mas vivo. Imponderável mas vivo como uma mancha de sangue na cama. Ali estava ela como uma mancha de sangue no escuro. E assim como um morto que se levantasse e andasse, a calidez de sua vida de súbito a ergueria devagar, e a levaria séria e cega a procurar na noite os seus iguais.

Quando começou enfim a chover, a senhora chegara a um ponto de silêncio em que a chuva lhe parecia a palavra. Surpreendida com o doce e inesperado encontro, ela se entregou sem resistência à água, sentindo no corpo que as plantas bebiam, que os sapos bebiam, que os bichos do sítio ouviam o barulho da água no telhado – o aviso se espalhara nebuloso e ensopava a fazenda toda: chovia, chovia, chovia. Que chova, disse ela. Pois também desse modo eu te amo, pensou antes de adormecer, a escuridão também era bondade, nós também éramos bondade.

Foi pouco depois que Vitória acordou como se tivesse dormido horas. E enfim livre do pesadelo, espantou-se de encontrar a noite no mesmo ponto em que a deixara.

O que acontecera é que ela tinha adormecido tão profundamente por alguns minutos que o corpo estava pesado de horas de sono. Quando foi ao banheiro, viu no espelho um rosto calmo e inchado. A sede alertava-a um pouco, o barulho da chuva nas folhas ocas dava-lhe mais sede. Desceu à cozinha onde, entre as frutas, pegou uma grande manga. Atenta, bateu-a de encontro à parede, vagamente cuidando de não acordar Ermelinda com o ruído fofo da manga nos ladrilhos da parede – até que sentiu absorta a fruta se amolecer dentro da casca, plena do próprio suco. Meditando, Vitória mordeu o topo da casca, cuspiu-a fora e pelo furo chupou o caldo todo. Rasgou então a casca com os dentes, comeu a carne amarela até chegar ao caroço.

Só quando estava diante da pia escovando os dentes é que os soluços subiram ao peito. Então, com o braço dobrado sobre a parede, escondendo neles o rosto, a senhora esperou paciente que o choro passasse. Depois do que, enxugou as lágrimas e olhou os dentes no espelho.

Então foi para o alpendre. Enquanto estivera no banheiro a chuva estiara. A noite estava recolhida e serena; pequenos ruídos indeterminados aconchegavam a escuridão. Estremecendo de bom frio ela pôde adivinhar do alpendre o caminho que a levaria ao depósito e, na secreta confusão dos arbustos, quase adivinhar a porta. Desceu as escadas.

Respirou devagar até sentir os pulmões cheios do ar negro e molhado. Afastando ramos conseguiu chegar à pequena clareira que preludiava a porta. Quase ouvia o silêncio que vinha do depósito. Mal se poderia supor que existia alguém vivo naquela escuridão, além dela mesma que respirava baixo, com a cabeça inclinada, escutando, escutando. Onde estaria o homem? Lembrou-se de uma vez em que o ouvira roncar. Se não fosse o absurdo da ideia, ocorrer-lhe-ia que o depósito estava vazio; ela sempre fora capaz de sentir quando um lugar estava vazio.

Recomeçou a chover. Os pingos escorriam dos ramos, batiam com delicadeza nas folhas e se espalhavam pela vastidão do campo. Um relâmpago verde revelou em relance a altura insuspeita do céu. Outro clarão pôs uma árvore antes invisível de súbito ao seu alcance. E para o abismo rolavam os trovões. "Eu" – disse a mulher velha – "eu sou a Rainha da Natureza."

Apertando o roupão de encontro ao peito, aproximou-se então até sentir o cheiro de madeira molhada da porta. E, um pouco mais no fundo do cheiro, o cheiro apodrecido que vinha das achas do depósito. Suas mãos percorreram lentas e vivas o longo da porta. Esta cedeu sem ruído. Empurrou-a devagar e, ao abrir uma porta desconhecida, a mulher parecia mais inquieta quanto à própria figura cautelosa no escuro do que ao espanto que o homem demonstraria quando ela o acordasse. Ficou imóvel, nem dentro nem fora do depósito, com o rosto atento molhado.

Mas a espécie de obstinação instintiva de vontade que a guiara até ali parecia ter se extinguido. Antes mesmo de terminar o ato acabara-se a inspiração que o alimentara. E como se nessa noite a mulher tivesse sido envolvida por inúmeras camadas de pesadelo e cada vez que se libertasse de uma delas pensasse erradamente ter enfim chegado à última – só agora estava inteiramente acordada do sonho. Passou a mão pelo rosto onde a água escorria livre. Até mesmo a ida à cozinha e a manga que comera tinham feito parte nebulosa de um sonho e de uma força. Por que tinha ido até o depósito? perguntou-se curiosa.

Lembrou-se então de que em algum instante já não identificável pretendera avisar ao homem que o denunciara ao professor. Fora isso, pois, o que viera fazer no depósito. Mas se até chegar a este parecera tão determinada a ponto de nem se questionar – agora de súbito não sabia qual seria o próximo passo a dar. Estava reduzida a ser uma mulher junto de uma porta numa noite de chuva. Será que se alguém a visse diria "olhe uma velha na chuva?", perguntou-se meditando. "Eu sou a rainha dos animais", disse a senhora.

Ninguém no mundo sabia que ela estava ali. E ninguém saberia jamais – pois agora já parecia ter a certeza de que não falaria com Martim e que voltaria para a cama atravessando de novo o caminho de chuva. "Ninguém no mundo jamais saberia" – o que alargou de repente a grande escuridão do campo, e a mulher ficou perdida nele, ela, a trêmula rainha da natureza. Esse pensamento de segredo completo de que só a chuva partilhava lhe deu prazer como se ela enfim tivesse feito algo além de suas forças humanas. Estremeceu de alegria. Com o vento molhado a noite bateu-lhe dura no rosto – a senhora recebeu com delícia o desconhecido pacto.

Foi com o mesmo cuidado anterior, mas sem a mesma emoção, que se voltou para ir embora. Em breve atingia o alpendre, escorregando nos degraus molhados e no musgo; em breve atravessava a sala e o corredor sem nenhum ruído, deixando atrás de si os rastros molhados de um bípede. Mas quando chegou ao alto da escada sua cautela tornou-se inútil: o pé pisara em algo que rolou e rolou e rolou. Com as costas coladas à parede, com a respiração contida, ela suportou com horror o objeto rolar degrau por degrau pausadamente como os minutos de um relógio. Talvez fosse o carretel de linha perdido. E ouvira, ou apenas acreditara ouvir, um rangido de cama no quarto de Ermelinda? O silêncio se refez aos poucos, as sombras voltaram aos seus lugares.

Só quando chegou ao quarto é que seu coração começou a bater com violência. Ficou de pé no escuro e enquanto tremia pela ousadia do que fizera – agora já não saberia se a ousadia fora a ida ao depósito ou a denúncia ao professor – enquanto tremia toda pelo que tinha feito, já começava a sorrir de triunfo. Não torceu o comutador porque temia o desagrado da luz amarelada e fraca do sítio, à qual jamais se habituara: cada vez que acendia a luz parecia-lhe que apenas dourara a escuridão. Sem acender a luz, sem fazer ruído para não provocar de novo o rumor suspeito no quarto de Ermelinda que tinha sono de ave, Vitória tirou o roupão, afastou astuciosamente os lençóis e astuciosamente entrou na cama; cobriu-se depressa até o queixo e ficou de olhos bem abertos no escuro, gozando o conforto ainda trêmulo de um cachorro que se isola para lamber suas feridas, com o olhar humano que os bichos têm.

Foi só então que também lhe ocorreu que não houvera nenhum ato... Que ela fora até a porta do depósito e voltara; apenas isto. Apenas isso? Seus olhos se abriram mais no escuro. Com surpresa – com dor? não, com alívio – com surpresa sua vida no sítio estava totalmente intata. Tudo então se tornou claro: ao denunciar o estranho, ela apenas estivera defendendo essa vida. Tanto que na claridade do dia seguinte mil pequenos afazeres aguardavam-na. Uma coisa ela pelo menos conseguira: chovera. Chovia. "E", pensou ilogicamente, "como o homem ainda não fora embora, ela ainda tinha tempo". Novo ruído indistinto no quarto de Ermelinda fez com que a senhora procurasse obscuramente até não pensar: imobilizou-se ainda mais à procura do sono que desmentiria tudo.

Quanto a Ermelinda, também esta demorou certo tempo para compreender que estava acordada. Deitada, seus olhos olharam tranquilos a escuridão do teto. Depois passou a distinguir os grilos separados do silêncio. E depois o barulho dos sapos calmos começou a nascer para seus ouvidos. Sua atenção procurou então certo ruído ritmado que agora já não ouvia mais: um ruído dentro da própria casa ou dentro de seu sono, alguma coisa que estranhamente se ligava a degraus de escada. Lembrou-se que sonhara que os descera um a um. E sonhara que um rato rolara pelas escadas. A casa estava tranquila sob a chuva.

Mas quando finalmente percebeu que estava acordada perguntou-se em súbito susto quanto tempo fazia que estava acordada. Mexeu-se rápida, passou realmente a ouvir perto da janela os roucos sapos e ouviu o barulho do vento nas folhas – tudo o que estivera surdamente em segundo plano tomou a dura forma da realidade. "É agora", pensou com as mãos frias.

Não precisou sequer pensar o que significava o "agora" pois seu coração já batera sabendo. Sabia que se ficasse um instante a mais sozinha no escuro acabaria de novo sentindo a extensão do campo no escuro, as florezinhas que mesmo de noite continuavam a existir em suave riso – pelo mesmo processo que havia tornado os sapos e o vento reais.

Como se tivesse sido mordida, em menos de um segundo a moça estava de pé, em menos de um segundo enrolava-se no lençol e corria pelos corredores com os chinelos na mão. Sem se perguntar por que encontrara a porta do alpendre inesperadamente aberta, ela a atravessou num vento de lençóis e de cabelos. E só quando atingiu a clareira perto do depósito – depois de vencer num só instante de pavor quase audível a distância que a separava do homem – é que numa exclamação abafada percebeu que havia encontrado a porta do alpendre inexplicavelmente aberta... E que também a porta do depósito estava aberta...

Este foi o derradeiro sinal de que talvez já tivesse acontecido aquela coisa impossível de se conhecer senão quando acontece: entre a vida e a morte já não havia barreira, as portas estavam todas abertas.

A moça então se imobilizou na clareira com seu lençol molhado, rígida, sem dar mais um passo. Seu terror era tranquilo na chuva que caía. E ali em pé ela parecia sossegada. Fora capturada sem aviso. Capturada pela sua religião e pelo abismo de sua fé e pela consciência de uma alma e por um respeito pelo que não se entende e que se termina adorando, capturada pelo que na África faz soarem os tambores, pelo que faz da dança um perigo e pelo que faz com que a floresta seja o medo de uma pessoa. Incapaz de se mover, com respeito e terror pelo seu próprio pensamento que se evolava dela, e a chuva parecia se evolar da terra como fumaça se ergue de ruínas. Mas não era de ruínas que a moça tinha medo, era de fumaça. E não era a morte que ela temia. O que respeitava, com a veneração que se tem por uma floresta, era a outra vida. Ali em pé, olhando os campos vazios por onde um dia passearia liberta do corpo. Com aquele modo indireto de passear que sua alma teria: ao mesmo tempo para trás e para a frente e para os lados. Tão sozinha depois de morta. Inteiramente sozinha. Entregue enfim ao sonho que a arrastava em vida, ela que entendera tão mal o milagre do espírito.

A moça ficou pois quieta nos seus lençóis como uma grande borboleta branca. E nada podia oferecer, em sacrifício de troca, pela morte. Nada tinha de precioso para uma dádiva de martírio. Não havia barganha possível. O pensamento da morte era o ponto mais derradeiro que seu pensamento conseguia atingir. E de onde também seu pensamento não podia sequer voltar para trás. Pois voltar seria encontrar, como num pesadelo de perseguição, os grandes campos desta terra, as nuvens infladas e vazias no céu, as flores – tudo o que na terra já é tão suave como a outra vida. As flores pequenas e perfeitas se balançando em multidão no campo... não tinham elas a serena loucura e a delicadeza da "outra vida"? Quando era obrigada a encarar seu medo de frente, o cheiro suavíssimo das flores a perseguia como um passarinho que rodeasse a sua cabeça. Aquela moça delicada preferia o rato, o corpo de um boi, a dor e aquele contínuo trabalho de viver, ela que tinha tão pouco jeito para viver – mas preferia tudo isso à horrível e tranquila alegriazinha fria das flores, e aos passarinhos. Porque também estes eram na terra a marca nauseante da vida posterior. A presença deles, inocente lembrete, tirava a segurança da própria vida terrena. E era então que, mesmo as casas com suas vidas por dentro, lhe pareciam construídas fragilmente demais, sem consciência do perigo que havia em não serem mais profundamente enraizadas no chão. No entanto só a moça parecia ver o que os outros não viam e o que as casas sólidas não suspeitavam sequer: que estas tinham sido erguidas sem cautela como quem na escuridão adormecesse num cemitério sem saber. As casas e as pessoas estavam apenas pousadas sobre a terra, e tão pouco definitivas como a tenda de um circo. Aquela sucessão de provisórios sobre uma terra que não tinha sequer fronteiras que delimitassem onde uma pessoa vive em vida e onde vive em morte – aquela terra que talvez fosse o próprio lugar onde a alma um dia passearia perdida, doce e livre.

Mas se a moça conseguia ver, vindos do longe para onde um dia ela própria iria, se conseguia ver os passarinhos... quais? quais seriam os outros "sinais"? como distingui-los no seu disfarce? Às vezes ela distinguia. Às vezes de súbito percebia na árvore tão sólida a suavidade suspeita. Mas como, como distinguir os outros sinais? Embora às vezes o silêncio soprasse.

Todo o trabalho daquela moça, que tinha uma vez caído no mistério de pensar, era procurar inutilmente provas de que a morte seria o sereno fim total. E isto seria a salvação, e ela ganharia a sua vida. Mas, com sua tendência para a minúcia, o que conseguia eram os indícios contrários. Uma galinha que voava mais alto que o comum – tinha aquela naturalidade do sobrenatural. Cabelos que cresciam sempre tão depressa tornavam-na tão pensativa. E uma cobra "mas que estava ali há um minuto, juro! e não está mais!" – a rapidez com que as coisas sumiam, a rapidez com que ela perdia lenços e não sabia onde deixara a tesoura, a rapidez com que as coisas se transformavam em outras, a evolução automática de um botão mecanicamente se abrindo em flor aberta – ou a cabeça de um cavalo que de repente ela descobria no cavalo, a cabeça adicionada como uma máscara de espanto naquele corpo sólido – tudo isso obscuramente era um indício de que depois da morte começava a vida incomensurável. Pois este tinha sido o modo como Ermelinda se dera conta da beleza: pelo seu lado de eternidade. E se existem milhares de modos de ver, a moça se enganchara para sempre num deles.

Oh mas não desta vez!

Ali na clareira, de repente e num movimento inesperado de libertação, ela desprendeu os pés da terra ensopada – e num voo atravessou o umbral da porta lançando-se em procura do homem num desespero de ave na gaiola. E quando seu corpo bateu no dele, ela não se espantou sequer de encontrar Martim de pé e vestido e ensopado de água, como se também ele tivesse acabado de entrar no depósito.

E o homem estupidificado, vendo-a com a cabeleira desfeita, selvagem como um crisântemo, só se deu conta do que acontecia quando enfim reconheceu o vulto da moça. E ele não saberia se ela correra para ele ou se ele próprio se lançara para ela – tanto um assustara o outro, e tanto um era a própria solução para que o outro não se aterrorizasse com o fato de tão inesperadamente estarem unidos. Ela se grudou a ele no escuro, aquele homem grande e molhado com cheiro de azinhavre, e era estranho e voraz estar abraçada sem vê-lo, apenas confiando no ávido sentido de um tato desesperado, as ásperas roupas concretas, ele parecia um leão de pelos molhados – seria ele o algoz ou o companheiro? mas no escuro ela teria que confiar, e fechou intensamente os olhos, entregando-se toda ao que havia de inteiramente desconhecido naquele estranho, ao lado do mínimo conhecível que era o seu corpo vivo – ela se colou àquele homem sujo com terror dele, eles se agarraram como se o amor fosse impossível. Não importava sequer fosse ele um assassino ou um ladrão, não importava a razão que o fizera cair no sítio, há pelo menos um instante em que dois estranhos se devoram, e como não gostar dele se ela de novo o amava? – e quando a voz dele soou em grunhido no escuro, a moça se sentiu salva, e eles se amaram como casados se amam quando perderam um filho.

E agora os dois estavam abraçados na cama como dois macacos no Jardim Zoológico e nem a morte separa dois macacos que se amam. Agora ele era um estranho, sim. Não mais porque ela o desconhecia – mas como modo dela reconhecer a existência particular e intransponível de uma outra pessoa, ela admitia nele o estranho como reverência de amor. Nesse momento ela poderia dizer: reconheço você em você. E se a graça também esclarecesse o homem além do temor de estranhar, também ela seria para ele enfim a grande estranha – e ele lhe diria: e eu reconheço em você, você. E assim seria, e seria tudo, pois isso provavelmente era amor.

A moça pegou na mão dele e sentindo-a quente e ainda molhada, suspirou profundamente e deu uma risadinha. É que mal acreditava na própria esperteza: esta noite ela vencera o medo. E mesmo atordoada pelo sono soubera correr para perto de um homem, pois um homem não tinha a suavidade das mulheres, um homem desmentia por um instante a outra vida. Ali deitada e pensativa, Ermelinda entendeu o que um dia uma amiga medrosa lhe dissera: "quero casar porque é muito triste uma pessoa ser sozinha". Ermelinda deu à frase um sentido todo especial de advertência, porque também a amiga era pessoa que tinha, por exemplo, medo do escuro. E era verdade, refletiu Ermelinda muito sensata. Pois enquanto ela própria fora casada, seu marido tinha horários e hábitos, o que tanto afastava a amplidão do mundo. E mesmo enquanto vivera na cidade era diferente: em lojas e mercados a vida era menor, cabia-se dentro dela sem medo, e não como no campo amaldiçoado. Ela deveria ter ficado na cidade e casar de novo; era isso, sim, era isso o que devia ter feito. E amanhã, amanhã avisaria a Vitória que ia embora, pois agora mesmo estava tendo a prova de que era isto o que devia fazer, agora que se aconchegava junto de Martim, e um homem tirava essa liberdade que uma pessoa sozinha sente como prenúncio da liberdade maior.

Foi pois com um sorriso de sono no rosto, bem armada com o que talvez dissesse a Vitória no dia seguinte, que a moça saiu do depósito ainda tonta, pisando nos destroços de lenha e na lama, andando com cuidado no escuro para não cair.

E foi então que, como se seus olhos a olhassem de frente, ela teve a ideia de si mesma como se se visse: e o que viu foi uma moça sozinha naquele mundo gotejante, com um ombro descoberto pelo lençol que a enrolava mal, os cabelos soltos e aquele rosto em cuja fácil indecisão se pintara agora a alegria de viver.

E, vendo-se, imobilizou-se tão de repente que seus pés se afogaram na poça d'água e as mãos sem apoio arranharam-se na árvore que no escuro lhe tinha sido jogada à frente. E como se ela própria fosse um forasteiro distraído que de repente tivesse visto aquela moça sozinha na chuva – arrepiou-se toda. Estava viva e resplandecia de horror. Estaria viva nesta vida ou já na outra? teria talvez ultrapassado o vago horizonte como os passarinhos que vão e voltam... Pensou se na verdade não teria morrido sem saber nos braços do homem pois a este ela dera o corpo, e sua alma estava ali branca e vacilante, com aquela doce alegria que a moça ignorava também poder vir do corpo.

Talvez porque, tendo tropeçado, ela estivesse quase ajoelhada e não precisasse ser audaciosa para fazer o que o seu coração pedia; talvez porque estar pela primeira vez de noite fora de casa tivesse quebrado alguma lei de possibilidade – agora ela não precisava ser corajosa para completar o semigesto de queda, e então ajoelhou-se junto do tronco que a ferira e sem nenhuma vergonha pediu a Deus para ser eterna. "Só eu!", implorou ela, não como privilégio mas para facilitar-Lhe a tremenda exceção. Ah Deus, deixe eu sempre ter um corpo! As lágrimas corriam pelo rosto ainda feliz que, alarmado, não tivera tempo de mudar de expressão. Meu Deus, confessou ela afinal sentindo que cometia com isso grande pecado, não Vos quero ver nunca! Tinha horror de Deus e de Sua doçura e de Sua solidão e de Seu perfume, tinha horror dos pássaros que Ele enviava como mensageiros de paz. Eu não quero morrer porque não entendo a morte! disse a moça para Deus, não me julgue tão superior a ponto de me dar a morte! eu não a mereço! me despreze porque sou inferior, qualquer vida me basta! nem inteligente eu sou, sempre fui atrasada nos estudos, para que então me dar tanta importância? basta me deixar de lado e me esquecer, quem sou eu para morrer! só os privilegiados devem morrer! quem está Lhe pedindo a verdade! pode dá-la a quem pede!

Seu rosto encostara-se ao tronco como a um outro rosto rugoso, e ela sentia aquele cheiro de barro sujo que é tão assegurador e simples: o cheiro de sua própria vida na terra, encostou-se então com amor e avidez no tronco sujo, onde a boca se colou pedindo. E por piedade de si mesma, foi como se Deus lhe dissesse:

– Está certo assim. A gente vive e a gente morre.

Não fora isto o que sentira na tarde em que debulhara milho? Quem aceitasse o mistério do amor, aceitava o da morte; quem aceitasse que um corpo que se ignora cumpre no entanto o seu destino, então aceitava que o nosso destino nos ultrapassa, isto é, morremos. E que morremos impessoalmente – e com isso ultrapassamos o que sabemos de nós. Em cumprir-se havia alguma coisa de impessoal a que simplesmente uma moça dizia amém – e só gritava quem se enganchava numa dor ou num susto e se tornava pessoal. A moça estava confusa e cansada, encostada ao tronco. No fundo ela se entendia e entendia. Sua forma de entender é que, por mistério de palavras, se fizera tão difícil.

Foi mais ou menos isso o que ela sentiu em estado de sono e de amor, abraçada ao bom tronco de árvore para o amor do qual fomos tão benfeitos, colada à árvore, gostando tanto de sentir suas boas e duras nodosidades, esperando que muitos e muitos e muitos anos ela tivesse para sentir o cheiro das coisas, feliz aniversário. A posição falsa a dobrava. Mas ela não conseguia dizer adeus ao perfume morno que vinha do sono e da fadiga, perfume de corpo vivendo, e de novo respirou a frescura das folhas molhadas, esse cheiro de chuva que é como um gosto amargo de nozes – e nas mãos cegas sentiu a árvore áspera que foi feita para nossos dedos, e nos joelhos a terra molhada, tudo isso que é a nossa alegria, tudo isso que nos dá tanto prazer, e se para isso fomos tão benfeitos, então

– então Ermelinda, já muito cansada, teve vontade de enfim ceder e de enfim seguir a sua vocação que era a de um dia morrer.

4

Quando a segunda-feira amanheceu, o sol estava tão forte que a água nas poças arfava quente e as abelhas já rondavam as flores doídas, e era como se tivesse havido uma festa cujos enfeites não tinham sido retirados. Em breve um novo calor ali se instalara, feito de folhas de lã verde e de umidade de corpo, um calor despetalado, e já às nove horas a alma apodrecia entre mosquitos. Algumas frutas verdentas se haviam esborrachado no chão para a curiosidade das formigas; na superfície das poças d'água colavam-se empoeirados os fios caídos de teias de aranha. Se bem que certas aranhas diligentes já tivessem feito novas ligações faiscantes no ar. Era com uma atenção de inconsciente esperança que o olhar acompanhava os fios de seda caminharem rápidos de uma árvore para a outra, refazendo o espaço rebentado pelo dilúvio. Às nove horas só os fios de aranha eram delicados na luz. Tudo o mais tinha a brutalidade de uma satisfação, um ensopado de feltro que custa a secar, e o peso do próprio peso. Em toda a parte chovera.

Com força nova a mulata cantava na cozinha quente. A chuva da noite parecia ter sido uma imaginação de todos, o que se passa de noite não se usa de dia. Martim estava com os olhos avermelhados pela insônia. O cansaço revelara-se pior do que ele calculara e sua boca tinha um gosto de sono não dormido. "Estive ontem de noite no mato", pensou ele reduzindo obstinadamente o que lhe acontecera a isto: estivera no bosque e na sua volta Ermelinda entrara no depósito. "Uma sem-vergonha", pensou ele fatigado e sem malícia, olhando a moça de longe e vendo-a de cabelos de novo sensatamente arrumados em bandós como se nada tivesse acontecido. A noite do domingo pareceu ao homem um absurdo, e ele na verdade não se lembrava bem dos detalhes; ter estado no bosque "afinal não queria dizer nada" – e foi assim que ele cuspiu no prato em que comera. "Mais tarde, mais tarde pensarei", disse-se ele, "tem tempo ainda". Seria muito fácil pegar o caminhão ao anoitecer, e quando ouvissem o ruído do motor ele estaria longe. Tinha relativamente tempo: pois para o professor ele continuava sendo uma charada. "Mais tarde", pensou ele.

A mulata cantava e Ermelinda tomando café lhe disse:

– Menina, esta noite tive um medo de morrer que você nem calcula! parecia que o mundo ia desabar!

– Sai azar, D. Ermelinda! disse a outra feliz.

Ambas riram. Mas calaram-se cúmplices quando ouviram os passos de Vitória atravessando a sala. De novo com as velhas calças pretas e de blusa aberta no peito, com os cabelos enrolados, Vitória vinha do campo. Não sabia em que hora tomara café, tão ativa amanhecera como se, com a chuva, tivesse perdido um tempo que era preciso recuperar.

– É hoje, murmurou a mulata mostrando Vitória com a cabeça, é hoje que vamos ter aborrecimento – e Ermelinda concordou em silêncio.

Mas passando pela cozinha Vitória não as olhou sequer. Estava preocupada com outros problemas – resolvera, por exemplo, que se deveria enfim abater a velha macieira que só dava fruta raramente e mesmo assim ácida; e sobretudo ocupava tanta terra boa. Mas agora chegara o momento de decidir, uma vez que um raio ou o vento haviam-lhe quebrado alguns galhos que se penduravam como um trapo pelas juntas.

Martim relutou um pouco: achava uma pena destruir a bela árvore. Vitória insistiu e ficava vermelha insistindo. Ele olhava-a, escutava-a argumentar, e opunha uma resistência muda. A mulher cada vez mais queria que a árvore fosse derrubada, como se a repugnância que o homem demonstrava por esse trabalho a excitasse.

Assim, depois que algumas ordens foram dadas a Francisco e outras providências tomadas, Vitória seguiu Martim e seu machado, e postou-se perto da árvore para assistir – e estava tão resoluta como se a derrubada fosse questão de minutos. Um de seus pés determinadamente se apoiara numa pedra.

Martim começou moroso a dar os primeiros entalhes circulares. Ela, como se estivesse preparada para assistir a uma destruição violenta e rápida, inquietou-se com a lentidão do homem, e mal controlava o rosto espicaçado pelo sol:

– Mais depressa, sussurrou afinal rápido e baixo, não se contendo mais.

Ele não se voltou nem interrompeu o ritmo lento das machadadas.

– Quanto tempo vai demorar até cair? perguntou a mulher inquieta.

– Depende.

– Talvez o senhor queira que eu mande Francisco ajudar? talvez o senhor não possa sozinho? sugeriu já impaciente pela resposta.

– Não precisa, disse ao mesmo tempo que vibrava nova queda total do machado. Vou devagar mas certo.

"Mas eu não quero devagar", pensou ela batendo com a bota nas raízes que se espalhavam nodosas e ressurgiam em excrescências mesmo longe daquela velha e negra árvore que, potente, mal estremecia aos golpes do machado. Ficaram em silêncio, o sol subia e ganhava em força. Era um silêncio desassossegado, cheio de moscas. As machadadas foram tomando um ritmo regulado – pequenas lascas esvoaçavam úmidas e brancas mostrando quanto a árvore ainda era nova por dentro. A mulher sentou-se numa das saliências da raiz, e o homem sem parar o trabalho olhou-a rapidamente. O silêncio continuou, as moscas brilhavam imundas, azuladas, os cachorros inquietos se cheiravam. Ouviu-se de longe um assobio, ouviu-se de longe uma queda; as moscas brilhavam negras.

O coração da mulher começou a bater muito quando ela afinal perguntou com o rosto calmo, mas tão transtornada que não ouviu a própria voz:

– Por que é que o senhor veio para cá?

Nada ouviu em resposta. Só as machadadas se rebentavam tornando mais fundo o círculo no tronco. E com grande alívio ela chegou a acreditar que não falara e que apenas ouvira o próprio pensamento. Seus ouvidos, que se tinham preparado para uma resposta, perceberam apenas o gorgulho do rio. Mas ele respondeu:

– Eu me separei de minha mulher e vim embora.

Ainda sem notar que somente agora sabia que ele era casado, ela disse:

– Mas por que veio exatamente para cá?

– Tanto podia ser aqui, como podia não ser.

Ela percebeu que ele dissera ser casado:

– A primeira impressão que tive foi a de que o senhor estava fugindo! disse ela então com muita dureza.

– De algum modo, disse ele.

E tendo dito, interrompeu o trabalho sem pressa. Jogou o machado longe. Voltou-se e encarou-a de frente.

A mulher empalideceu um pouco. Um leve tique fez com que sua boca se crispasse ao mesmo tempo que o olho esquerdo, o que lhe deu o ar de falta de culpa dos capturados em flagrante.

– A senhora, constatou Martim sem cólera, quis que eu derrubasse esta árvore somente para me manter num lugar e poder me fazer perguntas.

– Eu? mas não! contestou ela, e a verdade lhe fora tão subitamente revelada que a mulher se sentiu inocente diante dela.

– Já disse: me separei de minha mulher e vim embora.

– Mas parecia fugindo... – não pôde ela se impedir de dizer cheia de curiosidade.

– Dessas coisas uma pessoa também foge, respondeu ele com extrema atenção, sem desviar por um segundo seus olhos frios do rosto da mulher.

Ficaram se olhando, a cara de ambos estava crua ao ar livre, e avermelhada de sol. Não havia uma ruga no rosto da mulher que não estivesse exposta mas como ela não o sabia ergueu de repente a cabeça com muita altivez.

Então, apesar da árvore grossa estar apenas ferida, Martim se voltou para ir embora como se tivesse terminado a tarefa.

– Fique, precipitou-se ela com dureza. Quero falar!

– Já lhe disse, repetiu ele mais áspero. Separei-me de minha mulher e vim embora. Será que o professor precisa saber mais do que isso? acrescentou tranquilo, cruel.

Ela não pareceu ter ouvido mas empalideceu:

– Não é sobre isso que quero falar! cortou rápida, surpreendida consigo própria.

Martim tomou um ar rígido de estrita espera como se pretendesse ir embora mal ela dissesse o que tinha a dizer.

– Quero – quero falar sobre Ermelinda, inventou ela de repente.

Ele ergueu as sobrancelhas em sincera surpresa, e as pálpebras por um instante mais abertas deixaram os olhos azuis rapidamente nus, em desconfiança. A mulher não prosseguiu imediatamente, como se estivesse certa de que o retinha mais com o silêncio do que com improváveis palavras.

– E então? perguntou ele olhando-a de lado em defesa.

– É o seguinte, disse ela pausada como se não tivesse mais pressa já que agora inexplicavelmente era ele quem parecia ter a pressa da curiosidade. É o seguinte, repetiu como se ainda não soubesse bem o que ia dizer.

Premida então pela espera agora autoritária do homem, repetiu:

– É o seguinte: Ermelinda é uma pessoa muito impressionável, sensível mesmo.

Ficaram se olhando.

– Qualquer coisa impressiona Ermelinda, qualquer coisa faz com que ela perca a compostura. Ela – disse Vitória lambendo os lábios – ela perde o equilíbrio à toa. Ela é muito impressionável, muito sensível mesmo. Quando ela veio morar comigo, logo depois que enviuvou, eu sabia muito bem que espécie de pessoa eu ia ter em casa, pois, não sei se o senhor sabe, ela passou a infância presa ao leito. Mas ela teria que morar em alguma parte e não tinha dinheiro, então veio para cá. Como Ermelinda é muito sensível, eu tenho um pouco de responsabilidade por ela, compreende? acompanho sempre de perto a vida dela, entende? Oh, por favor, ela não é desequilibrada, oh nem um pouco: nunca vi pessoa que se perca menos. Mas o que aconteceu é que ela, sendo muito bondosa e caritativa, não tomou as leis do espiritismo como símbolo apenas. Não entendeu bem o que é espiritismo e misturou um pouco com o catolicismo, compreende, e então ficou um pouco diferente de nós. Entenda que não quero dizer que ela não tenha a cabeça no lugar. Pelo contrário. Mas ela se deu os privilégios da insensatez sem ser insensata, disse Vitória com súbita avidez de admiração, e seu rosto se contraiu de inveja e amargura.

O homem intrigado fez sim com a cabeça. E ficou esperando pela continuação em vaga suspeita, embora sua cara em pressentimento já estivesse um pouco maliciosa.

– Então, disse Vitória depois de uma pausa e de novo passando a língua pelos lábios – então, como sou responsável por Ermelinda...

Fez outra pausa, e dessa vez olhou-o indecisa sem saber mais o que dizer. Mas ele, inapelável, esperava.

– O que quero dizer, recomeçou a mulher de repente em tom forte como se fosse falar de um assunto inteiramente diferente, o que quero dizer é que talvez fosse bom o senhor tomar certo cuidado. Quero dizer: sei perfeitamente que é muito o que vou lhe pedir, mas queria que o senhor evitasse que ela um dia viesse, digamos, a se interessar pelo senhor... Oh, nenhum sentimento muito forte, disse sutil como se entendesse a objeção que ocorrera a ele, nenhum sentimento muito forte! repetiu com súbita segurança por ter tido a oportunidade de interrompê-lo com sua penetração de espírito. Ermelinda é incapaz disso! Mas talvez o senhor pudesse... Bem, é que com ela não posso contar. Ela perde a compostura por qualquer coisa, quando se anima um pouco fica logo vermelha, dá gritinhos... veja, por exemplo, ela come pouco, mas se a gente encoraja ela com um pouco de amizade, ela parece pensar que corresponderá à amizade comendo muito, comendo com uma avidez de criada...

Parou de repente. É que, se antes o homem aguardara com olhos surpreendidos, agora a capacidade de rir estava clara no seu rosto.

– Sei, continuou estoica enxugando penosamente o suor da testa, sei que isso não depende do senhor, oh compreendo muito bem, o senhor não precisa argumentar comigo: sei muito bem que uma pessoa pode, digamos, se interessar por outra sem que essa outra, digamos, ao menos pressinta...

A horrível malícia no homem seria apenas aquela peculiar a seus traços, ou já era também de expressão? O mal-estar constrangeu-a, ela afastou a mosca do queixo.

– Mas é que, disse então nobre, não podendo contar com o bom senso de Ermelinda, que tem, como eu ia há pouco dizendo, a possibilidade de um dia poder vir a se interessar pelo senhor, sou então obrigada a contar com o auxílio do senhor mesmo! concluiu com alívio como se enfim acabasse de expor um raciocínio muito lógico. Um ligeiro triunfo estremeceu na sua voz: jamais pensara conseguir enfim se livrar do pesadelo das frases.

O homem, este parecia contentíssimo. E olhou-a: ela estava tão imaculada e satisfeita!

– A senhora receia que um dia ela vá comigo para a cama? disse ele com enorme prazer, é isso o que a senhora receia? Mas isto jamais aconteceria, minha senhora! E mesmo agora já nem sobra mais tempo: a senhora é a pessoa que sabe disso, não é mesmo? a senhora e o professor! Mas o que sinceramente me espanta é que uma cabeça tão limpa como a sua tenha podido descer a ponto de imaginar tal coisa! por Deus que a senhora me escandaliza!

A mulher emudeceu, a boca entreaberta... O homem olhou-a com uma atenção minuciosa, cheia de delícia.

– O que quero dizer – respondeu ela de repente, passando com dificuldade pela grosseria dele – o que quero dizer é que, digamos, o mundo é demais para Ermelinda porque ela é muito sensível, disse a mulher forçando uma finura de salão e, sem sentir, sua mão subira ao decote fechando-o um pouco. O mundo, concluiu espantada sem prestar a menor atenção ao que dizia, é demais para Ermelinda, ela não pode aguentá-lo, acrescentou tola.

– Pode, disse inesperadamente o homem em tom moroso, sem encará-la mas sem fugir.

O coração da mulher se comprimiu. Não pelo que ele dissera e que ela mal ouvira. Mas talvez porque não tivesse esperado resposta nenhuma. Só agora se dava conta de que ali estavam os dois de pé conversando; só agora via que não estivera falando sozinha. E, por Deus, também não fora ela quem inventara aquela ferida inegável no tronco da árvore, e não inventara enfim aquela sensação de suave ofensa que vinha do homem para ela, nem inventara aquele sol que se manchou todo aos seus olhos: só agora se dera plenamente conta de que não estava sozinha. E sentir que se comunicara encheu-a de trêmula excitação como se depois de ter carregado um peso ela visse com deslumbramento que já o carregara. Avançara mais do que pensara ser capaz, e agora era tarde demais para retroceder. Mesmo que nada mais acontecesse, jamais poderia negar o que já acontecera... Avançara mais do que poderia retroceder, e sua pele se arrepiou como a pele de uma galinha. Tudo ao seu redor pareceu-lhe então contagiado pela mesma possibilidade de vir a se tornar real, uma possibilidade de súbito docemente revelada: a árvore quase intata no entanto pronta a se quebrar, o sol de hoje que não era senão a chuva de ontem, tudo o que era sólido no entanto sempre pronto a se quebrar – e até nos olhos do homem a mulher quase adivinhou o ponto comovido que há nos olhos de uma pessoa, nos olhos mais frios o ponto vulnerável: a possibilidade.

"E se eu realmente falasse?", ocorreu-lhe. O homem a entenderia? Ou não? E por um instante – diante das variadas coisas desiguais que no entanto recebiam no campo o mesmo sol – por um instante não houve sequer contradição em que simultaneamente ele a entendesse e não a entendesse como se assim apenas pudesse ser. Se ela falasse? Mas como adivinharia naquele corpo teimoso do homem até que ponto ele a entenderia. E mais fundo ainda, mais inexplicável ainda – como saberia ela mesma até que ponto suas próprias palavras seriam as que falam ou as que silenciam.

Apenas iniciada na doçura da comunicação, qualquer obstáculo lhe pareceu intransponível como se a ela tivesse sido entregue o milagre da seiva que alimenta a planta e ela então dissesse: é impossível. Não sabia que certas coisas se faziam sozinhas ou então nunca se fariam. Habituada à própria força de determinação, terminara por pensar que andava porque queria e dormia porque assim resolvera. E agora pensava que antes de falar era essencial saber como é que se fala. Em leve desespero de felicidade olhou o campo e as ervas e as moscas: e tudo se fazia sozinho, tudo tinha a sabedoria do viver. Mas ela – ela não sabia como se fazer. Como sou infeliz, disse-se então tranquila. Mas seria infelicidade aquela iminência para a qual tudo de repente lhe pareceu debruçado, e aquele grande risco que uma pessoa corre? E se isto fosse exatamente a nossa felicidade. "Acho que isso é ser feliz", pensou com curiosidade. Pois se ambos estavam ali conversando... pois se o rio corria gordo e lento... pois se levantando seus olhos a grossa copa da árvore se iluminou... pois se os besouros estalavam no ar... pois se os instantes jamais se repetem e de se saber disso é que temos esta delicada sede... que felicidade poderia desejar além desta? Queria que lhe assegurassem que aquilo que ela sentia era tão real a ponto de acontecer. Queria – queria que tudo o que ela sabia não estivesse mais oculto.

– O senhor não me entendeu, disse engolindo a saliva na severidade de sua alegria, não quero dizer que Ermelinda não aguente. Ermelinda poderia corresponder, digamos, mesmo ao amor, mas ela não resistiria. Ermelinda tem a doença da alma, como diz... – ia acrescentar "como diz o professor" mas calou-se a tempo.

O homem não respondeu. Vitória sentiu que não somente não o convencera como talvez ele achasse que ela falara demais. E se assim pensou é que, sem hábito de falar, tivera ela própria a penosa impressão de ter tagarelado com volúpia. Logo ela, ser acusada de falar demais! o orgulho picou-a misturado com dor:

– Tudo em Ermelinda é por um fio! gritou-lhe como numa ordem final.

– E na senhora? indagou ele muito calmo.

Antes mesmo de sentir a pergunta com um pequeno choque, pelo que esta implicava em ofensa pessoal, Vitória se descrispou toda: era suave ouvi-lo falar nela. "A senhora, a senhora, a senhora." A palavra respeitosa e doce quebrava enfim alguma trama no seu peito, ela que sempre tivera medo de não ser respeitada.

– Eu não, respondeu sem vaidade. Eu sou forte.

Um instante mais, e ocorreu-lhe que na verdade acabara de dizer ao homem que ela era forte a ponto de suportar o amor. Teria ela simplesmente se oferecido a ele? Seus olhos piscaram várias vezes como se a esse pensamento eles tivessem ficado cegos de surpresa. Como falava pouco, já não sabia até que ponto as palavras costumavam revelar o pensamento, e seu coração bateu de horror: teria o homem compreendido? E o pior, pensou ela em revolta, é que era mentira: não era amor que ela queria!

No rosto calado de Martim afortunadamente a expressão era vazia. Ela tivera medo de que ele demonstrasse que compreendera. E logo em seguida, por um instante, ela quis que exatamente isto sucedesse: que ele dissesse que compreendera e que tudo desabasse enfim. No instante seguinte ela o mataria se ele ousasse compreender. Não tolerava a ideia de que ele achasse óbvio que ela o amasse, sobretudo porque não era verdade, revoltou-se ela.

– Bem, vou indo, disse Martim.

Saiu e suas botas já começavam a fazer um ruído oco na prancha de madeira.

– Espere, disse ela com voz áspera, não acabei de falar.

Ele voltou obediente, com o mesmo ritmo de passos com que se retirara.

– Quero lhe dizer, disse ela pálida, que não estava lhe fazendo perguntas sobre a sua vida, como o senhor julgou. Sua vida não me interessa. O senhor trabalha, o senhor ganha, e é tudo quanto preciso ou quero saber. Está bem entendido?

Ele riu. Pela primeira vez ele riu:

– Está.

Voltou-se de novo para ir embora.

– Espere, chamou ela. Quando eu acabar de falar é que o senhor irá embora, não estou habituada a que me deem as costas.

De novo então ele parou. E de novo dirigiu-se a ela. Mas dessa vez interrompeu os passos a uma distância maior da mulher como se soubesse que daí a pouco iria embora e daí a pouco de novo ela o chamaria: ficou pois a meio caminho.

Ela se mantinha de pé, dura. Estava mais branca.

– Quero lhe dizer também que o senhor não tenha a pretensão de julgar pelas aparências. O senhor não quer dizer nada sobre a sua vida, mas bem sei que o senhor também não quer que o julguem apenas pelo que parece, pois o senhor é um vaidoso e um disfarçado. Pois então também não julgue, ao ver uma mulher envelhecida cuidando de uma fazenda, que essa mulher é apenas uma mulher envelhecida cuidando de uma fazenda, disse com grande autoridade como se tivesse dito alguma coisa inteligível.

Quando dissera "envelhecida" ele nada retrucara mas ela julgou ter notado certa surpresa nos olhos dele, e seu coração se contraiu de alegria.

– Quero lhe dizer, prosseguiu com orgulho, que minha vida não é só isso – e mostrou com a mão trêmula as terras ensolaradas do sítio.

– Essas coisas não se dizem, murmurou ele pesado, fugindo com os olhos.

– Mas eu quero dizer! gritou ela depressa como se ele pudesse fisicamente impedi-la de continuar. Ouça, disse entre ordem e pedido, habituada que estava a comandá-lo, ouça.

– Não sou padre, disse ele com brutalidade.

– Mas ouça! repetiu com a mesma violência.

– Não quero suas confidências, disse ele então muito severo.

– O senhor tem medo, disse Vitória ilogicamente.

– Medo? ah isso também não – pois ele percebera a tempo que ela estava tentando arrastá-lo para a vida dela – ah isso também é ir longe demais. Não tenho medo: é que é inútil falar sobre essas coisas.

– Mas ouça! quero lhe dizer que minha vida não é só isso.

– Mas por que a mim? exclamou ele furioso.

– Porque preciso de uma testemunha! respondeu ela num desespero de cólera. Não pense que minha vida é só isso. Que é que o senhor diria, eu me pergunto o que o senhor diria com esse ar de quem despreza a vida dos outros, que é que o senhor diria se eu lhe dissesse que sou uma espécie de poetisa! gritou ela.

Martim olhou-a com tal espanto que ela ficou paralisada. Uma cor um pouco amarelada espalhou-se pelo rosto surpreendido da mulher.

– Pois olhe, disse ele de repente rindo e alçando os ombros, eu não diria nada.

– Sou uma espécie de poetisa, repetiu como se não tivesse ouvido a sua interrupção, só que não escrevo porque não tenho tempo. Mas coleciono provérbios e pensamentos, tenho uma coleção enorme, disse surpreendida e sabia que acabara de estragar sua coleção para sempre no seu segredo e que jamais copiaria de novo um só provérbio, porque não ser compreendida pelo homem a desorientava. Coleciono pensamentos, disse muito inquieta. Tenho muita vida interior. Sou uma curiosa da vida, exclamou então com súbito desembaraço, tudo neste mundo me interessa e eu estudo no livro aberto da vida. E minha vida interior é muito rica, disse e sacudiu os cabelos presos como se estes estivessem soltos em cachos.

Martim olhou rapidamente para a árvore como se ele e a árvore trocassem um fugitivo relance.

– Até comecei uma vez uma poesia, disse ela espantada, forçando-se a continuar pois pensava que falar consiste em dizer tudo, e ao mesmo tempo viu escorrer-se para o nada o seu pudor inutilmente sacrificado. A poesia começava assim: "As rainhas que reinavam na Europa no ano de 1790 eram quatro." – Aquele homem ia saber tudo, e ela ficaria sem nada... – Mas a poesia não era para ser sobre rainhas, compreende? disse quase chorando de raiva, era só por causa da beleza, compreende? – mas ela sabia que ele não compreendia, sabia que só existiam sucesso e fracasso, e entre estes dois nada existia, e que por isso ela jamais sairia do limbo para provar que através da frase sobre as rainhas a poesia tomaria o seu sutil ímpeto; e como sabia que jamais provaria aos outros a graça infinita que pode se levantar em voo de uma frase simples, então ela, que só acreditava no sucesso, não acreditou na própria veracidade do que sentia; e ali estava enovelada na inexplicável frase poética que depois de pronunciada a deixara com quatro rainhas na mão canhestra. – Era só por causa da beleza! disse com violência.

Ficaram em silêncio. A mulher arfava. Mas o que não pôde dizer a ele, o que não pôde dizer é que ela era uma santa. Isso, abrindo a boca várias vezes em agonia, ela tentou e não pôde. Isso, isso não se dizia a ninguém.

– A senhora precisava de encontrar um amor, disse ele com ar grave, e achou tanta graça que fez uma careta para se impedir de rir.

Ela o olhou incrédula, boquiaberta.

– Que é que o senhor sabe de mim ou de qualquer coisa! disse afinal, e estava tão surpreendida com a ousadia que mal sabia o que retrucar.

– É verdade, não sei nada, concordou ele macio. Mas posso tentar saber. A senhora, por exemplo, acaba de me perguntar por que vim para cá. E a senhora, indagou ele entre divertido e cínico, por que veio para cá?

– Que estupidez, disse ela furiosa, é uma pergunta tão estúpida, mas tão estúpida. É como se eu – como se eu lhe perguntasse assim, como se eu lhe perguntasse: por que é que o senhor vive!

– Porque tenho um certo instante em vista, disse ele com suave rapidez.

Ela o encarou perplexa, afrontada. O homem, satisfeito consigo mesmo, olhou-a sorrindo com descaramento. Mas qualquer coisa no rosto da mulher fez com que ele pestanejasse numa sensação de desconforto. Como viciados que se reconhecessem, ele acabara de ver nela ele próprio. O que foi desagradável. Nela havia aquela coisa que também nele existia, e que ele só não acusou porque nele próprio também doía, e porque, quem a tinha, disso sofria. Martim desviou os olhos.

– De qualquer modo, disse ela se refazendo, se a questão for perguntar "quem" e "por que" alguém veio para cá, é a mim que cabe a pergunta e não ao senhor. O senhor positivamente não está em situação de perguntar, mas de responder.

Martim fez um gesto cansado de acordo que revelava quanto sua paciência estava no fim. E como ao mesmo tempo ele abrira a boca, a mulher julgou com surpresa que enfim o homem ia lhe responder e dizer por que viera ao sítio... Foi então que ela fez um movimento enérgico com a mão, impedindo-o de continuar. Como Martim não pretendera lhe responder, não entendeu o que ela quisera com um movimento tão súbito, e olhou-a intrigado.

Também ela se espantara com o automatismo inesperado do próprio braço. O gesto precedera-a na compreensão do gesto. Ela olhou para Martim, surpreendida, atenta, como se no rosto dele pudesse estar a explicação daquilo que só agora se revelara: que ela não queria saber o motivo de sua vinda ao sítio. Era como se, ao saber fatos, ela pudesse perder o direto conhecimento que só neste instante percebeu que tinha do homem – pois com surpresa descobriu que o conhecia profundamente. Apenas superficialmente é que o desconhecia. Mas na sua própria pele ela o conhecia, e desde o instante em que o vira pela primeira vez: o modo como o conhecera fora o modo como ela própria se aprumara ao vê-lo; um dos meios mais fundos de se conhecer estava na maneira como se respondia ao que se via. E agora, olhando Martim, a mulher teve medo de perder este contato insubstituível que a informava sobre a natureza mais secreta daquele homem ali em pé; e de quem, ignorando tudo, ela possuía o ilimitado conhecer que vem de se olhar e ver. Os fatos tantas vezes disfarçavam uma pessoa; se ela soubesse fatos talvez perdesse o homem inteiro.

Oh, era um conhecimento cego o seu. Tão cego que, conhecendo-o, ela no entanto não o entendia. Era um passo antes do saber. Como se ela atravessasse tudo o que ignorava dele e fosse direto às pancadas pacientes daquele coração. "Eu te conheço na minha pele", pensou ela num arrepio desagradável, e o corpo recuou ressentido àquela intimidade que fazia dela ele próprio. E que fazia dela uma outra. Essa outra... De súbito ela teve medo do que jamais saberia de si. Pois na sua carne ela compreendia em silêncio que a noite de chuva fora mais que um pesadelo; que a noite de domingo tinha sido a escura abertura para um mundo do qual mal adivinhamos a primeira alegria, e sabia que uma pessoa morre sem saber, e que havia infernos a que ela não tinha descido, e modos de pegar que a mão ainda não adivinhara, e modos de ser que por grande coragem ignoramos. E que ela própria era a outra jamais usada. Em mais de cinquenta anos de vida nada aprendera de essencial que viesse se acrescentar ao que já sabia – e o que nesses anos se mantivera intato fora exatamente o que ela não aprendera.

E uma das coisas que ninguém lhe ensinara era aquele seu modo estranho de conhecer um homem.

– E a senhora, por que veio para cá? repetiu Martim resignado a perder tempo já que ela o retinha. Seu tom manso vinha de que ele sabia que, repetindo muitas vezes a pergunta, aquela mulher, que estava apenas à espera de um simulacro de insistência, terminaria falando.

Vitória fez um gesto impaciente, seu rosto preparou-se para responder à insolência. Mas inesperadamente aquietou-se e disse:

– Eu não tinha o que fazer no Rio. Vim para cá criar uma vida, fazer minha vida.

– E criou? perguntou ele irritado.

– Mas sei de uma coisa! explodiu ela. Que só a santidade salva! que é preciso ser o santo de uma paixão ou ser o santo de uma ação! ou de uma pureza, que só a santidade salva!

Martim olhou-a branco de cólera, trêmulo sem saber por quê.

– Que é? perguntou ela vigorosamente. Estou apenas usando a sua liberdade! que é, o senhor então não a reconhece? disse com grande austeridade.

Ela não sabia exatamente ao que estava se referindo, e ele entendeu sem saber exatamente ao que ela se referia. Mas se assim não fosse, pobre seria o mútuo entendimento, nossa compreensão que é feita através das palavras perdidas e das palavras sem sentido, e é tão difícil explicar por que alguém se alegrou e por que outro se desesperou – é que não levamos em conta o milagre das palavras perdidas; e é por isso que sempre valeu tanto viver pois muitas foram as palavras ditas que mal ouvimos mas elas foram ditas.

Por um instante ambos não hesitaram em se compreender dentro da incompreensão:

– Reconheço, sim, respondeu ele então entrando por breve segundo num mundo mais perfeito de entendimento, nós que temos uma finura de compreensão que nos escapa. De onde Martim imediatamente saiu para olhar com estranheza aquela mulher que nada dissera e com quem, no entanto, ele acabara de concordar. Olhou-a, e como sempre pareceu-lhe que não captava o principal dela ou de outros – embora fosse com esse principal que às cegas ele lidava.

– Pois então, disse a mulher, não estranhe o que o senhor mesmo provocou: a minha liberdade, disse ela, e então estranhou-se porque se deu conta de que não sabia o que estava dizendo e de que se perdera num jogo de palavras.

Então ficaram em silêncio como para dar àquela coisa, que tinha a fragilidade de um equívoco não discernível, tempo de ser reabsorvida pelo esquecimento.

Mas ao ver a cara sombria do homem, a senhora não soube interpretá-la e temeu tê-lo assustado. Apesar de maldosa, ela sempre tivera a cuidadosa piedade de não assustar os outros com a verdade:

– Não, disse então depressa e implorante, o senhor não pense que eu estava querendo dizer que era pura ou santa, explicou-lhe como uma mãe que assegura ao filho que ela não é senão mãe para que o filho não seja o filho de uma estranha e não se torne ele mesmo um estranho. O senhor não entendeu o que eu quis dizer quando falei em santidade. Não pense que eu estava dizendo com isso que sou boa, continuou ela porque, mais que tudo, não queria que ele a julgasse "superior" e então a admirasse com desprezo. – Não queria dizer que sou boa, repetiu, forçando-se a uma franqueza que lhe doeu mas que lhe deu quase imediatamente um alívio e uma resignação – nunca fiz nada para os pobres de Vila Baixa, tudo o que faço é sofrer por eles. Nem pense que quero dizer que sou santa... – Seu peito doeu de alegria porque, pelo menos de um modo negativo, ela estava lhe dizendo a verdade – e como dizer de outro modo a verdade, senão negando-a delicadamente? como dizer de outro modo a verdade, sem o perigo de lhe dar a ênfase que a destrói? e como dizer a verdade, se temos pena dela? mais que medo, pena.

A mulher se sentiu tranquila sabendo que não se confessara simplesmente porque o homem não a recebera em confissão: nada fora pois dito. Ela precisava falar, sim; mas evitava com tato ser compreendida. Do momento em que fosse compreendida, ela não seria mais aquela coisa profundamente intransmissível que ela era e que fazia com que cada pessoa fosse a própria pessoa – pois Vitória pensava que era isso o que sucedia na comunicação. Seria dessa entrega de si própria que ela se guardava? ou era medo da imperfeição com que as almas se tocam? Mas não só disso tinha medo. É que, faltando-lhe o aprendizado da comunicação, tinha a delicadeza instintiva de se abster.

– Eu não quis dizer com isso que sou pura – tentou ela tranquilizar o homem. Minha alma é suja, minha vida é truculenta, eu não sou boa, eu... – A santidade era uma violência a que ela não teria coragem; de algum modo uma pessoa ruim era mais caridosa que um santo, a santidade era um escândalo a que ela não tinha coragem. – Sou ruim, entendeu? Sou ruim como... sou ruim como uma mulher desiludida! disse inesperadamente com certa faceirice.

– Desiludida? disse ele inclinando-se cavalheiresco e aderindo sem sentir à dignidade que a mulher queria dar às suas confissões.

– De mim mesma, concluiu ela gloriosa, sacudindo os cabelos presos.

Oh Deus, como a senhora me chateia, pensou Martim.

"Não vê você", pensou então Vitória num esforço de transmissão de olhar do qual Martim só percebeu o esforço mas não o sentido, "não vê que se eu quisesse estar pronta para tudo, minha vida tinha que ser pura? E eu queria estar pronta para tudo e me preparei todos os dias. Não pureza moral", pensou ela. E nesse momento Vitória percebeu que, por equívoco, terminara caindo em pureza moral e que, como vida, ela jamais atingira a pureza... Foi mais ou menos isso o que pensou, e então lhe disse um pouco espantada:

– Eu não sou pura...

Como a senhora me chateia, pensou Martim. "Aquele emaranhamento de uma mulher que tinha medo de morrer – seria isso?", perguntou-se ele, pois Ermelinda era tão viva como é viva uma flor, e a dualidade o confundiu; "e o emaranhamento de uma mulher que tinha medo de viver – seria isto?", perguntou-se também confuso, pois aquela mulher tinha nas rugas cinzentas mais morte que vida, e no entanto era a vida que ela temia; "e o emaranhamento de um homem que... de um homem que não queria ter medo?" Sim, e enquanto isso as vacas sagradas. Era isso? Mas ter dado essas palavras a fatos que nem fatos eram, resultou insatisfatório para o homem. Então, falhando em definir o que lhes estava acontecendo, e porque Martim queria que, mesmo sem ela ouvi-lo, não houvesse a menor dúvida quanto a seus sentimentos, ele pensou bem claro: "Você me chateia. Tudo isso eu conheço e não me interessa. Pode ser que não haja outra coisa além dessa ânsia, mas não quero mais. Simplesmente quero que você vá para o inferno", concluiu sombrio, "isso não interessa mais". Olhou-a. Provavelmente um corpo empobrecido que tentava se refugiar em pensamentos? o corpo que, quando exacerbado, pode se tornar espírito.

A mulher confusa estava sendo tão sincera que as veias do pescoço estavam altas no esforço de falar a verdade – ou de mentir, a Martim não importava. Nada tinha a ver com isso. E teve a tentação de lhe dizer absurdamente: "sei que você está dizendo a verdade mas, para lhe ser franco, não acredito". Oh, a fêmea chata. Às vezes aquele homem tinha um tal enjoo de mulher que isso o retemperava todo na própria limpa masculinidade. E agora, por pura saciedade, se aquela mulher estava numa extremidade ele queria exatamente a extremidade oposta.

Num cansaço súbito, encurralado pela mulher, tudo o que Martim neste instante pediria de homens e de mulheres é que eles fossem inconscientes de si mesmos, com apenas a pequena luz que é suficiente para não se ficar no escuro, a luz dos olhos do cão na escuridão do cão: era apenas isso o que agora, tão cansado, ele queria; pelo pouco que fosse, pelo bastante que era. "Você me cansa", pensou ele pesado, grosseiro. A indiferença fazia com que ele a olhasse com a crua precisão com que olharia uma formiga se torcendo. "No ponto em que estou, mudo e cansado, tenho nojo de contorções de alma e nojo de palavras", pensou ele. No ponto em que estava, estava grande e com as mãos cheias de calos, e a alma é grande, as árvores são grandes. O sol era grande e a terra extensa. Só faltava mesmo uma outra raça de homens e mulheres – a raça que ele criaria, se pudesse. Com súbita brutalidade, o homem achou que "viver era o único pensamento que se pode ter", e que o resto eram apenas palavras de mulheres como Vitória, e viver era a conquista máxima e era o único modo de responder com dignidade a uma árvore alta. Pois, lembrando-se da nobre decência que havia no seu terreno terciário, naquele momento foi assim que Martim se quis.

E a mulher que estava ali... – ele olhou a estranha. Boca, dentes, ventre, mulher, braços, aquilo tudo que tivera a oportunidade de ser uma planta limpa. Mas tudo isso corroído e estragado e erguido pelo espírito. Você me chateia, você é um erro, você é o erro de uma planta. "De agora em diante", descobriu ele com um cansaço que na hora tirou da descoberta o deslumbramento que um dia ele sentiria quando entendesse o que queria dizer e quando soubesse quanto amor havia nisso – "de agora em diante quero o que é igual um ao outro, e não o diferente um do outro. Você fala demais em coisas que brilham; há no entanto um cerne que não brilha. E é este que eu quero. Quero a extrema beleza da monotonia. Há alguma coisa que é escura e sem fulgor – e é isso o que importa. Você me aborrece com seu medo, que até este brilha. De agora em diante quero o que é igual um ao outro". E ela ainda lhe vinha dizer que era uma desiludida...

– A senhora tem medo, disse ele usando futilmente uma gravidade qualquer e procurando, por certa gentileza, manter o tom de polêmica abstrata daquela mulher que, ao sol, fazia questão de ser fina.

A senhora mal acreditou no que ouvira:

– Medo?!

Medo? ela? Seu impulso foi o de rir, como se o riso pudesse retrucar ao absurdo. Medo! Abanou a cabeça, incrédula. Ela que dirigia a fazenda com pulso de homem? Ela que mandava naquele homem ali em pé, sem medo de si nem dele? Ela que surdamente lutara contra a seca e a vencera! ela que soubera esperar que chovesse. Medo! Ela que andava com suas botas sujas e com o rosto exposto sem ter medo de jamais ser amada. Ela que dilapidava corajosamente a herança do pai para manter aquela fazenda funcionando, sem sequer saber para quê, corajosamente à espera do dia incerto em que aquele sítio seria o maior da zona, e então ela pudesse enfim abrir as cercas. Medo?

Todo o seu corpo se revoltou contra o que havia de incompreensão no homem, e de injurioso na palavra, toda ela se preparou para um gesto que fizesse a sua própria indignação rebentar, mas nenhum lhe pareceu bastante forte. Medo! Olhou-o, surpreendida, amarga; que sabia dela, aquele homem. Como poderia ele jamais entender a sua grande coragem, aquele homem que ela agora olhava de face sem nenhum medo – pela primeira vez percebendo naquele rosto quanto ele era estúpido: na testa fechada se adivinhava a dificuldade de pensar, havia um esforço penoso na cara daquele homem. E ela balan-

çou a cabeça, amarga, irônica. Pelo fato de sabê-lo engenheiro, nunca pensara verdadeiramente na inteligência
dele. Mas olhando-o a nu, como ele era obstinado e lento.
A cara do homem tinha a perseverança sonâmbula dos
estúpidos.

– Medo, sim, disse ele paciente como se falasse com
uma criança.

A injúria repetida fê-la estremecer, e dessa vez toda
ela se preparou para revidar com um insulto. Medo, ela...
sua boca se torceu em sarcasmo.

Mas em vez disso os traços de seu rosto de súbito ce-
deram. Ela não podia mais. Medo, sim. Medo, sim. Lembrou-se de como ter medo fora a solução. Lembrou-se de
como uma vez aceitara humilde o medo como quem se
ajoelha e de cabeça baixa recebe o batismo. E de como
sua coragem, daí em diante, fora a de viver com o medo.
Medo, ela? E de repente, como se vomitasse a alma, gritou
com orgulho os seus cinquenta anos de mudez:

– Medo, sim! que é que o senhor entende disso, medo,
sim. Ouça então e aguente se puder, aguente se não tiver
medo. Eu já senti medo. Cuidei de meu pai velho durante
anos, e quando ele morreu fiquei só. – A mulher se interrompeu: quando o pai morrera, ela de chofre ficara consigo toda para si própria; e no impulso desajeitado dos que
se iniciam tarde e já sem a graça, ela quisera pela primeira
vez fazer o que se chamava "viver", e que num primeiro e
incerto passo de glória seria ir sozinha para um hotel
e ficar sozinha e se concentrar e ter o mais alto de si mesma como um monge numa cela, e seria desse modo furtivo que ela faria a sua primeira reverência à... a quê? – Eu
tinha ido para ficar sozinha e me concentrar, disse ela
com vaidade, e me separei de todos e fui de barca com
minha mala – mas já na barca, já na barca estava ficando
aquele ruim que eu reconhecia, aquela provação, aquela

sensação quase boa mas perigosa – mal eu tinha pisado naquela barca que se balançava tonta, e tudo já me tocava e me deixava dolorosa, curiosa, viva, cheia de curiosidade – mas não era isso mesmo o que eu queria? não era isso mesmo o que eu tinha ido buscar? era, mas por que é que eu não queria me dar conta do que estava acontecendo? por que olhava para tudo de cabeça levantada, fingindo? Cheguei na ilha ainda de tarde – meu coração se apertou espantado quando vi o hotel grande e velho com as salas de teto alto e as moscas no refeitório, e as pessoas estavam descansando no terraço e olharam eu passar entre elas, eu pedia licença; faltava ali a proteção que existe na pequenez de uma cela, eu tinha errado completamente. Eu não conhecia ninguém no terraço e não deixei ninguém adivinhar que isso me fazia o coração bater. Guardei a mala no quarto, mas meu impulso era o de tomar a barca e voltar, mas isso seria falhar! de algum modo eu tinha ido para sofrer o que estava me acontecendo, pois não era a vida que eu tinha querido? e se eu não soubesse aceitá-la, somente porque ela era mais crua do que eu esperara – seria o fracasso e a deserção. Mas muito mais forte que a vergonha de desertar era a antecipação do que seria uma noite sozinha naquele quarto, então desci as escadas, e sem nenhuma vergonha pedi o horário das barcas de volta, e para meu espanto o horror se confirmou: me disseram que só na manhã seguinte. Então saí calma para fora do hotel, mas lá fora era o ar aberto e claro, era de tarde, e tinha o mar azul com o horizonte de linha mais fina que já vi até hoje, e a beleza era uma tal dor, e eu estava tão viva, e o único modo como eu tinha aprendido a estar viva era me sentir sem amparo, eu estava viva, mas era como se não houvesse resposta para se estar viva. Então voltei depressa para o hotel, escorraçada pela luz da praia, e engoli com tanta coragem o meu jantar no meio dos estranhos.

Depois do jantar tentei dar de noite um passeio fora do hotel, pois não era isso o que eu planejara? não era esse encontro com o próprio dia e o encontro com a própria noite? mas fora do hotel era a praia brilhando toda no escuro. Linda, toda branca de muita areia, com o mar escuro, mas a espuma, eu me lembro que a espuma era branca no escuro e eu pensei que a espuma parecia uma renda, não tinha lua mas a espuma era branca como uma renda no escuro. Então voltei depressa para o quarto e me transformei depressa na filha de um pai velho porque só como filha é que eu tinha conhecido calma e compostura, e só agora eu me dava conta da segurança que eu perdera com a morte de meu pai, e resolvi que daí em diante eu queria ser somente aquilo que eu antes sempre tinha sido, só isso. Botei uma camisola limpa e engomada porque esse era um prazer que eu antes costumava ter, e penteei muito os cabelos porque esses eram os hábitos em que eu me entendia e me conhecia, e alisei tanto meus cabelos com a escova até que consegui fazer de mim uma coisa que não era crua nem exposta. Eu estava cheia de bajulação comigo mesma: eu estava me tratando com cerimônia e procurando ver se conseguia um modo de sentir alguma camaradagem com a covarde assustada que eu estava sendo – e de quem eu tinha tanta repugnância – mas fingi que tudo estava perfeito, até suspirei de conforto na cama com o livro na mão, o livro que eu pensara jamais abrir na ilha. Eu sabia que meus olhos não estavam lendo, mas nunca me deixaria convencer de que estava fingindo, e de que não fora ler numa ilha o que eu viera buscar, eu procurava ignorar que Deus estava me dando exatamente o que eu pedira e que eu – eu estava dizendo "não". Estava fingindo que não percebia ter construído uma esperança inteira no que finalmente estava me acontecendo, mas que ali estava eu de óculos com o livro aberto, como se eu amasse tanto que só pudesse gritar "não". Mas eu também sabia que se naquele momento exato eu não pegasse o fio calmo de minha vida anterior, então jamais meu equilíbrio voltaria, e jamais minhas coisas seriam reconhecidas por mim. E por isso eu fingia que lia – mas eu ouvia as ondas do mar, eu ouvia, eu ouvia! Foi então que de repente a luz toda do hotel se apagou de uma vez. Assim, de uma vez só, sem um ruído, sem um pressentimento que avisasse, nada. Só no dia seguinte é que eu soube que às nove horas da noite as luzes se apagavam por economia de eletricidade, as luzes todas se apagaram, e eu fiquei com o livro aberto na mão, fiquei no escuro como nunca tinha estado, só ontem de noite é que fiquei pela segunda vez na minha vida nesse escuro – assim, com esse modo simples de estar no escuro, eu nunca tinha estado, e nunca tinha estado no escuro com mar. Era tão escuro como se eu procurasse o hotel e não soubesse onde ele ficava, a única coisa tocável era o livro na mão – o medo, o medo de que o senhor me acusou, não me deixava um movimento, mas depois que passou a surpresa – então rebentou o que eu mal e mal tinha contido até aquele instante – a beleza da praia rebentou, a linha fina do horizonte rebentou, a solidão a que eu tinha voluntariamente chegado rebentou, o balanço da barca que eu tinha achado bonito rebentou, e rebentou o medo da intensidade de alegria que sou capaz de atingir – e sem poder mais mentir, chorei rezando no escuro, rezando assim "nunca mais isso, oh Deus nunca mais me deixe ser tão audaciosa, nunca mais me deixe ser tão feliz, tire para sempre a minha coragem de viver; que eu nunca vá tão adiante em mim mesma, que eu nunca me permita, tão sem piedade, a graça", porque eu não quero a graça, pois antes morrer sem ter jamais visto que ter visto uma só vez! porque Deus com sua bondade permite, ouviu, permite e aconselha que as pessoas sejam covardes e se protejam, seus filhos prediletos são os que ousam mas Ele é severo com quem ousa, e é benevolente com quem não tem coragem de olhar de frente e Ele abençoa os que abjetamente tomam cuidado de não ir longe demais no arrebatamento e na procura da alegria, desiludido Ele abençoa os que não têm coragem. Ele sabe que há pessoas que não podem viver com a felicidade que há dentro delas, e então Ele lhes dá uma superfície de que viver, e lhes dá uma tristeza, Ele sabe que tem pessoas que precisam fingir, porque a beleza é árida, por que é tão árida a beleza? e então eu disse para mim "tenha medo, Vitória, porque ter medo é a salvação". Porque as coisas não devem ser vistas de frente, ninguém é tão forte assim, só os que se danam é que têm força. Mas para nós a alegria tem que ser como uma estrela abafada no coração, a alegria tem que ser apenas um segredo, a natureza da gente é o nosso grande segredo, a alegria deve ser como uma irradiação que a pessoa jamais, jamais deve deixar escapar. Sente-se um estilhaço e não se sabe onde: é assim que tem que ser a alegria: não se deve saber por que, deve-se sentir assim: "mas que é que eu tenho?" – e não saber. Embora quando se toque em alguma coisa, essa coisa brilhe por causa do grande segredo que se abafou – eu tive medo, porque quem sou eu sem a contenção? Quando no dia seguinte eu estava sentada na barca eu pensava que tinha morrido. Mas como se tivesse, antes de morrer, comungado.

Martim estava pálido. Oh o que daria para ofender aquele rosto nu e despudorado.

– Não acredito numa só palavra, disse ele.

Mas como se ambos se entendessem além do alcance das palavras, a mulher não se ofendeu com o que ele dissera. Nem ele o repetiu, como se na verdade não tivesse aberto a boca. Apenas desviou os olhos porque não quis ver aquela cara que doía. E ela, ela apenas suspirou. Estavam cansados como se tivessem feito um exercício violento. De algum modo a explosão estúpida da mulher lhes fizera bem, pois inexplicavelmente, além de fatigados, os dois estavam agora tranquilos.

Aliás nada parecia ter acontecido. Nada há de tão destruidor de palavras ditas quanto o sol que continua a queimar. Ficaram em silêncio, dando-se tempo de esquecer. Por um pacto tácito esqueceriam aquela coisa um pouco feia que acontecera. Ambos não eram moços e tinham alguma experiência: certas coisas a pessoa tinha que ter a hombridade de não notar, e ter a piedade de nós mesmos e esquecer, e ter o tato de não perceber – se se quisesse impedir que um momento de compreensão nos cristalizasse, e a vida se tornasse outra. Ambos não eram moços, e eram prudentes. Assim, pois, depois da explosão, mantiveram-se calados como se nada tivesse acontecido porque ninguém pode viver do espanto, e ninguém podia viver à base de ter vomitado ou ter visto alguém vomitar, eram coisas a não se pensar muito a respeito: eram fatos de uma vida.

A senhora enxugou o suor do rosto e olhou, num relance, aquela testa estreita, aqueles cabelos crespos. De novo na cara dele estava restaurada a calma estupidez humana, aquela opaca solidez obtusa que é a nossa grande força. Os dois se olharam no vazio dos olhos. Sem dor, um pareceu perguntar ao outro: quem é você? O principal um do outro, ao se olharem, eles não captavam, e no entanto era de novo com esse principal que eles lidavam. Até que, de vazios, os olhos começaram a se tornar cheios e ficaram individuais, e um já não estava mais aprisionado pela absorção no outro. Então eles se olharam francos, como tocados pelo mesmo sentimento: "vamos ser francos pois a vida é curta". Mas se olharam apenas francos, sem nada ter a dizer, senão isso: a extrema franqueza. Depois desviaram os olhos sem mágoa, em comum acordo, experientes; e de novo esperaram um instante para que a franqueza, que nunca tem palavras, tivesse tempo de passar, e eles pudessem continuar a viver.

Sem insistência, ela disse calma como se acabassem de ter uma conversa amigável:

– Naturalmente, se naquela noite da ilha eu soubesse que tudo ia passar, eu teria me arriscado a ser mais infeliz. Mas na hora a gente pensa que é eterno. E acontece também que na hora eu não entendi que estava tendo exatamente aquilo que tinha ido buscar, não reconheci totalmente, e pensei que estava errando. Naturalmente, depois disso, minha aproximação passou a ser muito mais cuidadosa. Eu já sabia que não se deve ir assim diretamente, como fui. Nunca diretamente, disse ela como numa receita. Quero também lhe dizer que tive medo, sim, mas não por pena de mim. Eu não tenho pena de mim, disse sem vaidade.

E, por Deus, ela não tinha.

– Foi uma questão apenas de aprender que não se vai diretamente, disse então conciliadora. E aprendi isso sozinha. Sempre sozinha, acrescentou com alguma simplicidade.

– Por que a senhora nunca se lembrou de pedir a ajuda de alguém? perguntou ele chateado, sem saber bem o que estava a dizer.

– O senhor não compreende, disse ela de novo irritada, que eu não posso pedir? porque preciso de tanto que ninguém pode me dar? o senhor então não vê que eu pediria mais do que poderiam me dar? – Na sua exacerbação a senhora esquecia que não tinha direito de estar irritada, pois, se o homem a ouvia, era apenas por favor ou porque ela o obrigara a ouvir; e esquecia que ele, afinal, nada tinha a ver com isso.

– Ninguém, disse Martim inesperadamente enfático, ninguém pode pedir mais do que se poderia receber do outro! A natureza humana, disse ele muito satisfeito, é uma só: ninguém pode pedir mais do que o outro pode dar, porque pedir e dar é um ato só, e um não existiria sem o outro – e além do mais, ninguém inventa o que não existe, minha senhora: se se inventou pedir, é porque existe a resposta do dar! disse ele muito firme e contente.

– Mas pedir a quem? berrou ela.

– Bem, disse Martim atrapalhado e já perdendo o interesse, essa é que é a questão. Mas também existe o seguinte – acrescentou de repente sério e voluptuoso – também existe o seguinte: é preciso ter técnica para pedir! porque, minha senhora, as coisas também não são assim não, minha senhora! não é só dizer "me dá!", e acabou-se! É preciso muitas vezes enganar a quem se pede, disse ele íntimo, sensual. É preciso, a modo de dizer, pedir disfarçando. A senhora, que é uma dama inteligente e lida, devia aprender isso também. Vamos, por exemplo, imaginar que a senhora fosse casada e precisasse de um par de sapatos, disse ele de repente interessadíssimo no problema, enquanto a mulher o fitava com olhos atoleimados de surpresa. Se a senhora precisava de um par de sapatos, o mais aconselhável seria jamais dizer ao marido: me dá sapatos! O aconselhável seria dizer aos pouquinhos todos os dias: meus sapatos estão velhos, meus sapatos estão velhos, meus sapatos estão velhos, disse Martim sem poder se impedir de rir. Compreende? disse, e seu marido um belo dia ia acordar de manhã e, sem ao menos saber por que, ia dizer assim: Vitória, meu amor, vou lhe dar um par de sapatos! Pois para pedir ajuda também é preciso técnica! Receber pedido assusta muito as pessoas que, no entanto, minha senhora, às vezes estão doidas para dar, entendeu bem? é preciso técnica! Para tudo, aliás, é preciso técnica! Por exemplo, prosseguiu ele entusiasmado, só se pode chegar a exprimir o que se quer dizer, por exemplo, quando se exprime bem! É preciso técnica. É preciso saber viver para viver, porque o outro lado, minha senhora, nos espreita a cada passo: um movimento desastrado e de repente um homem que está andando parece um macaco! um só descuido, e em vez de ficar perplexa a gente ri! Um desfalecimento, minha senhora, e amor é perdição. Requer-se arte, minha senhora, muita arte, pois sem ela a vida erra. E muita sagacidade: pois o tempo é curto, há de se escolher numa fração de segundo entre uma palavra e outra, entre lembrar e esquecer, é preciso técnica!

– Técnica? repetiu ela estupidificada.

– Pois é, disse ele aborrecido com a sabedoria a que ela o forçara.

A senhora o olhava, inteiramente apalermada. O homem sorriu constrangido, sem saber como sair da entalada em que se metera:

– Vou ao curral, disse então baixo, com pudor discreto como se pedisse licença para ir ao banheiro.

Mas ela de repente acordou:

– Ouça.

A insistência na mesma palavra começava a tirar a fibra do homem e a fazê-lo sucumbir. Ele parou de novo. Sentia-se usado por aquela mulher como se ela o estivesse pouco a pouco efeminando: havia mulheres assim, que iam tocar e quebravam. Como um sugadouro de ventosa, ela extorquia algo dele; algo que não era precioso, mas afinal de contas era ele. O que ela fazia do que extorquia, ele não sabia. Olhou-a sem prazer, sem curiosidade. Já não parecia ter força contra a palavra "ouça" que afinal o vergou, resignado. Com lentidão, sem defesa nenhuma, ele se dispôs a ouvi-la.

– Ouça, repetiu ela então, mais mansa como uma mãe que assustou o filho com um grito involuntário. Ouça: antes de vir para cá, eu era diferente, disse então como se remontasse ao começo dos começos, o que deu ao homem um cansaço prévio, e a seu rosto uma disposição heroica de sacrifício. Não que eu fosse mesmo diferente, acrescentou a senhora com certa bondade, mas é que nem sempre tive este sítio.

Fez uma pausa. Pois – ocupada em demonstrar consideração pelo homem que ela de algum modo estava anulando – escapara-lhe o sentido do que tinha querido dizer. O calor os deixara úmidos e salgados.

– Eu vivia no Rio, continuou, e seu tom tentou ser despretensioso como se ter vivido na cidade a engrandecesse demais aos olhos do homem. Mas fui eu mesma que quis vir para cá. Sei, sei que foi um erro, não precisa dizer, acrescentou a senhora com aquela sua vaidade que se suscetibilizava tão facilmente. Mas eu me enganei, que é que se há de fazer? errar é humano, eu me enganei como uma mulher que tivesse sido enganada pelas promessas de um homem – oh, não, não houve nenhum homem, se é isso o que o senhor quer dizer ou pelo menos está pensando, interrompeu-se lisonjeada pela hipótese que poderia ter ocorrido a Martim. Mas como é que vou lhe explicar? perguntou, como se ele estivesse ansioso por entender, embora no rosto conformado do homem não houvesse nenhuma pergunta. É que eu pensei que pudesse encontrar aqui...

Que viera ela, na verdade, procurar? A paixão de viver? Sim, viera procurar a paixão de viver, descobriu a mulher desapontada, e uma gota de suor pingou-lhe triste do nariz.

– Vou lhe contar como aconteceu, disse então com esforço, e provavelmente aquela mulher já tinha seu discurso preparado há anos. Foi assim que começou: uma vez uns parentes vieram nos visitar no Rio, e eu deixei Ermelinda cuidando de meu pai, e fiquei mostrando a cidade para eles, quero dizer para meus parentes. Nós íamos sempre de carro, meu tio alugou um carro. Já estava fazendo frio... Nós íamos tão longe, mas tão longe, passeando, passeando... Eu nunca vi estradas tão largas, fazia frio, eu usava todos os dias um vestido azul novo que eu nunca tinha tido uma boa ocasião de usar. E comíamos muito em restaurantes! para nos divertirmos e conhecermos os restaurantes. Era a primeira vez que eu fazia coisas assim... comia carnes guisadas com molhos... Preciso lhe dizer – informou ela – que eu sempre tive certo nojo de comidas gordas, sempre preferia o que era seco, minha comida era sempre tão simples! pois se eu até já tinha terminado por adotar a dieta de meu pai...

– Mas nesse tempo, continuou a mulher com o rosto de repente clareado pelo prazer e pelo inesperado acesso a um ideal inatingível, nesse tempo vinham em pratos enormes as costeletas de porco cheias de gordura, e quando eu saía do restaurante, via que as frutas nas quitandas se esborrachavam e então... – Calou-se. Interromper-se, no entanto, só fez com que ela sentisse, como trazido pela brisa, o cheiro que vinha de dentro das quitandas, o bafo de ananases podres e de penas quentes de galinhas – e ela então sorriu com o rosto claro, misterioso.

– Quando eu saía do restaurante, botava o casaco também novo nos ombros, mas nem era de frio, era só porque me parecia que alguma coisa estava me acontecendo. Não sei, disse enxugando penosamente o suor, mas era como se eu visse que as coisas são muito mais que a casca seca, o senhor por acaso me entende? era como se eu visse que, se antes sentira nojo, era porque já então eu sabia que o perigo estava sob a secura – não sei por que, mas naqueles dias de passeio me pareceu que tudo o que existia era – era horrivelmente maduro, sabe como é? e eu me sentia tão cansada como se fosse adoecer. Para lhe dizer a verdade, nem parecia inverno. É incrível, mas não parecia, e os carros buzinando, as quitandas tão cheias de frutas... as frutas quase podres, quase – quase não sei o quê, disse Vitória doce, amorosa, e, por pura intimidade com o homem, não tentou se explicar melhor.

Martim tirou do bolso o lenço sujo e enxugou o rosto. A mulher viu que ele não entendia. Mas agora era docemente tarde demais para parar, agora já nem sequer importava que ele não entendesse. Permaneceu por um instante de olhar esgarçado, reduzida a se lembrar sozinha de como no restaurante a boca ficava luzindo com o molho que escorria, o que dava um pouco de repugnância; de como naqueles dias lhe parecera que era forçoso emocionar-se com o que é feio; e então, com um nojo que subitamente não pudera se separar de amor, ela admitira que as coisas são feias. O cheiro da quitanda parecia um quente cheiro de pessoas sujas, e era forçoso emocionar--se com aquelas coisas que eram tão imperfeitas que pareciam pedir-lhe sua compreensão, seu apoio, seu perdão e seu amor; a felicidade lhe pesava no estômago, naqueles dias. Sim, e ela sentira que se podia amar aquilo tudo. Era surpreendente, era horrível; como se fossem núpcias.

Neste instante a mulher estremeceu, ao se lembrar de que exatamente esses estranhos dias de felicidade haviam-na levado mais tarde a ousar ir sozinha para a ilha – para buscar mais. E que, então, falhara.

Olhou cismarenta para o homem, sem vê-lo. Já não lhe doía mais sequer que Martim não a entendesse. É que uma mulher uma vez tem que falar.

– Naqueles dias de passeio, informou-lhe ela com humildade, era como se eu fosse adoecer...

– Talvez porque a comida fosse gordurosa? sugeriu ele com a cabeça fervendo ao sol e os cabelos estalando secos.

"Um homem sem vocação deveria ao menos ter a vantagem de ser livre", divagou Martim absorto. Mas todos o chamavam a exercer um mister. E a verdade é que, ao sol, ele estava tão definitivamente emaranhado quanto o fora antes; em qualquer lugar onde um homem pisava, instalava-se uma cidade, só faltavam os bondes e os cinemas. Ermelinda queria que ele... o que queria mesmo Ermelinda? E Vitória forçava-o a recebê-la em confissão. Era difícil não colaborar. Vagamente então nasceu em Martim uma nova explicação para o seu crime – esse crime que cada vez se tornava mais elástico e amorfo, e o homem já se afastara tanto dele que na verdade lhe parecia ter cometido um crime abstrato, e na verdade seu crime agora parecia mais com um pecado de espírito, apenas. Assim, no sol, perseguido pela presença de Vitória, ele pensou assim: "que o único meio de ser livre, como um homem sem vocação tinha direito, fora cometer um crime, e fazer com que os outros não o reconhecessem mais como semelhante e nada exigissem dele; mas se essa explicação era a certa, então seu crime fora inútil: enquanto ele próprio sobrevivesse, os outros o chamariam". Queimando ao sol, pareceu àquele homem cansado pela noite de domingo não dormida, que esta era a mais razoável explicação de seu crime. Inquieto, ele também sabia que apenas divagava.

Foi então que lhe ocorreu que estava mesmo na hora de ser preso. Para que lhe dissessem, afinal, qual fora o seu crime. Estava na hora de ser preso e deixar que os outros o julgassem, pois ele – ele já fizera uma lenda de si próprio.

– É possível, disse Vitória angustiada, é possível que as carnes fossem mesmo muito gordurosas, e há tempo eu comia a dieta de meu pai! acrescentou distraída.

Ficaram em silêncio, o homem se coçou.

– A senhora não consultou um especialista de estômago? perguntou Martim, não exatamente porque não a compreendesse mas porque tentou ver se, reduzindo honestamente o que ela dizia a uma questão de se curar no médico, tudo ficaria nas verdadeiras proporções.

– O fato é que foi um pouco por causa desses dias de passeio que, anos depois, achei que não devia vender o sítio que herdei de minha tia, e decidi morar aqui, concluiu ela inesperadamente, espantada como se tivesse chegado à meta muito antes do que calculara, e sem ao menos estar preparada para chegar.

– Ah, fez ele como se tivesse entendido.

De novo ficaram em silêncio. A mulher deixara enfim de torcer as mãos.

– Acho, disse ela num suspiro final, acho que eu imaginava poder encontrar neste sítio aquilo que me aconteceu nos dias de passeio. Quero dizer, aquelas coisas que eu via quando saía dos restaurantes. É claro, não do modo impossível como eu quis encontrar na ilha. Encontrar aqui, sim, mas ao meu alcance, diariamente e pouco a pouco ao meu alcance – disse, ela própria se sentindo irremediavelmente obscura, e soçobrando no inexplicável.

E de repente tudo lhe pareceu realmente inexplicável. É verdade que viver no campo viera dar uma paixão à sua pureza; é verdade que nos primeiros meses ela fora tocada pela plenitude da preguiça com que as plantas cresciam eretas, e que nos primeiros meses a natureza viera dar um ardor à sua confusão. Sim, isso era verdade... Mas era também verdade que, por caminhos já impossíveis de serem retraçados, ela terminara caindo na brutalidade truculenta de uma pureza moral; e suas artérias se haviam enrijecido como as de um juiz.

No entanto não era esta a única verdade! reivindicou ela, pois ali estava ela, dura mulher, desabrochando tão simples diante de um homem que nem ao menos a ouvia, como uma gota d'água que já não suporta o próprio peso e tomba onde tombar; a coisa tivera força bastante de autodireção para se fazer sozinha. E também era verdade que ao mesmo tempo em que endurecera numa moral que ela própria não entendia, aproximara-se por dentro, sem ao menos saber, de despojamento em despojamento, de alguma coisa viva.

– Suponho, disse ela para o homem, que eu imaginava poder encontrar na fazenda aquilo tudo. Mas depois – acrescentou surpreendida como se só agora se desse conta – depois me confundi um pouco..., disse e sorriu constrangida, perdoável, com o encanto do desamparo no rosto.

O que Martim menos esperara fora um sorriso. E acordou intrigado. Tornando-se retrospectivamente mais alerta, conseguiu reproduzir nos ouvidos o final da frase da mulher: "me confundi um pouco". Foi, no entanto, essa frase que, menos elucidativa que outra qualquer, pareceu transmitir ao homem uma espécie de compreensão total, como se, por ternura, ele nada mais ignorasse daquela mulher. No esforço de olhá-la e de entendê-la, a matéria do rosto do homem enfim se esgarçara, e à tona subiu uma expressão bondosa, sombra talvez de um pensamento.

Vitória notou-o, emocionada, triste, modesta:

– Como eu ia dizendo, foi por causa disso que vim para cá. Foi um erro. Mas faço tantas outras coisas por esse mesmo motivo que não sei explicar! disse simples, perplexa. É como se houvesse um acontecimento que me espera, e então eu tento ir para ele, e fico tentando, tentando. É um acontecimento que me cerca – ele me é devido, ele se parece comigo, é quase eu. Mas nunca se aproximou. Se o senhor quiser, pode chamar de destino. Pois tenho tentado ir ao encontro dele. Sinto esse acontecimento como se sente uma aflição. E é como se, depois dele acontecer, eu fosse me tornar outra, acrescentou tranquila. Às vezes tenho a impressão de que meu destino é apenas ter um pensamento que ainda não tive. Anseio por esse acontecimento, sim, mas ao mesmo tempo tenho feito tudo para adiá-lo, não sei como lhe explicar. Eu até já tenho saudade deste tempo de agora, em que vivo sem ele – pois me habituei a um modo em que pelo menos cada coisa está, bem ou mal, num lugar. Várias vezes senti que se eu deixasse, mas realmente deixasse, o acontecimento se aproximaria. Mas como tenho medo, evito. Até mesmo antes de dormir eu leio para não dar lugar a que ele aconteça... Mas uma vez – disse serena – uma vez, enquanto eu estava esperando um bonde, distraí-me tanto que quando dei fé, quando dei fé tinha vento na rua e nas árvores, e as pessoas estavam passando, e eu vi que os anos estavam passando, e um guarda fez sinal para uma mulher atravessar a rua. Então, o senhor entende? então senti que eu, eu estava ali – e foi por assim dizer a mesma coisa como se o acontecimento estivesse ali... Eu não sei sequer que acontecimento era, porque quase antes de senti-lo, eu já o reconhecia – e sem mesmo me dar o tempo de saber-lhe o nome, eu por assim dizer já tinha caído de joelhos diante dele, como uma escrava. Juro que não sei o que me deu, mas meu coração batia, eu era eu, e aquilo que tem que acontecer estava acontecendo. Oh, sei que se fiquei tão assustada é porque estar na rua nada tinha a ver com meu pai, nem com minha vida, nem comigo mesma, era uma coisa tão isolada como se fosse um acontecimento – e no entanto, apesar disso, eu estava ali rodeada de vento, o bonde passando, com o coração batendo como se tivesse acabado de ter um pensamento. Essa foi uma das vezes em que tive maior contato com o que costumo chamar de "meu destino". Senti ele como se sente uma coisa com a mão.

O homem a olhou austero, grave, sem compreender. É que a beleza estava no rosto da mulher.

– O que a senhora precisaria era de alguém a seu lado que garantisse a senhora, disse ele como um padre. Tudo o que a gente não entende, se resolve com amor. A senhora precisaria de encontrar um amor.

Mas em vez de se irritar ela respondeu com voz rouca:

– Já tive muitos, disse rouca. Quando eu era mocinha tive muitos.

Ambos se olharam com interesse, mas um pouco cansados.

– Uma vez, disse ela com estabanamento súbito, uma vez eu estava passando férias com minha tia, engraçado, aqui mesmo! foi aqui mesmo! disse fingindo espanto só para dar interesse à história. – Foi aqui mesmo, enquanto minha tia vivia! que coincidência curiosa, meu Deus, a vida tem cada coisa.

Como a mulher tivesse parado, ele disse sem muita paciência:

– E então?

– Era a primeira vez que eu pisava neste sítio, e nunca pensei que ele terminaria sendo meu, continuou ela insistindo na nota da coincidência. Eu estava de férias e vi um rapaz acendendo uma fogueira no descampado. Fiquei de pé olhando, tinha um menino olhando também! exclamou garantindo a veracidade do fato, esse menino até já morreu, disse rouca. Vi o rapaz acendendo a fogueira, a poeira quente das folhas voava, esquentava – esquentava uma pessoa. O menino que já morreu disse uma coisa, se não me engano acho até que ele disse assim: olhe a fogueira. O rapaz estava calado e ia dando alimento à fogueira, a cara dele ia ficando cada vez mais escura, cada vez mais escura com as chamas, também porque já era quase de noite. E eu... estava ali – eu, muito moça, muito linda, louca oh louca que eu era e ninguém sabia, quando me lembro do que me passava pela cabeça, eu era tão idealista! eu estava de pé, assim mesmo, e eu – eu amava esse rapaz, eu amava esse rapaz e amava a fogueira que ele acendia. Ele não disse uma só palavra! uma só palavra.

Já que ela falara em amor, quase a contragosto e vencendo uma discrição súbita, o homem olhou seu corpo num relance, olhou-o a cru, sem piedade, sem maldade. Para falar a verdade, ela não era nada má. Martim de repente olhou-a atento, desconfiado, como se o tivessem ludibriado até agora: é que ela era o "igual", ela não era o "diferente". Ele então desviou o olhar, com cautela:

– E ele com certeza amava a senhora, disse disfarçando o desconforto.

– Mas ele sabia que eu estava ali, reivindicou ela. Eu era moça, eu não tinha um pingo de pintura no rosto, eu era linda, idealista, eu estava com o casaco vermelho novo, ele sabia que eu estava ali.

– E foi esse então o seu amor? perguntou Martim com uma delicadeza de que ela não o julgara capaz.

– É, disse um pouco decepcionada, enxugando o suor. Esse também foi o meu amor.

– Durou tanto quanto a fogueira, disse Martim tolamente, talvez procurando copiar situações passadas ou coisas lidas; mas seu tom soou incerto, ele não sabia como poupá-la de encarar a pobreza de sua história de amor.

– Durou tanto quanto a fogueira, repetiu ela surpreendida olhando-o. Mas se o senhor visse – disse de repente arrastada pela doçura – se o senhor visse como havia – havia uma pequena aurora – e um pequeno horizonte por causa da fogueira. Havia tudo isso. Nós dois – acrescentou subitamente implorante como se pedisse a Martim que também este detalhe tão suave fosse levado em consideração – nós dois estávamos de pé, ele quase todo o tempo de costas para mim. – Oh, gritou então incompreendida, o senhor precisa não se esquecer de que eu era diferente do que sou, eu respondia tão depressa a tudo, quando uma folha caía, eu via logo. Não era felicidade no sentido em que hoje se fala de felicidade, os tempos mudaram tanto, hoje a gente exige mais da gente.

Silenciou, um pouco tonta. Um cobiçoso amor pela sua própria história a tomara. Ali estava ela naquele momento de pé – rica, tonta, pesada, ganhando ali mesmo, enquanto falara, um passado de que jamais suspeitara... "Mas eu tenho ainda todo um passado para trás!", gritou-se subitamente em arrebatamento de surpresa. Até bonita ela fora! até jovem ela fora – coisas que jamais seria no futuro. Estremeceu ao pensar que se não tivesse contado a Martim sobre o rapaz da fogueira, talvez ficasse para sempre ignorando acontecimentos seus, seus de direito. Pois só ao contar é que ela se lembrara... Como se somente agora soubesse que um rapaz e uma fogueira também eram sentimentos, e que também isso era vida sua, ah, quem sabe se a veemência se devia dar ao que se esquecera, quem sabe.

A mulher então se perguntou absorta se não haveria mil outras coisas que lhe tinham acontecido... E das quais ela simplesmente ainda não sabia. Perguntou-se, com a gravidade de uma descoberta, se ela na verdade não tinha escolhido viver de alguns fatos passados, quando poderia viver de outros que tinham igualmente acontecido – e tinha direito a eles – assim como neste instante ela estava vivendo do rapaz da fogueira. Ali estava ela, tonta e pesada; o seu passado revelava-se tão cheio de possibilidades quanto o futuro. Oh mais que o futuro. Porque o passado tem a riqueza do que já aconteceu.

– E, naturalmente, a senhora não gostará mais de ninguém, disse Martim com ironia.

– Por quê? respondeu distraída. Mas esse foi um amor.

– E onde está o rapaz da fogueira? perguntou ele polido.

– Mas como posso saber?, disse espantada porque com esta pergunta o homem revelava que não compreendia nada.

Estava reduzida, pela incompreensão de Martim, a se lembrar sozinha. Aliás, neste momento ela não pedia mais que isto: pensar sozinha, como alguém que recebeu uma carta e se impacienta pelo momento imperturbado de lê-la. Nos primeiros passos cautelosos em direção a um passado inexplorado, Vitória procurava se lembrar melhor do rapaz da fogueira. Naquele inferno de fogo, na tarde suave, aquele rapaz que se movia com a sombria delicadeza que um animal tem... Foi assim que Vitória viu o rapaz no seu próprio passado. E dizer que o rapaz sempre estivera ali! Aquele homem moço, grande, escuro, mexendo no fogo, mexendo-se pela sua própria existência autônoma e irradiando o próprio calor. E a vida era grande nele, a vida tinha espaço dentro dele. Ele não era nervoso, oh nem um pouco. Havia pessoas assim: a vida era grande nelas mas isso não as deixava nervosas. Oh quantas lembranças tinha, e jamais tocara nelas! ávida que fora de viver, quando... quando na verdade já vivera. Quando na verdade o acontecimento já tinha acontecido. E ela não soubera.

Lembrou-se inesperadamente de um outro homem. Tão parecido com o da fogueira, surpreendeu-se ela. Os acontecimentos se repetindo e insistindo – e ela cega não percebera. "Mas eu sempre estive vivendo!" Lembrou-se daquele outro rapaz que estava jogando pingue-pongue e que repetira, para ela, a existência do rapaz da fogueira. Vira-o jogando no clube aonde levara o pai para distraí-lo. Há vinte anos! Há vinte anos isto sucedera. Oh a riqueza de envelhecer, quanto mais se envelhecia, mais desconhecido era o passado. A mulher piscou surpreendida: há vinte anos um rapaz jogara pingue-pongue ágil e calmo, e – enquanto o mundo continuara a se mover – ela, Vitória, parara na porta da sala do clube e, há vinte anos, ela o olhara. E olhando-o, ela soubera que era assim que se podia amar: pois que vira, por um minuto e para sempre, aquele rapaz jogando pingue-pongue.

"E ele amava a senhora?", perguntaria Martim se ela lhe contasse também esse fato, esse fato que de agora em diante, sim, de agora em diante seria o seu futuro.

"Como posso saber?", responderia ela. Porque logo depois saíra do clube roçando as plantas baixas. E consigo levava a impressão que hoje, agora, neste momento, enfim se revelava. Como se tivesse guardado em si o que não tinha valor. Mas tivesse guardado tanto tempo que o acontecimento enfim exalasse um maduro odor de fruto, e o vinho que fora novo tivesse ganho espessura e essa qualidade que ilumina uma taça.

O homem que neste momento aguardava ao sol não entendia nada, ela o sabia. Mas Vitória não parecia precisar mais dele – como se tivesse escolhido viver da grande liberdade que se pode ter quanto ao que já aconteceu. Olhou para Martim, num suspiro fundo, cansado. Ele não entendia nada. Mas ela não poderia sequer culpá-lo. Pois olhando agora absorta ao redor de si, nem ela própria saberia de que modo tornar lógico e racional o fato de seu profundo amor estar espalhado, o fato do mistério estar guardado, o fato de uma vez ou outra o sinal da riqueza apontar num aviso, o fato dela ter sempre procurado, na sua vocação humilde, certa glória íntima. E de que modo tornar racional o fato de que tudo isso misturado era a fonte da beleza e da bondade austera de um santo, e no entanto era também a fonte de sofrimento de uma mulher, e como tornar racional o fato de que um rapaz diante da fogueira estava lhe esquentando hoje o rosto, e como explicar que ela esperava que algo um dia vencesse nela assim como um dia S. Jorge pisou o dragão, e como explicar que sozinha na fazenda ela era a rainha de um mundo onde de noite se podia olhar para as entranhas e não mais se surpreender – oh não mais se surpreender, porque uma pessoa não é ela mesma, uma pessoa é outra; e como tornar racional o fato de que sozinha ela estava caminhando para aquele pensamento que uma pessoa deve ter pelo menos uma vez na vida, e como explicar que amor não é só amor, amor era tudo isso, e quanto pesava, ah quanto pesava. Como poderia ela culpar Martim de não compreender, se também ela não entendia...

— Por que a senhora nunca se casou? disse Martim sem perceber que a conversa havia terminado.

— É que nunca encontrei um homem honesto e compreensivo, respondeu ela simples. Todas as pessoas que conheci até o dia de hoje, quando vou ver de perto, vejo que elas são livres demais. Nunca encontrei ninguém que viesse ao encontro de minha necessidade de ordem e de respeitabilidade.

— Como a senhora é convencional! disse ele meio galanteador, e, procurando homenageá-la e à sua retidão de caráter, ele a julgou de um modo bem convencional, como as pessoas esperam ser julgadas, e para isso trabalham a vida inteira. Como a senhora é convencional, disse ele com algum respeito.

— Convencional? repetiu ela. Não, explicou-lhe devagar, é que sempre precisei de uma forma de viver. Porque também eu sou uma pessoa tão livre que procuro uma ordem onde aplicar minha liberdade.

Na restrição, pensou ela, sou uma santa. O que não disse ao homem, por causa do equívoco sobre santos.

Nem Martim entendeu bem o que ela dissera – pois não só a vida alheia ainda lhe parecia muito abstrata, como ele era mais alerta quanto a seus próprios pensamentos que aos dos outros – nem ela própria entendeu totalmente o que dissera. Mas, se ela não dissera a verdade em todas as palavras da verdade, dissera alguma coisa reconhecível. E a mulher tomou um ar vagamente satisfeito. Ambos, aliás, tiveram a tranquila impressão de algo enfim justificado.

O calor do sol estava insuportável, era meio-dia. O homem via com olhos reverberados a blusa da mulher ensopada nas axilas. Quis desviar os olhos mas alguma coisa naquela umidade escura prendia seu olhar solto como se o fascinasse. Vitória, sem se dar conta de que silenciara há um tempo e de que a confusão maior se passara, na realidade, em seu próprio pensamento – fechou então a boca, silenciando ainda mais.

– Então? disse o homem cansado.

– Então o quê? perguntou ela despertando espantada.

Como se tivesse lhe mostrado misturadamente tudo o que tinha a mostrar, a senhora nada mais tinha para ele. O que quisera de Martim? Pois tudo o que lhe dissera nada tinha a ver com a vida purificada e inútil que ela um dia escolhera, tudo o que lhe dissera nada tinha a ver com a noite de sapos que passara. E nada tinha a ver com o fato dela ter acabado de descobrir que, sem saber, já vivera. E se o conhecimento de si própria não a levara até agora a parte alguma, senão a um fundo rochoso além do qual ela não pudera ir – agora era como se a rocha se tivesse tornado friável e lhe desse passagem, enfim passagem para um passado. Oh, ela se devia isso: experimentar enfim a sua própria experiência. – E aquele homem? o que quisera ela dele? Olhou-o sem surpresa, e ele era um estranho. Ela até esquecera de lhe dizer que o denunciara, de novo esquecera. Agora que ela possuía todo um passado pela frente, ele era um estranho familiar.

E o estranho? O estranho a olhava com uma atenção gentil e curiosa. Ao olhar aquela mulher, ele estava pensando assim: as pessoas ruins são de uma tal ingenuidade! Pois o rosto de Vitória era apenas suave e cansado. Contraditoriamente, ele estava pensando: o perigo está apenas nos atos das pessoas ruins pois estes têm consequência, mas elas próprias não são perigosas, são infantis, são cansadas, precisam dormir um pouco. E olhou-a curioso, com um sorriso de cordialidade. Foi quando o olhar de ambos se encontrou – e não há como fugir: nós todos sabemos as mesmas coisas. O homem então se emocionou um pouco e, numa desenvoltura de amor generalizado, disse de repente muito jovem:

– Que diabo, minha senhora, a vida não é séria assim!

Vitória ficou um pouco chocada. Por um instante, é verdade, passou-lhe pelo rosto um ar quase astuto como se ela tivesse entrevisto nesse modo de ver, tão novo, oportunidades insuspeitas e liberdades não perigosas. Mas foi um instante só, e logo em seguida ela se perdeu do que tinha sentido e do que Martim quisera dizer. E ficou apenas com o sorriso do homem.

Ele sorria... E – e ela se sentiu tão compreendida que se recolheu rígida, como se o homem tivesse sido obsceno. Sobressaltou-se. Ela, que agora queria ficar sozinha com o seu passado, ela se sobressaltou: ainda era perigoso qualquer gesto de bondade em sua direção! ela não queria o seu sorriso! ainda era muito cedo para ela ser tentada, ela ainda não tinha envelhecido bastante! Um rápido es-

tertor a percorreu: "não me compreenda porque senão...
porque senão eu ficarei de novo livre". E, oh Deus, ela não
queria ter de novo a experiência da liberdade que a levaria a procurar de novo e de novo, e a gritar que não queria
apenas um passado. A senhora se assustou pois sabia que
estava perigosamente madura para receber uma caridade. "Não quebre meu poder!", pensou ela – pois mal acabara de construir toda uma vida para trás – "não seja
polido comigo, não sorria para mim, sempre foi perigoso
ser bom para mim!" Aquele homem que inocentemente
estava lhe jogando um osso. "Não me destrua com a compreensão", implorou ela por dentro – ela sabia que, esquecendo o medo, iria de novo diretamente buscar o que
pertence a uma pessoa, se esta pessoa...

A senhora olhou aquele homem, aquele homem que
era cruamente o dia de hoje, o impossível dia de hoje, e
como tocar diretamente no dia de hoje, nós que somos
hoje? ela teve horror do homem, assim como temera a
grande praia solitária brilhando em graça e expectativa
de felicidade, e tudo é teu se tiveres coragem – mas ela só
tinha coragem de olhar de frente quando já era impossível olhar de frente, e só agora pudera olhar o desaparecido rapaz da fogueira, e o passado devia estar cheio de
coisas que ela enfim poderia olhar sem perigo. Mas – mas
de súbito, naquele homem ali, o tempo viera de tão longe
para se esborrachar em: hoje! o urgente instante de agora.
"Não me compreenda", pensou já menos convulsiva e,
para sua própria sorte, um pouco mais triste, "não me
ame nem por um segundo, eu já não sei mais ser amada, é
tarde demais, adeus." Ela não sabia como ser amada. Ser
amada era tão mais grave que amar. Aquela mulher não
sabia nada. Por erro de vida – e bastava um erro, nessa
coisa frágil que é a direção, para que a pessoa não chegue
– por um erro de vida ela jamais usara o silencioso pedido

que usamos e que faz com que os outros nos amem. E, espoliada, se tornara tão, tão orgulhosa. E agora – agora ela já não sabia mais ser amada.

No entanto – no entanto, quem sabe se...?

Então Vitória desviou seus olhos dos olhos sorridentes e bons do homem. "Não", disse de novo sua alma, assim como dissera uma noite na ilha. Não.

E o desprezo por si mesma deixou-a corcunda e pequena entre as grandes árvores, porque de novo ela dissera não.

Que sentiu então? O que ela sentiu foi assim: oh Deus, que faço desta felicidade ao meu redor que é eterna, eterna, eterna, e que passará daqui a um instante porque o corpo só nos ensina a ser mortal? Foi isso o que a senhora sentiu porque, ao dizer de novo "não", ela, ferida como estava, vira ao mesmo tempo as árvores, e por puro reconhecimento da beleza, ela amara a beleza que não era sua, e amara a tristeza que era sua, e, altiva como era, sentira-se por um instante muito, muito feliz, só por orgulho, só por insolência.

O que Martim guardou de Vitória foram imagens sobrepostas e indecisas. Ora era a imagem de uma mulher confusa que suava embaixo dos braços – e então ele se perguntou se não teria simplesmente inventado perigo quanto à sua própria permanência no sítio, pois uma mulher suada não era perigosa. Ora aparecia-lhe, solta, a imagem de um rosto – e ele já não poderia dizer que o conhecia, esbarrando no peculiar mistério de uma cara; e então a mulher se tornava perigosamente imprevisível, com seus dois olhos ocos. Mas depois a imagem que ele tinha da mulher se tornava de algum modo tão familiar como se ele tivesse tocado em seu corpo todo, ou como se ambos ao sol não tivessem se dado conta de que vários anos de intimidade se haviam passado. Mas então, como se realmente eles tivessem vivido juntos vários anos de comum amor, dentro da familiaridade, ele de repente de novo a desconhecia.

Quando, porém, ele se lembrou dela dizendo-lhe que era uma poetisa – então alguma coisa como o ridículo cobriu a lembrança da mulher ossuda, e a poetisa não se tornou mais perigosa, ela com suas quatro rainhas. Quem, na verdade, lhe garantira que Vitória o denunciara? Ninguém. O que acontecera, provavelmente, é que a dona do sítio, intrigada, mencionara sua presença ao professor pois este, aparentemente, se fizera guia espiritual daquelas mulheres incertas e menstruadas. Não havia, pois, de que ter medo.

5

E como se antes da hora aprazada tudo tivesse terminado, e como se todos tivessem obtido do homem o que quer que tivessem querido – de súbito deixaram-no em paz. O ar era leve e saciado, e de manhã a vaca deu à luz um bezerro.

Ermelinda desaparecia por longas horas. Martim ouviu-a dizer à mulata que ia cortar um vestido novo. Francisco trabalhava mudo, sem pressa. Quanto à Vitória, esta não o perseguia mais com ordens: já não parecia sentir prazer em lhe marcar tarefas, ou inesperadamente admitira que ele sabia sozinho o que fazer. Apenas curioso, Martim a via passar com vestidos agora femininos – roupas que lhe pareceram ainda mais estranhas porque, além de fora de moda, lembravam, pelo amarrotado, o baú de onde deviam ter saído. Com esses trajes, ainda menos perigosa ela lhe pareceu. Um dia ele viu a coisa mais extraordinária: viu-a experimentando um chapéu tão antigo e empoeirado que somente o inusitado da situação impediu-o de sorrir. E a mulher prestava uma tão profunda atenção ao interior do espelho da sala que nem sequer percebeu o homem. Este interpretou o fato dela não vê-lo – ela, que sempre o seguira com olhos fixos – como sinal de que ele estava enfim livre. Aliás, depois da grande chuva, cada coisa tranquila estava no seu lugar, e a Martim pareceu mesmo plausível a hipótese de, em vez de fugir, simplesmente avisar a Vitória que ia embora. Mas nem de ir embora ele precisava mais.

Seguiu-se um período de enorme calma. A vida revelava um progresso evidente assim como de súbito se percebe que a criança cresceu. Com a grande chuva a natureza, amadurecendo, caminhara para um ponto máximo, o que se sentia no modo mais folhudo das árvores se balançarem. E os poucos dias que se seguiram emendaram-se uns aos outros sem um incidente, como um dia só.

Eram dias claros e altos, tecidos no ar pelos passarinhos. Asas, pedras, flores e sombras profundas formavam o novo calor úmido. As nuvens se acumulavam brancas no céu e se desfaziam com graça, deixando ver a profundidade imaterial que rodeava a casa, o trabalho de cada um, e as noites grandes. De manhã, no céu altíssimo os primeiros farrapos de nuvens serviam de repouso para que o olhar pudesse prosseguir na distância: de manhã cedo as coisas raiavam tranquilas. No entanto, apesar de longínqua, o ar nítido deixava a montanha ao alcance de um grito.

Uns haviam perdido contato com os outros, cada um se recolhera a uma vida individual que desde já os preparava para a vida que teriam depois que o homem fosse embora. Absortos, já viviam levemente no futuro como quem conta com o quarto disponível quando o moribundo for retirado. Mesmo o depósito de lenha tinha um ar limpo e varrido. E no curral, depois do nascimento do bezerro, havia serenidade.

Um pouco desnorteado pela paz, Martim às vezes tentava planejar uma fuga. Mas o zumbido das abelhas parecia mais real que o futuro. E o homem agora tinha tanto trabalho pela frente – um trabalho já não mais interrompido pelas ordens contraditórias de Vitória – que só a sua tarefa lhe parecia palpável. Ninguém lhe dissera jamais que havia ameaça na pobre figura do professor de um curso primário. Aos poucos Martim já não conseguia trocar uma simples suspeita pela realidade cada vez mais emergida: as valas que se abriam pelas suas mãos, o calor dourado cheio de mosquitos de vida breve, a roda da charrua revolvendo uma terra mais negra. Só homens poderiam sentir talvez alguma tristeza. Mas tão alto e bonito era o céu que Martim, contra si mesmo, agregou-se à luz, passando enfim para o lado do que vence.

E aproveitando o movimento alto de uma onda para ele próprio se altear, deixou-se sem cuidados levar pela vaga de fartura. Por consideração e docilidade, transformou-se em instrumento de seu próprio trabalho. Nunca, por exemplo, abria vala onde a terra se quisesse dura. E quando a vaca se negava, ele não tirava leite. Isso exigia uma dedicação paciente de sua parte, ele sentia o prazer de quem descobriu um estilo mais delicado.

A fazenda se beneficiou muito com esse novo estado como se ali se tivesse instalado um longo e produtivo domingo. Pois havia um ar de domingo na indolência com que o campo estava gordo. O milho crescia pesado, a macieira apontava em brotos como se a ferida lhe tivesse alertado um impulso, o vento apressava o riacho. Esse mesmo vento trazia às vezes um cheiro pesado de fertilização e amadurecimento – que Martim, interrompendo em surpresa o trabalho, reconhecia como se já tivesse dormido com trigo e milho, e reconhecesse do fundo dos séculos o cheiro do movimento de fecundação. O mundo nunca tinha sido tão grande. Passarinhos ativos como crianças participavam da terra revolvida para o plantio: mergulhavam de asa fechada nas ondas do ar, e do infinito voltavam para vigiar com o ruflo de asas o trabalho das sementes. Desaparecida a seca, as árvores agora cheias cobriam de sombra a casa, dando ao seu interior uma frescura de sesta. No pasto as vacas babavam. O mundo pensava por Martim; e ele o aceitava.

Também as mulheres da casa pareciam mais pálidas, mais calmas, executando os seus deveres. Passado o cio, os cachorros estavam agora magros e felizes. Eles latiam para as nuvens. E a mulata cantava tão alto que mesmo perto da cacimba alguma nota mais aguda chegava solta. A fazenda toda zumbia.

6

Foi pouco antes dos investigadores chegarem com o professor e com o prefeito que Vitória mandou chamá-lo.

Era de tarde, e Francisco levou ao curral o recado para Martim. Pouco depois este aparecia diante de Vitória com o rosto ainda concentrado que trouxera do trabalho, as mangas arregaçadas, as botas enlameadas.

A mulher o examinou em silêncio. Ela própria estava de novo com as calças pretas e com sua velha blusa. Martim olhou-a intrigado: guardava dela a imagem dos últimos dias – tranquila, sonhadora, vestida de mulher. Agora ela lhe parecia de algum modo friorenta. E ele não gostou. Que teria sucedido? Algum elo importante lhe escapara?

Ilogicamente pareceu-lhe que aquela mulher falhara em alguma coisa. E ele não gostou: tinha experiência de que, quando uma pessoa falhava, ela se tornava uma ameaça para os outros; temia a tirania dos que necessitam. E não gostou nada do que viu.

Mas também estava habituado a que mulheres "não soubessem que roupa vestir", e perguntou-se se o que acontecera apenas é que ela terminara por não encontrar nada melhor a usar que as velhas calças; perguntou-se mesmo se a situação da fazenda estaria tão ruim a ponto da senhora não ter dinheiro para fazer roupa nova, já que as antigas ela as experimentara e não lhe assentavam. Quem sabe, talvez fosse apenas um problema de roupa? Lembrava-se do rosto trágico de uma mulher que não sabe o que vestir. Mas, do que ele não gostou mesmo, foi do ar cansado e friorento daquela mulher que parecia ter vindo de uma longa e infrutífera viagem.

– A senhora me chamou, lembrou-lhe afinal.

Ela permaneceu quieta um instante como se não tivesse ouvido. Depois deu um suspiro mais leve que a respiração. Fechou os olhos, tornou a abri-los. E disse:

– Francisco reuniu galhos e folhas no fundo do quintal, junto da cerca. É preciso queimar.

Era a primeira ordem naqueles últimos dias, e ele fitou-a com alguma curiosidade. Também sentiu vaidade: de algum modo ela voltara a precisar dele, pois. Olhou-a então contente, com desprezo.

– Então? disse ela vendo-o parado.

– Quando eu acabar no curral, retrucou com a calma insolência de um criado.

– Não. Agora!

– Agora o quê? indagou o homem surpreendido.

– É preciso queimar agora mesmo, disse ela mais calma.

As folhas se amontoavam entre galhos num monte alto que, ao homem, pareceu preparado sem nenhuma solidez: a força do fogo espalharia logo os gravetos. Martim abanou a cabeça, discordando com prazer. Desfez tudo, e começou a preparar com cuidado um tripé feito de galhos curtos e grossos. Levou nisso algum tempo.

Depois entremeou folhas e gravetos com habilidade, pôs de lado os ramos verdes cuja umidade não deixaria a chama pegar. E ateou fogo.

A princípio subiu um fio de fumaça amarela e suja, sem sinal visível de flama. Mas em breve mínimas labaredas, mais rápidas que a visão, escapavam dos interstícios dos ramos, e ressurgiram em olho instantâneo entre folhas. E logo depois o fogo finalmente ateava, os galhos atacados de surpresa recuavam, as folhas esquentadas engelharam-se rapidamente nos bordos – e tudo de repente começou a crepitar como se ao mesmo tempo galhos e folhas tivessem sido atingidos.

E em breve o ar do quintal estava irrespirável, com fumaças sufocantes e folhas carbonizadas dançando no ar – o homem agia seguro e preciso com um tridente cada vez mais hábil que empurrava para o fogo, no instante exato, o que tentasse se esquivar ao calor, afastando as cascas que não se queimavam. O cheiro era o de especiarias fumigadas, e as narinas sentiam canela e pimenta, e ao mesmo tempo havia um cheiro íntimo de algo animal que se queimava, alguma coisa como o cheiro de penas de ave embaixo das asas, mas o mais distinto era uma funda fragrância de duras cascas em brasa. A fumaça, de tão compacta, adquirira a grossa forma de um rolo – embora dois metros acima do fogo o rolo se espalhasse desorientado, hesitando apressado de um lado para outro ao vento, este também desorientado pelo impulso da fumaça.

Por um momento Martim desviou o rosto do calor para enxugar-se – e viu Vitória entre as fumaças espessas.

Ela olhava fixamente a fogueira, seus braços estavam cruzados sobre o peito e as mãos agarravam com frio os ombros. Foi um olhar rápido, o do homem, e sem expressão. E logo depois ele fustigava de novo a fogueira como se não tivesse percebido a mulher. Esta continuava de pé: ele quase podia adivinhar-lhe a respiração. A tarde estava clara e sem sol. Mas junto da fogueira era como se a noite se fizesse, escura e avermelhada.

Agora a atividade de folhas e madeiras se tornara intensa e, carregado pelo vento e pela força apavorada do fogo, o cheiro da queimada se erguia para além do alto das árvores. Agora que o fogo estava totalmente aberto, as labaredas tinham a rapidez da alegria e do medo, as brasas tremiam iluminadas. Martim mexia na fogueira com o tridente destro e rápido, e sua habilidade era inapelável, sua firmeza sem piedade. Suava, os olhos avermelhados e atentos não perdiam um instante, a combustão não se interrompia. O clarão, que por vezes se levantava num súbito impulso maior, incendiava o ar do quintal.

A mulher estava atrás dele, e ele podia senti-la nas costas, na nuca, nas pernas, sem um instante de trégua, empurrando-o, empurrando-o, exigindo mais como numa arena – Martim obedecia numa concentração de violência, cada vez mais o fogo subia estalando e obedecendo. Até que o homem inesperadamente se voltou e encarou-a com furor.

Ela estava de olhos muito abertos, ofegando como se tivesse corrido, olhando horrorizada a beleza do mundo.

Então, sem desfitá-la e sem olhar o tridente, o homem jogou-o longe com um gesto bruto sem esforço. E assim, com as mãos vazias, com os braços afastados do corpo, era como se ele tivesse jogado fora a última arma e se dispusesse a lutar com as próprias mãos. Ele lhe ofereceria a própria morte, como ofensa. Mas ainda não se mexia e olhava para a mulher, respirava com dificuldade, com cólera.

A mulher não o olhou, nem que a sacudissem ela tiraria os olhos do fogo.

Mas quando o olhar bruto do homem impôs-lhe que ela o visse – não ao outro, mas a ele – ela recuou um passo como se enfim percebesse que fora longe demais. O homem arquejava com o corpo inclinado para a frente, os braços nus abertos no ar como um macaco negro e alegre. Ela recuou mais um passo, aterrorizada.

Tão inesperadamente quanto se voltara para encará-la, ele se voltou para a fogueira – sem que a mulher pudesse sequer determinar em que momento houvera a transição. E com fúria o homem atiçou o fogo, as labaredas mais baixas recomeçaram a se erguer – sem medo de gastar a própria vida, Martim criou o fogo, trabalhou com aquelas mãos que se haviam tornado mais rápidas que a flama desafiada, e sentia o calor chamuscar-lhe os pelos dos braços.

Depois, quase nada mais havia a fazer.

Como a primeira fumaça, essa final era imunda e espessa e maligna; e evolava-se em fio sinuoso. As brasas ainda piscavam, em breves instantes ainda se douravam espertas. Depois, sentia-se que estavam inflamadas porém não tinham mais luz, e enegreciam tranquilas.

O homem olhou-as arfando, o pescoço a brilhar de suor. A boca, ainda arreganhada pelo esforço, deixava ver os dentes.

Afinal, obrigado a admitir que nada mais podia fazer, abaixou os ombros, desfez a tensão dos braços, e suas sobrancelhas se abaixaram. De novo dissimulados pelas pálpebras, os olhos se tornaram calmos, intensos. Sem surpresa, viu que Vitória não estava mais ali. Então ele olhou sonso ao redor, como se tivesse acabado de mostrar do que um homem é capaz.

A tarde estava de novo clara. A grande suavidade de ar que lhe envolveu o corpo molhado fê-lo perscrutar com surpresa infantil o céu, o rosto franzido para cima como se lhe tivessem dado alguma coisa. Estendeu os braços queimados para a brisa, encostou os lábios no chamuscado das mãos. Em pé, cheio de si, com um ar misterioso, magnânimo, bestial. Lidar com o fogo fora uma tarefa de homem, e ele estava orgulhoso e calmo. E uma mulher ficara aterrorizada e satisfeita, e por isso também ele estava calmo e orgulhoso. Tudo estava tão redondo e realizado que até um pouco de digna tristeza havia em Martim. E a promessa que nos foi feita – a promessa estava ali. Ele a sentia ali – seria só estender a mão enfim queimada no exercício de sua função de homem.

Se bem que agora, mais sábio e mais velho, ele não a estendesse.

Mas pelo menos lhe era dado olhar, sem que isso implicasse em ofensa mútua. Pelo menos grandemente olhar se podia, e de igual para igual. Tendo as mãos nobremente queimadas em combate, Martim olhou: o campo se tornara vasto e a luz tinha a graça religiosa como para um homem que não tem mais vergonha de si e olha face a face, já redimida em si a natureza humana.

Inesperadamente o primeiro passo de sua grande reconstrução geral se realizara: se aos poucos ele se tinha feito, agora se inaugurava. Ele acabara de reformar o homem. O mundo é largo mas eu também. Com a obscura satisfação de ter trabalhado com o fogo e de ter assustado o que tem que ser assustado numa mulher, a sua primeira honra se refizera. Pareceu-lhe que de agora em diante ele não precisaria mais ter voz de homem nem procurar agir como homem: ele o era. Nunca o seu pensamento fora tão alto quanto o trabalho que ele acabara de fazer.

E profundamente nele, ele começou logo a desprezar as pessoas que não amavam o que faziam. Ou que não tinham coragem de fazer aquilo que amavam. Esquecido de que só há poucos minutos encontrara um símbolo do trabalho, e que deveria ter misericórdia para os que não o haviam encontrado – ele, com fatuidade, se admirava. Aquele homem pela primeira vez se amava. O que significava que ele estava pronto para amar os outros, nós que nos fomos dados como amostra do que o mundo é capaz; e ele, que acabara de provar.

"Como é que pudera imaginar que o tempo acabara?", bateu seu coração com vigor. Pois se apenas, apenas começara... Como se o tempo fosse criado pela liberdade mais profunda, agora de repente renascia-lhe o futuro. E ele – que estivera certo de que havia desistido de sua reconstrução – viu que apenas tinha tido a grande paciência do artesão, e via grato que soubera dormir, o que é a parte mais difícil de um trabalho. Porque – como se a pausa tivesse sido apenas a preparação de um pulo – inesperadamente se amadurecera o seu primeiro passo objetivo: pela primeira vez Martim avançara totalmente, assim como quem diz uma palavra. A palavra que ele esperara não lhe viera, pois, em forma de palavra. Ele a realizara com a inocência da força. Simplesmente assim: ele a realizara. E então, com a fatuidade necessária para criar, renascia-lhe o tempo inteiro, e ele sabia que tinha força de recomeçar. Pois – pois tendo chegado enfim plenamente a si mesmo, ele chegaria aos homens; e, jogando fora o tridente e trabalhando a nu, exposto e nu – ele se guiara até "transformar os homens".

De que modo ele transformaria os homens, Martim sabiamente ignorava. E sabiamente não se questionava, pois ele era agora um sábio.

Mas não saber não tinha importância: agora seu futuro se tornara tão imenso que subia em vertigem à cabeça. O tempo estava maduro e a hora chegara: era apenas isso o que lhe dizia o coração calmo e a brisa paciente, e o profundo amor que dele enfim se espalhou tranquilo como de algo enfim enraizado. É que até este momento ele nada poderia ter feito – enquanto não tivesse recuperado em si o respeito pelo próprio corpo e pela sua própria vida, que era o primeiro modo de respeitar a vida que havia nos outros. Mas quando um homem se respeitava, ele então tinha enfim se criado à sua própria imagem. E então poderia olhar os outros nos olhos. Sem o constrangimento do nosso grande equívoco, e sem a mútua vergonha.

E quanto a não entender os outros... Bem, isso já não teria sequer importância. Porque havia um modo de entender que não carecia de explicação. E que vinha do fato final e irredutível de se estar de pé, e do fato de outro homem também ter a possibilidade de ficar de pé – pois com esse mínimo de se estar vivo já se podia tudo. Ninguém teve até hoje mais vantagem que esta.

Aliás – pensou Martim sentindo que se excedia ligeiramente mas já sem poder mais se conter – aliás era tolice não entender. "Só não entende quem não quer!", pensou ousado. Porque entender é um modo de olhar. Porque entender, aliás, é uma atitude. Martim, muito satisfeito, tinha essa atitude. Como se agora, estendendo a mão no escuro e pegando uma maçã, ele reconhecesse nos dedos tão desajeitados pelo amor uma maçã. Martim já não pedia mais o nome das coisas. Bastava-lhe reconhecê-las no escuro. E rejubilar-se, desajeitado.

E depois? Depois, quando saísse para a claridade, veria as coisas pressentidas com a mão, e veria essas coisas com seus falsos nomes. Sim, mas já as teria conhecido no escuro como um homem que dormiu com uma mulher.

7

Pouco depois Martim foi chamado.

O prefeito de Vila Baixa era um homem pequeno, limpo, com os cabelos alisados por gomalina e um ar de argentino. Os dois investigadores eram baixos e tranquilos. O professor movia-se intenso, as bochechas emagrecidas vibravam como se ele tivesse que atender a tudo ao mesmo tempo. Martim era o único alto no meio deles, como se uma turma de anões armados o rodeasse. Olhou atordoado. É que não havia a menor lógica no que lhe estava acontecendo. Já de saída, o fato de ser alto no meio dos baixos deixara-o fisicamente desajeitado, incompleto e em desvantagem.

Os outros esperavam pacientes: é que se via que aquele homem ainda não entendera o que se passava, e então eles lhe davam tempo. Vitória, muito pálida, tinha posto seu vestido de receber visitas. O professor falava, falava. Martim abanou a cabeça assentindo sem ouvir e sorriu como se fosse isso talvez o que esperassem dele; até tomar pé, o melhor seria agir cautelosamente de acordo com o que os outros esperavam.

– ... o senhor tem que compreender! nós temos que ser castigados, sabe por quê? senão tudo perde o sentido! dizia o professor agitadíssimo, e Martim, aturdido demais para pensar em si mesmo, perdeu um tempo precioso em compreender enfim por que as duas mulheres chamavam o professor de bondoso; ele era; mesmo que não fosse; um homem que julga faz um sacrifício. – Temos que ser castigados! repetiu o professor lastimoso, o senhor é inteligente, tem que entender! estou apelando para um engenheiro! dirijo-me a um homem superior, o senhor tem que compreender por que fiz isso! e juro que não é por causa de mim que o senhor tem que compreender! porque eu, eu compreendo o que fiz, Deus me deu a inspiração de me compreender! é que se o senhor não compreender, está perdido! se o senhor não compreender, tudo o que fiz estará perdido, e o senhor não completará o que o senhor começou com o crime! O senhor tem que compreender que se não houver castigo o trabalho de milhões de pessoas se perde e fica inútil! gritou ele implorante. São as etapas da humanidade que têm que...

– Sim, sim, disse Martim tonto, apaziguando-o.

– O senhor é um engenheiro, um homem superior, tem que entender! ordenou o professor.

– Não sou engenheiro, disse então Martim. Sou estatístico, disse muito distraído passando a mão pela testa e perdendo um tempo valioso.

Ninguém soube o que retrucar. O professor, pouco à vontade, fez um gesto de aborrecimento súbito como se aquele homem bem pudesse lhes ter poupado a desagradável informação. Mas a tensão se tinha quebrado. Por um instante a situação se desligara de seus antecedentes e do que ainda ia acontecer. O que deixou todos indecisos.

– Que foi que ele fez? perguntou afinal Vitória ao investigador.

– Matei minha mulher, disse Martim.

E ele a olhou profundamente surpreendido. Teria ele esquecido?

– Matei minha mulher, repetiu então, experimentando o que dizia com muito cuidado.

Era só isso? Era só isso. Mas então por que não se dissera isso há mais tempo? ele piscou os olhos, deslumbrado. Vitória olhava-o boquiaberta.

– Mas por quê? gritou afinal aniquilada, mas por quê? por quê?! encolerizou-se ela.

– Porque eu estava quase certo de que minha mulher tinha um amante, disse Martim.

Era surpreendente como se tornara simples falar, e era surpreendente o que ele mesmo dissera. O investigador de fumo preto na lapela pigarreou:

– Ele tinha voltado de um jogo de pôquer e fez a besteira.

Houve um silêncio. Martim não estava compreendendo nada. Sorriu tolo, parecia um pouco encabulado, "tanta atenção", pensou, "em torno de mim". Uma crise de timidez tomou-o. Não estava compreendendo nada, só sentia que estava perdendo tempo, o que lhe dava uma urgência incômoda, física. Se nele próprio havia algum sentimento reconhecível era o de curiosidade: ele olhava com curiosidade. Só isso reconhecia. Pois desde o momento em que dissera a Vitória a surpreendente frase, tornara-se um estranho para si mesmo. Nada mais tinha a ver com o homem que acabara de acender uma fogueira. A ponto de ter a vertiginosa impressão de que antes de pronunciar a simples frase reveladora, ele mentira o tempo todo.

Mentira o tempo todo? Começou então a suar um pouco. Estava ali com um sorriso cristalizado. Num minuto recuperara a polidez de uma pessoa entre outras, a civilidade de um homem que transpira discretamente. Mas o mal-estar dava-lhe um peso no peito. Começou a suar um pouco mais e enxugou-se com finura, com tapinhas leves do lenço na testa. Embora agora mal conseguisse respirar. O suor frio de novo umedeceu-lhe o rosto, ele passou a mão trêmula pela boca. Mas o mal-estar aumentou: sorriu então com cuidado, com isenção irônica. Ainda não tinha nada a ver com o que estava lhe acontecendo. Até que subitamente lhe pareceu que o lugar físico de uma alma era no peito, ali aprisionada como a alma de um cachorro está presa no corpo de um cachorro. Abriu a boca sorridente, e tinha aquela mudez total, se ele quisesse falar sua alma, ele latiria. Ficou espantado, sorrindo.

Mas falara! Ele havia falado enfim. A frase sobre sua mulher fora das mais antigas, lentamente recuperada como um paralítico dá um passo. E havia ainda outras palavras que o esperavam, se a linguagem fosse recuperada... ele o descobrira com curiosidade quando dissera tão simplesmente que suspeitara um amante. O que, se não era a melhor verdade, era afinal uma verdade que tinha valor de troca... Com curiosidade, com o peso no peito, ele estava de novo trocando, comprando e vendendo. Fora isso então que lhe acontecera: suspeitara um amante. Só isso? E tudo o mais que pretendera, pensara ou quisera – tudo o mais começou a se tornar tão irreal que ele passou a mão delicada pela boca, o destino de um homem era inventado? Passou a mão pela boca seca, fascinado.

– Por ciúme, disse Vitória arrasada. Amara-a tanto que chegou a... – a mulher silenciou abismada, olhando aquele homem profundo.

Martim estremeceu assustadíssimo. "Amara-a tanto...", dissera Vitória. Seria isso, então! Intrigado, Martim olhou-a.

E no meio dos quatro homens que ele agora examinou um a um, apagava-se de súbito o longo interregno de sonho. "Amara-a tanto", havia dito Vitória explicando. Talvez não importasse sequer que ele na verdade nunca tivesse amado sua mulher. Mas, reduzido às próprias proporções, era assim que ele poderia compreender: "amara--a tanto".

"Amara-a tanto?", sobressaltou-se de novo, ainda não firme naquelas pernas que lhe estavam sendo dadas. Olhou sobressaltado os quatro homens e a mulher que aguardavam: "devia, pois, ser verdade". A verdade dos outros tinha que ser a sua verdade, ou o trabalho de milhões se perderia. Não seria esse o grande lugar comum a todos? Seus olhos piscaram de esperteza e argúcia e curiosidade. Embora soubesse que não a amara, experimentou com alguma cautela fazer suas as palavras dos outros que afinal não podem ser vazias: "pois um homem ama a sua mulher".

Com certa avidez, ele se apegava à sabedoria dos quatro homens pequenos – e de súbito, de súbito nem que fosse possível, ele não quereria fugir.

E então, como se há muito tempo não visse gente, olhou com curiosidade e alguma emoção os mensageiros. Tinha esquecido de como eles eram.

"Amara-a tanto?", insistiu de novo surpreendido, forçando-se já com alguma impaciência a recuperar a verdade alheia. Sim, fora por amor. Martim ainda quis ver se daria certo estabelecer um compromisso entre a sua verdade e a verdade dos outros, tentando fazer de ambas as duas faces de um só: "sim, fora por amor, não por sua mulher, mas por amor", pensou pestanejando, "um crime de amor... pelo mundo", arriscou ele encabulado, tentando sem jeito a presunção. "Que tolice estou pensando?", assustou-se, pois a cara cada vez mais objetiva dos quatro homens já agora não lhe permitia sequer o menor compromisso, só lhe exigia a dura escolha: "Crime de amor pelo mundo?" Martim se envergonhou: essas coisas não existiam! apenas os atos! existiam apenas as caras das pessoas!

Mas de novo tentou timidamente a insistência de uma ponte entre ele e os quatro homens: "um crime de extremo amor, sim, que não pudera tolerar senão a perfeição; um crime de piedade; de piedade e desilusão? e de heroísmo; num gesto de cólera, repugnância, desprezo e amor, ele cometera a violência como uma beleza".

Martim quis continuar a pensar assim pois até que estava dando certo. Mas as caras dos homens começaram a se tornar um obstáculo cada vez maior. Se ele quisesse continuar a pensar assim, o remédio seria evitar aquelas caras de olhos abertos. Então ele desviou o olhar, como uma vez fizera quando estava comendo bife no restaurante e uma criança se postara quieta atrás do vidro da janela a contemplá-lo.

Perturbado, ele desviou os olhos: "Sim, um crime de amor. Num mundo de silêncio, ele falara." Oh, que tolices estavam se passando na sua cabeça?, envergonhou-se Martim, embora antes não se tivesse envergonhado de muito pior. Mas é que desta vez estava realmente embaraçado pois, apesar de não olhar os homens, os quatro homens inegáveis estavam de pé. "Qual foi mesmo o meu crime?", perguntou-se, continuando teimoso a não olhá-los, "qual foi o meu crime? substituí o ato verdadeiro, desconhecido e impossível – pelo grito de negação." Esse talvez tivesse sido o sentido de seu crime.

"Mas de negação?" Como compreender o significado desta palavra, se a negação – sua greve – subitamente lhe parecia agora o mais obstinado tremor da esperança, e a mão mais estendida para os quatro homens. "Fora seu crime um grito de negação – ou de apelo?" Responda.

– Que foi mesmo que a senhora disse que eu amava, que foi mesmo? implorou ele extremamente confuso, pois aquele era um homem que jamais deveria se aprofundar, no fundo ele era para ser guiado.

– Eu disse... – Vitória, depois de ter começado automaticamente a obedecê-lo, olhou-o em silêncio, inexprimível. Agora que sabia fatos sobre Martim, agora que finalmente o olhava de olhos abertos, agora ela o desconhecia. E como um cego que tivesse recobrado a visão e não reconhecesse com os olhos aquilo que mãos sensíveis sabiam de cor, ela então fechou um instante as pálpebras, tentando recuperar o conhecimento íntegro anterior; abriu-as de novo e procurou fazer das duas imagens uma só. – Eu disse... – de novo ela o olhou quieta; mas porque não precisava mais dele para nada, pôde também olhá-lo com piedade e desprezo. – Eu disse, repetiu então amarga e intocável, que o senhor a amava tanto a ponto de, por ciúme –

– Sim, sim, agora já me lembro! interrompeu ele apressado, os olhos comovidos.

Tivera ciúme dela? Oh Senhor, mas eu tinha esquecido de uma das verdades capitais!

Os homens falavam baixo entre si.

– Talvez você fique triste, disse então com ironia o investigador de fumo preto na lapela, mas ela não morreu. A assistência chegou a tempo, e ainda se conseguiu salvar sua esposa.

Todos olharam Martim com curiosidade.

– Ótimo, disse afinal Martim, e seus olhos brilharam úmidos por um segundo.

E assim, ela nem morrera.

E assim apagava-se tudo. Nem o crime existia.

O que sucedera, então? Honestamente um homem deveria dizer: que tentara matar sua mulher porque tinha ciúme dela, pois, como qualquer pessoa adivinharia, ele amara tanto aquela esposa sonolenta. Então, imediatamente baseado nisso, Martim se indagou aflito: "Ela me perdoará? Quanto tempo ficarei preso? Ainda terei tempo de começar a amá-la, de modo que, o que terminará sucedendo, é que sempre a amei?" Ele se esforçava para construir uma verdade retrospectiva.

– E meu filho?! gritou em sobressalto, como um homem que acorda atrasado. Usando de novo palavras, ele estremeceu: "sempre fora doido por aquele seu menino" – e agora essas palavras lhe cabiam por direito e ele as tomou com sofreguidão. – E meu filho!

– Sua esposa, disse o prefeito com severidade, merecia mais do que estar casada com o senhor: ela escondeu tudo do menino. Seu filho pensa que o senhor anda viajando.

E essa, agora? Os olhos de Martim brilharam de lágrimas. E essa, agora? Que fazer, por exemplo, disso? Então aquela era a sua mulher! Grande mulher. Reviu-a quando ela bocejava diante do espelho enquanto coçava ativamente a axila. Valorosa e boa – tudo o que ele conhecera dela apagava-se agora diante dos quatro homens – e restava que ela era valorosa e boa. A outra verdade – uma verdade inteiramente inútil no meio dos quatro homens cuja força os simplificava e lhes dava tamanho – a outra verdade se tornara tão inexistente quanto o crime que não chegara a existir. Martim teve um prazer inesperado em usar as palavras que valiam no mundo: valorosa e boa. Eram palavras lindas – pois a existência de palavras ocas como essas haviam salvo a alma de seu filho!

A sentimentalização da decência tomou Martim em doloroso assalto.

– Valorosa e boa, disse então bem alto para que os homens vissem que ele era um deles.

Os quatro homens quietos olharam-no. Os quatro representantes. Representando, mudos e inapeláveis, a dura luta que diariamente se enceta contra a grandeza, nossa grandeza mortal; representando a luta que diariamente com coragem se enceta contra a nossa bondade, porque a bondade real é uma violência; representando a luta diária que encetamos contra a nossa própria liberdade, que é grande demais e que, com minucioso esforço, diminuímos; nós, que somos tão objetivos que terminamos sendo de nós mesmos apenas aquilo que tem uso; com aplicação, fazemos de nós o homem que um outro homem possa reconhecer e usar; e por discrição, ignoramos a ferocidade de nosso amor; e por delicadeza, passamos ao largo do santo e do criminoso; e quando alguém fala em bondade e sofrimento, abaixamos olhos ignorantes, sem dizer uma palavra em nosso favor; aplicamo-nos em dar de nós o que não espante, e quando se fala em heroísmo não entendemos. Os quatro homens de pé, representando...

Então, de repente – ó diabo, ó diabo! – de repente, a um relance ao rosto impassível de homens que tinham narizes, bocas, olhos, sinais particulares e uma testa – Martim percebeu espantado: eles sabem! Ele percebeu: que todo o mundo sabe a verdade. E que o jogo era assim mesmo: agir como se não soubesse... Essa era a regra do jogo. Que estúpido ele tinha sido! pensou estarrecido, abanando a cabeça com incredulidade. Que ridículo o seu, o de querer salvar uma coisa que estava se salvando. Todos sabem a verdade, ninguém a ignora! Espantado diante dos narizes e bocas com que nascemos, Martim olhou os quatro homens: todos sabiam a verdade. E mesmo que a ignorassem, o rosto das pessoas sabia. Aliás, todo o mundo sabe tudo. E uma ou outra vez alguém redescobre a pólvora, e o coração bate. A gente se atrapalha é quando quer falar, mas todo o mundo sabe tudo. Essa cara silenciosa com que teimosamente nascemos.

Os homens conversavam baixo. E enquanto isso, Martim tentava apalpar o seu erro: seu erro anterior fora tentar entender por meio do pensamento. E quando tentara refazer a construção, caíra irremediavelmente no mesmo erro. Mas, se a pessoa não se pervertesse em pensamento, a pessoa intata sabia a verdade. Que papelão o seu! descobriu ele envergonhado e enternecido. Como se tivesse ido dizer a uma mãe como amar seu filho, e a mãe abaixasse os olhos e o deixasse se espumar no discurso – e de repente ele compreendesse que, sem uma palavra e sem sequer entender, a mãe amava seu filho. E então, em vexame – uma dessas vergonhas pelas quais as pessoas muito ardentes passam – ele se retirasse na ponta dos pés, prometendo-se nunca mais, oh nunca mais fazer tanto barulho. Porque milhões de pessoas trabalhavam sem parar, salvando noite e dia. Só os impacientes não entendiam as regras do jogo. Ele pensara que as florestas dormiam intocadas, e de súbito descobria, pela cara com narizes que as pessoas têm, descobria que silenciosamente as formigas estavam roendo a floresta toda, diabo! nós somos intermináveis! O que ele não entendera é que havia um pacto de silêncio. E ridiculamente heroico viera com suas palavras. Outros, antes dele, já haviam tentado quebrar o silêncio. Ninguém conseguira. Pois, muito antes dos que têm o dom da palavra, os quatro homens e mais os outros sabiam.

Martim passou a mão pela testa, confuso. Os homens falavam, estudando o mapa. A verdade é que, contaminado pela cara calada dos homens que falavam sobre o mapa, Martim agora, como se também ele já fosse perdendo a fala, não conseguia mais pensar em termos de palavras, ele estava se metamorfoseando nos quatro homens, e transfigurando-se enfim em si mesmo – e penetrando nesse ultrapassamento cujo máximo é ter uma cara que sabe. E foi por isso que ele já não soube como exprimir, nem mesmo a si próprio, o seguinte: que tudo estava certo.

Miraculosamente certo. Oh, Martim sabia que em face da inteligência seria muito tolo dizer isso. Mas acontece que, enfim tão apoiado pelos quatro, ele não estava com medo de ser tolo. Oh, como explicar que tudo estava certo? Iniciado agora no silêncio – não mais no silêncio das plantas, não mais no silêncio das vacas, mas no silêncio dos outros homens – ele não sabia mais como se explicar, só sabia que se sentia cada vez mais um homem, cada vez mais ele se sentia os outros. O que, ao mesmo tempo que lhe parecia a grande decadência e a queda de um anjo, pareceu-lhe também uma ascensão. Mas isso só entende quem, em esforço impalpável, já se metamorfoseou em si mesmo. Martim nem sequer conseguiria explicar por que um homem teria como ideal a urgência de ser um homem. Oh, Martim a essa altura não sabia mais nada. Senão aquela mistura de cansaço, covardia e gratidão, onde ele enfim se mexeu com o gosto um pouco ignóbil e delicioso de um lagarto na lama. Oh, mas alguma coisa se criara.

Exausta, mas se criara.

Sobretudo Martim estava muito cansado. Um homem sozinho ficava tão cansado. Quisera ele próprio arcar com um fardo – "arcar com o fardo" era um dos símbolos antigos que ele precisara averiguar sozinho, resto de procissões e de jogos atléticos a que assistira. Ele próprio quisera arcar com o fardo e levá-lo adiante. Mas quem levava adiante eram os quatro homens tranquilos que protegiam com a paciência o que quer que eles levavam adiante. Ele próprio, além de tocar nos símbolos, nada pudera fazer. Mas os quatro homens protegiam o fardo com a ignorância. Ó diabo, não era propriamente fardo, era "tocha" o que em geral se carregava! Eles protegeriam com a ignorância o fardo, sem abrir-lhes o mistério, levando-o intato e assim por diante etc. Uma vez ou outra, então alguém inventava uma vacina que curava. Uma vez ou outra o governo caía. Às vezes a mulher parava de gritar e nascia um menino. Que diabo! pensou Martim arrepiado, como se tivessem hasteado a Bandeira Nacional à qual ele jamais pudera resistir.

"Oh, mas eu também tinha o direito de tentar!", revoltou-se ele de repente, "eu queria o símbolo porque o símbolo é a verdadeira realidade! eu tinha o direito de ser heroico! pois foi o herói, em mim, que fez de mim um homem!"

Que é mesmo que aquele homem estava pensando?

Nada. Restos transfigurados de civismo e de colação de grau, leiteiros que não falham e entregam diariamente o leite, coisas assim que parecem não instruir, mas instruem tanto, uma carta que nunca se pensou que viria e que vem, procissões que dão voltas lentas pela esquina, as paradas militares onde uma multidão inteira vive da seta que lançou – aquele homem estava recuperando tudo de cambulhada. A memória termina voltando.

Que é mesmo que ele estava pensando? Nada, aliás. O sol ainda se dourava, avermelhado, tranquilo. O mundo era bonito, isso não se discute. Pela janela o sol dourava o mapa que os homens estudavam. Oh o mundo era tão bonito! E tudo estava certo. Futuramente certo.

"O que é mesmo que está certo?", atrapalhou-se Martim. Sua cabeça cansada se confundiu, ele não sabia muito bem o que é que está certo. Tentou então, com esforço sobre-humano, prosseguir. Mas parece que não podia.

Parece que não podia, e que sua boa vontade não bastava; aí é que estava o problema. E agora, que se achava quase no fim da jornada, tendo quase ao alcance uma certa palavra ou um certo sentimento – agora ele não tinha força para estender o braço fatigado e alcançar. Tinha que parar ali onde parara, e transferir para os outros a construção da marcha. E ali humildemente ficar. E de novo ter como ideal máximo, adivinhar.

Confuso, a modo de dizer, Martim apenas adivinhava. Mas quem sabe, força nenhuma jamais conseguisse mais do que estender ao máximo o comprimento de um braço de homem – e então não alcançar aquilo que, com mais um impulso, o derradeiro e o impossível, encheria com vida a mão. Porque braço de homem tem medida certa. E tem uma coisa que nunca saberemos. Tem uma coisa que nunca saberemos, você sente isso, não sente? embaraçou-se o homem, emocionado como se isso contraditoriamente significasse arriscar-se no primeiro passo de uma estranha esperança.

– Ela era valorosa e boa, disse interrompendo os homens para ver-lhes a cara, pois sentia que de novo estava se perdendo deles.

Os homens concentrados no mapa levantaram os olhos, olharam-no um segundo e, caceteados, voltaram ao mapa.

– Valorosa e boa, repetiu Martim interpretando a expressão deles como sinal de que não o tinham ouvido. E era preciso que eles ouvissem! Fazia questão cerrada de reduzir tudo o que lhe acontecera a alguma coisa compreensível pelos milhões de homens que vivem da lenta certeza que avança, pois esses homens se arriscaram também. E não podiam ser perturbados no seu trabalho de sono, e não deveriam jamais ter a certeza estremecida – sem que isto constituísse o crime maior.

Bem que Martim percebeu que de novo estava resvalando para o discurso. E que a realidade dos quatro homens nada tinha a ver com isso. Então ficou um pouco desarvorado: nada do que ele tinha a oferecer parecia servir. Ele queria entrar na festa a todo custo, mas tudo o que fazia era apenas espalhafatoso, por mais discreto que fosse. Ficou então um pouco desarvorado.

"Quero encontrar pela frente o homem que seja bastante macho para ter a ousadia de me dizer que não amo minha mulher!", se disse ele de repente refazendo-se. Emocionou-se com a própria generosidade, ele que estava oferecendo vender a própria alma, contanto que a comprassem. Doeu-lhe mentir, mas a bravata lhe fez um bem enorme, com bruta boa vontade Martim queria que hoje fosse ele a pagar a bebida de todos, e que bebessem à vontade, e depois ele nem ao menos confessaria que ficara sem dinheiro – e então também ele teria um segredo de sacrifício, como os outros têm. Martim queria fazer o sacrifício de sua incredulidade. E nessa heroica amputação, ele só aceitaria em si mesmo aquilo que os homens pudessem compreender sem que, por terem compreendido, tivessem o caminho abalado: ele aceitava que lhe acontecera um crime passional.

Ele aceitou que cometera um crime passional, não somente porque, neste momento, lembrando-se dos seios de sua esposa uma raiva retrospectiva o tomou, como porque lhe pareceu que se tivesse cometido apenas um crime passional teria evitado o crime maior: o de duvidar. E afinal, a verdade é coisa secundária – se se quiser o símbolo. E ele agora tinha um novo símbolo a perseguir.

"Sou de vocês", pensou ele então, ainda com o resto de uma gravidade que se envaidecia de si mesma. "Sou de vocês", pensou entregue, atento, consciente. E a verdade é que, lhes entregando a própria consciência, ele afinal estava entregando apenas uma consciência que falhara; não era muito. Uma consciência que se deixara arrastar pela beleza. "É assim mesmo que devo fazer o ato de entrega?", indagou-se, procurando concentrado acertar ao máximo. E, entregando aos homens pequenos e fortes a chave, ele voluntariamente se encostava ao muro para ser fuzilado.

"Oh, estaria exagerando a própria importância, e a importância do que lhes estava entregando?" Estava sim. Mas, sem exagerar, como viver? Como atingir, sem exagerar? O exagero era o único tamanho possível para quem era pequeno; preciso me exagerar – senão que é que faço de mim pequeno?

E assim é que, por maior que fosse a sua boa vontade, ele ainda não sabia como ser um outro homem. E estava se entregando enorme, desajeitado como um bonecão de borracha cheio de ar. Notou isso; e tentou corrigir ou pelo menos disfarçar. Pois esse modo de se entregar era como se ele ofendesse um pobre mostrando-lhe a caridade da riqueza, era como se estivesse escandalizando a modéstia dos quatro homens. Era como se ele tivesse pensado que "a coisa se faria muito certa" se ele se mostrasse de repente nu – e os outros desviassem os olhos sem ao menos uma reprovação: apenas demonstrando em silêncio que também não é assim não, e que a nudez é um caso puramente pessoal.

Está bem, errei, então. Mas então como é que um homem se torna o outro homem? Como? Por um ato de amor, ocorreu vagamente a Martim, o que por enquanto lhe pareceu grande tolice.

E como estava agora num beco sem saída, tentou rapidamente disfarçar sua total falta de tato: "pronto, acabou-se! não se fala mais nisso, está bem? vamos esquecer o que se passou, nem se toca mais no assunto! matei, não foi? pois então matei! aliás nem matar matei! mas também ninguém precisa ficar magoado comigo, o que passou, passou! vamos tocar para a frente!" Seus olhos estavam úmidos no desejo de ser aceito.

Os quatro homens continuavam inclinados sobre o mapa.

Eles tinham a grande vantagem prática de serem milhões; para cada milhão que errava, outro milhão se erguia. E alguma coisa sucedia através deles – devagar demais para a impaciência – mas sucedia. Só a impaciência do desejo lhe dera a ilusão de que o tempo de uma vida era tempo bastante. "Para a minha vida pessoal pedirei socorro ao que já morreu e ao que nascerá, só assim terei vida pessoal", e só assim a palavra tempo teria o sentido que um dia ele adivinhara.

"Eu não sou nada", disse-se então Martim, dessa vez por safadeza, pestanejando de prazer. É que, através de um raciocínio muito complicado, tinha chegado à conclusão de que fora uma bênção ele ter errado, porque, se tivesse acertado, provar-se-ia que a tarefa de vida era para um homem só – o que, contraditoriamente, faria com que a tarefa não se fizesse... Um homem sozinho chegava apenas a uma beleza superficial, como a beleza de um verso. Que, afinal, não se transmite pelo sangue. (Mentira! ele sabia que chegara a muito mais que isso.) Um homem sozinho tinha a impaciência de uma criança, e, como uma criança, cometia um crime, e depois olhava as mãos e via que nem sangue tinha nas mãos mas apenas tinta vermelha, e dizia então: "não sou nada".

Foi isso o que ele pensou. E pensou também: em verdade posso descansar – esses homens não sabem que sabem, é apenas isso o que lhes acontece. Os quatro homens pequenos iam levando adiante – burros, pequenos, estúpidos – burros? burro sou eu! – iam levando adiante. O quê? Pro diabo, pensou Martim muito emocionado, não importa o quê. Em última análise, eles se levam adiante. E para levar adiante, eles se protegiam sendo pequenos e vazios – vazios coisa nenhuma! – e estúpidos; e se fraquejassem na dúvida, milhares de outros pequenos brotariam do chão e continuariam a tarefa da certeza.

Foi então que Martim, pela primeira vez, teve a certeza.

Exausto, como se já a tivesse tido alguma vez, ele a reconheceu. O único modo de descobrir era, aliás, reconhecer. Assim era.

E foi assim que aconteceu, sem mais nem menos: ele teve a certeza. Como? Oh, vamos dizer que uma pessoa tivesse um cérebro matemático mas ignorasse que existem números – de que modo então essa pessoa pensaria? tendo a certeza! Oh, também a esperança é um pulo. Martim então jogou tudo na certeza. E ficou muito quieto.

Ficou bem quieto. Do lugar onde se pusera de pé, a vida era muito bonita. Ele chegara a um ponto irredutível, não divisível sequer pelo número um. E então ficou quieto, cansado. Se saíra de casa "para saber se era verdade", ele agora sabia que era. Aliás, ele sabia a verdade. Embora nunca pretendesse pronunciá-la, nem sequer sozinho consigo mesmo, pois, como se disse, ele se tornara um sábio – e a verdade, quando pensada, é impossível. Diabo! a verdade foi feita para existir! e não para sabermos. A nós, cabe apenas inventá-la. A verdade... – bem, simplesmente, a verdade é o que é, pensou Martim com uma profundeza que o depôs exatamente no vazio. A verdade nunca é aterrorizante, aterrorizantes somos nós. E também, como que "a verdade acontecerá". Quem não acreditar que a verdade acontece que veja uma galinha andando por força do desconhecido. "Aliás a verdade tem acontecido muito" – a essa altura Martim já se tinha perdido na profundeza que sempre o aguardara irônica. Essa profundeza de onde – de onde uma grande onda de amor lhe nasceu no peito.

De início, não sabendo que fazer com o amor, sua alma cambaleou um pouco com tanta crueza. Então ficou quieto, estoico, aguentando firme.

Há poucas horas, junto da fogueira, ele atingira uma impersonalidade dentro de si: ele fora tão profundamente ele mesmo, que se tornara o "ele mesmo" de qualquer outra pessoa, assim como a vaca é a vaca de todas as vacas. Mas se junto do fogo ele se tinha feito, neste instante ele se usava: agora acabara de atingir a impersonalidade com que um homem, caindo, um outro se levanta. A impersonalidade de morrer enquanto outros nascem. O altruísmo dos outros existirem. Nós, que vos somos. Que coisa estranha: até agora eu parecia estar querendo alcançar com a última ponta de meu dedo a própria última ponta de meu dedo – é verdade que nesse extremo esforço, cresci; mas a ponta de meu dedo continuou inalcançável. Fui até onde pude. Mas como é que não compreendi que aquilo que não alcanço em mim... já são os outros? Os outros, que são o nosso mais profundo mergulho! Nós que vos somos como vós mesmos não vos sois. Assim, muito concentrado no parto dos outros, num trabalho que só ele podia fazer, Martim estava ali tentando fazer corpo com os que nascerão.

Devagar, saiu afinal de sua quietude. "Conto com vocês", se disse tateando, "conto com vocês", pensou grave – e essa era a forma mais pessoal de uma pessoa existir. Nós que, como o dinheiro, só temos valor enquanto inteiro. Martim teve mesmo vergonha de ter sido pessoal de outro modo, era um passado sujo o seu, fora uma vida individual, a sua. Mas pareceu-lhe também, perdoando-se, que ele não tivera escolha: que aquele fora o único modo como ele soubera ser os outros, já que somos tão parecidos e somos filhos da mesma mãe.

Então, quando pensou em "filhos da mesma mãe", ele se sentimentalizou todo, ficou tenro e amolecido – o que foi praticamente ruim porque desviou o curso de seus pensamentos. "Agora sou obrigado a começar tudo do começo", pensou muito perturbado. Mas agora era tarde para voltar com alguma frieza, pois estava todo emocionado com problemas de mãe e amor. Foi então que – fazendo dentro de seus limites um círculo perfeito, e a sorte dele era rara em poder voltar por meios obscuros a seu próprio ponto de partida – num círculo perfeito dentro de seus escassos limites, ele então quis ser bom. Porque, afinal, adiando *sine die* o mistério, essa era a hora imediata de um homem. E sobretudo porque, afinal, "o outro homem" é o pensamento mais objetivo que uma pessoa pode ter! ele que quisera tanto ser objetivo.

Olhou. E sem a menor sombra de dúvida, viu os quatro homens concretos. Eles eram inegáveis. Se Martim quisera um dia a objetividade, aqueles homens eram o pensamento mais nítido que Martim jamais tivera. E ser "bom" era afinal de contas o único modo de ser os outros.

Então, como muitas promessas nos foram feitas, uma delas ali mesmo se cumpriu: os outros existiam. Existiam como se ele, Martim, os entregasse a eles mesmos. Martim olhou intrigado o investigador de fumo preto. "Devolvo-te à tua grandeza", pensou com esforço e com alguma solenidade. Uma das promessas se cumpria: os quatro homens. E ele, Martim, estava pronto para sentir a fome alheia como se seu próprio estômago lhe transmitisse a imperiosa ordem absoluta de viver. E se, como toda pessoa, ele era uma ideia preconcebida, e se saíra de casa para saber se era verdade o que preconcebera – era verdade, sim. De algum modo, o mundo estava salvo. Havia pelo menos uma fração de segundo em que cada um salvava o mundo.

O coração de Martim estava confuso. "A diferença entre eles e mim, é que eles têm uma alma, e eu tive que criar a minha. Eu tinha que criar para eles e para mim o lugar onde eles e eu pisávamos. Como o processo é sempre misterioso, não sei nem ao menos dizer de que modo o fiz: mas esses homens, eu os pus de pé dentro de mim. Para dizer a verdade, não tenho a menor vergonha de, não sendo nada, ser tão poderoso: é que nós somos modestamente o nosso processo. Eu pertenci a meus passos, um a um, à medida que estes avançavam e constituíam um caminho e construíam o mundo. Foi um longo caminho. E é verdade que menti muito; menti tanto quanto precisei: mas talvez mentir seja o nosso mais agudo modo de pensar; talvez mentir seja o nosso modo de agarrar; e eu agarrei muito; minhas mãos têm um passado; foi um longo caminho, e eu tive que inventar os passos; mas esta inocência que sinto em mim é a meta; pois sinto, também em mim! a inocência e o silêncio dos outros. Oh, talvez seja por um instante apenas! E depois? – depois entrego a nós todos a tarefa de viver. Nós somos as nossas testemunhas, não adianta virar o rosto para o outro lado. O consolo é que nem todos têm que depor e gaguejar, e só alguns sentem a danação de procurar compreender a compreensão." Com a graça de Deus, o mundo que ele estivera prestes a construir jamais teria força de gravitar, e o homem que ele inventara estava aquém... ora, estava aquém do que ele mesmo era!

Estaria ele por acaso descobrindo a pólvora? Mas talvez seja assim mesmo: todo homem tem que um dia descobrir a pólvora. Ou então não houve experiência. E seu fracasso? como se conciliar com o próprio fracasso? Bem, toda história de uma pessoa é a história de seu fracasso. Através do qual... Ele, aliás, não falhara totalmente. Porque eu fiz os outros, disse-se olhando os quatro homens. E do fundo do inferno, subia o amor. Nós que estamos doentes de amor. Mas alguém aceitaria jamais o modo como ele chegara a amar? oh as pessoas são tão exigentes! comem o pão e têm nojo dos que pegaram na massa crua, e devoram a carne mas não convidam o açougueiro; as pessoas pedem que se lhes esconda o processo. Só Deus não teria nojo de seu torto amor.

Emocionado e generoso como estava, Martim se tornaria até inconveniente no seu luxo de bondade – como sua própria mãe que, bondosa e importuna, insistia emocionada para que as visitas bebessem e comessem. Assim, igual a sua mãe, ele olhou os quatro representantes.

E sem saber o que lhes dar, esboçou um gesto de bater nas costas do investigador de fumo na lapela, abriu a boca para lhe dizer em maliciosa cumplicidade: "aí, hein, seu desgraçado?" – mas encabulou no meio, pois sua mãe também fora mulher moderada.

Então, sem saber que pensara na sua mãezinha, o que lhe aconteceu, em círculo perfeito, é que nossos pais não estavam mortos. Pelo menos não tão mortos assim.

"Que é? que é que eu pensei agora", surpreendeu-se Martim assustado. De novo aquele homem pensara rápido demais em relação à sua própria lentidão. Toda vez que acertava, ele não se entendia, somos inteligentes demais para a nossa lentidão. Assim, sem entender por que cargas d'água pensara na sua mãe, agora apenas percebia que pensara; e grunhiu aprovando seu sentimento filial, com aquela tendência que ele tinha para homenagear. Estava um pouco intrigado por ter pensado na sua mãe. Embora concordasse; de um modo geral ele concordou. Não sabia com que, mas concordava. Que seria afinal de nós se não usássemos, como Deus, a obscuridade? Então, sem propriamente acompanhar o caminho de seu pensamento, descobriu – sozinho e sem auxílio de ninguém! – que Deus e as pessoas escrevem por linhas tortas! "Se escrevem direito, lá isso não me cabe julgar, quem sou eu para julgar", concedeu com magnanimidade, "mas por linhas tortas". E isso – isso ele descobriu sozinho!

Outro símbolo tinha sido, pois, tocado.

Excitado com o sucesso, Martim imediatamente pôs mãos à obra e pensou: "casa de ferreiro, espeto de pau!" – e parou para ver se também dava certo. Mas não formou sentido. Martim caíra em pura tagarelice, como um homem feliz e cansado. Desde menino, sempre que tinha um sucesso, terminava por se sair mal: quando jogava futebol e fazia um gol feliz, seu próximo chute alegre sempre terminava mandando a bola para fora do campo: ele era um homem de boa vontade. Não, casa de ferreiro não levava a parte alguma – e o homem sentiu a tempo que estava abusando de seu estado de graça e forçando um pouco a mão. Oh, como tudo é chato, pensou exausto, deslumbrado.

Quantos minutos se tinham passado? tinha-se passado a espécie de minutos em que o pensamento é o tempo.

– Com esse mapa já perdemos dez minutos, disse o investigador que Martim criara e que estava funcionando pela primeira vez depois que Martim o pensara – e funcionava logo com perfeição. Vamos terminar por viajar de noite, disse o investigador desgostado.

– Valorosa e boa, disse-lhe Martim recuperado, antigo, aliás recuperado demais e quase na Idade Média; sua armadura fulgurava.

Estava ansioso por agradá-los. É que há minutos ardia por perguntar-lhes se sua mulher tivera realmente um amante. Agora, pela primeira vez, isso tinha a maior importância. E eles deviam saber, eles eram fortes e bons, ele queria ser julgado por eles que, seguros e armados, também deviam ser caridosos – porque no novo sistema de Martim uma pessoa era fatalmente perfeita já que chegara ao ponto de viver, quando uma coisa chegava a nascer é porque já era completa. Com os olhos úmidos, ele queria perguntar-lhes humildemente como uma criança – queria ser a criança dos homens e aprender tudo de novo, e obedecer e ser severamente castigado se não obedecesse, e queria entrar naquele mundo que tinha a vantagem eminentemente prática de existir, que digo eu?! vantagem aliás insubstituível! – queria perguntar-lhes: minha mulher tinha mesmo um amante, tinha? E se eles dissessem que não, ele acreditaria: no que eles dissessem, acreditaria.

Lembrou-se a tempo do desprezo que as pessoas, sobretudo as armadas, tinham por um marido enganado. Ele era um marido enganado! Sentir-se classificado encheu-o de emoção e agradecimento.

– Minha mulher tinha mesmo um amante? perguntou-lhes com os olhos piscando de cobiça, pois agora Martim queria que tudo o que lhe acontecera fosse bem seu.

Os dois investigadores viram suas lágrimas e trocaram um olhar de ironia.

– Ele está chorando, disse o de fumo na lapela indicando-o com a cabeça. Além de ser um... – ia dizer a palavra mas lembrou-se a tempo da presença de uma senhora – além disso, chora como um covarde.

E foi assim que, com a nova palavra de classificação, Martim entrou de novo no mundo dos outros, de onde saíra para reconstruir. E reencontrou com humildade farejante – como um cão sem dentes mas com dono! – o mundo velho, onde ele era enfim alguma coisa, nós que precisamos ser alguma coisa que os outros vejam, senão os próprios outros correrão o risco de não serem mais eles mesmos, e que complicação então! Ele era a palavra que o investigador não ousara pronunciar diante de Vitória, e um covarde. Eles devem ter razão, pensou Martim com avidez, pulando com generosidade por cima da própria descrença, eles devem ter razão, eles sabem o que fazem, pensou contente como uma mulher. Estava tão emocionado com a bondade de todos. Eram tão bons que o aceitavam de volta, tinham até um lugar determinado para ele e dois nomes esperando-o. "Aceitavam-no de volta?", oh, mas muito mais que isso: na verdade exigiam sua volta, tinham até vindo buscá-lo! Nenhum homem podia ser perdido, o avanço de milhões precisava de cada homem! E eles estavam inclusive dispostos a passar uma esponja – não sobre o crime, isso felizmente jamais! – mas sobre o que ele fizera de pior: a tentativa de romper o silêncio de que aqueles homens precisavam para avançar enquanto dormiam.

– Que música é esta? perguntou de repente, ele que nunca ouvira gramofone naquela casa.

– Ermelinda não quis ouvir o que se passa aqui e ligou a vitrola. Mas ela mandou dizer que vai dar adeusinho pela janela, disse Vitória.

A interrupção inesperada atrapalhou todos um pouco. Por um instante ficaram se olhando, procurando no fato do gramofone a sua particular importância. Até aquele momento, um ou outro dos presentes dirigira a situação. Mas agora esta parecia se fazer sozinha, a sessão estava sem um presidente, os acontecimentos se tinham tomado ao seu próprio cargo.

– Pois é, disse o prefeito com insegurança mas com severidade também, pois ele ali estava dentro de sua circunscrição e a ele cabia fazer com que tudo fosse claro.

É que todos, sem sentir, pareciam ter esquecido de algum objetivo, ou tinham por um instante se perdido daquilo que eles simbolizavam; as coisas se desmancham facilmente em certa bondade preguiçosa, em certa meditação vazia – que muitas vezes resulta em cada um voltar para casa e, enfim acordado de uma miragem, recomeçar a fazer o que realmente importa? E o que é que realmente importa? Não sei, talvez sentir com bondade irônica esse modo como as coisas mais reais e que mais queremos de repente parecem um sonho, e isso simplesmente porque sabemos muito bem que... que o quê?

– Ele vai ser preso? disse Vitória tolamente, passando a mão pela boca seca.

– Mas é claro! precipitou-se Martim olhando-a ressentido como se ela tivesse desajeitadamente ofendido os homens. Mas é claro! disse lisonjeando-os; sua voz estava doce e pouco viril.

Vitória olhou-o perplexa:

– Será que ele está bem, prefeito? sussurrou como se estivesse num quarto de doente.

Como um modesto hermafrodita, Martim abaixou os olhos escondendo o fato de estar tão completo e perfeito. Oh, ele se dava conta de muita coisa: de que certamente parecia abobalhado aos olhos dos outros; de que ele próprio estava voluntariamente se abobalhando; de que muitas das emoções que estava sentindo não eram verdadeiras; de que estava fingindo a verdade como modo de atingi-la. E de que estava à beira de um desastre, e que poderia de repente começar a tremer com febre ou então sentir de repente na própria carne a realidade do que lhe estava acontecendo. "Vocês por favor não reparem", pensou, "é que estou exausto."

O prefeito abanou a cabeça fitando-o e falando dele como se ele não estivesse presente:

– É assim mesmo, minha senhora. Na hora dá uma quebradeira daquelas. Antes eles pensam que são os tais, disse o prefeito examinando-o com uma curiosidade já um pouco fatigada pela longa prática, mas na hora de serem presos viram mulher, têm medo.

Medo? oh não, pensou Martim sinceramente espantado e sentido, eles não me entendem! Eles têm a vantagem de me prender, e não sabem sequer por quê! Baixou a cabeça, aniquilado, solitário. Seria ele preso à toa?

Mas como aquele homem era danado de difícil de derrubar, ele pensou: não faz mal, quem sabe se é exatamente na prisão que vou conseguir o que quero? Pois, como uma pessoa que já tivesse comido o bolo e no entanto continuasse a procurar o bolo, ele ainda continuava preso à ideia de "reforma". Não faz mal, ele por exemplo poderia na tranquilidade da prisão escrever sua confusa mensagem. A minha própria história, pensou já refeito na fatuidade de que precisava para ter um mínimo de dignidade pessoal, a dignidade que o prefeito derrubara. Pois muito me resta a fazer! Porque afinal, diabo! – lembrou-se ele de repente – usei tudo o que pude, menos – menos a imaginação! simplesmente me esqueci! E imaginar era um meio legítimo de se atingir. Como não havia modo de escapar à verdade, podia-se usar a mentira sem escrúpulos. Martim se lembrou de si próprio quando tentara, no depósito, escrever; e de como, por mesquinhez, não usara a mentira; e de como fora mediocremente honesto com uma coisa que é grande demais para que possamos ser honestos com ela, nós que temos da honestidade a ideia que dela fazem os desonestos.

Mas com a imaginação ele escreveria na prisão a história muito torta de um homem que teve... Teve o quê? Digamos: pena e espanto?

"Sobretudo", pensou ele, "juro que no meu livro terei a coragem de deixar inexplicado o que é inexplicável."

Aliás – pensou então – a dificuldade não tinha a menor importância, pois por ser difícil de resumir é que ele usaria tantas palavras, tantas a ponto de se formar um livro de palavras. O que lhe agradou, já de início. Porque ele gostava de quantidade também, não só de qualidade, como se diz de goiabada; e, se estava cansado, ele também era um guloso, porque, afinal, o que é maior é sempre melhor do que é menor, embora nem sempre. Um grosso livro, pois. Ele o dedicaria assim: "Em homenagem aos nossos crimes." Ou, quem sabe, talvez: "Aos nossos crimes inexplicáveis."

Martim estava contente, atento, imaginando a história que ia escrever. "De algum modo cada um de nós oferecia sua vida a uma impossibilidade. Mas era verdade também que a impossibilidade terminava por ficar mais perto de nossos dedos que nós mesmos, pois a realidade pertence a Deus." Martim pensou depois que temos um corpo e uma alma e um querer e os nossos filhos – e no entanto o que verdadeiramente somos é aquilo que o impossível cria em nós. E, quem sabe, a sua seria a história de uma impossibilidade tocada. Do modo como podia ser tocada: quando dedos sentem no silêncio do pulso a veia. Assim, aquele homem que um dia não soubera sequer anotar a lista de "coisas a saber", queria escrever – seus olhos se entrefecharam em devaneio como uma mulher velha, que relembrando o passado, parece transpô-lo em esperança para o futuro. E sua armadura de novo faiscou. Não sabia senão por alto o que seria esse livro dedicado aos nossos crimes. De uma coisa, porém, estava serenamente quase certo, embora cautelosamente vago: terminaria o livro com uma apoteose, desde menino sempre tivera certa tendência para a celebração, o que era a parte mais generosa de sua natureza: essa tendência ao grandioso. Mas, afinal, tudo o que a gente tenta é mesmo preparar um *finale* perfeito. No que, é verdade, há o perigo de se começar a falar alto, e, afinal, só a doçura é potência, Martim estava começando a saber disso. Mas a tentação da apoteose era forte demais: ele sempre fora homem que quisera pagar a bebida de todos, ele sempre se emocionara em ser trouxa, e nunca tivera oportunidade por causa de sua esperteza e cobiça; sempre ansiara por uma generosa apoteose, sem nenhuma economia, como no final das revistas musicais, quando todos os membros da companhia vêm ao palco.

Oh Deus, Deus: ele estava exausto. Ele não queria nenhuma apoteose.

Agora sério, exausto, olhou de mãos caídas. Estivera brincando até agora, por pura excitação. Mas agora ele quis foi pobreza e doçura. Estava mole, cansado, ele queria... que é que ele queria? Que é que eu quero? Oh Deus, ajude-o, ele não sabe o que quer.

Ele não sabia. E num esforço sobre-humano de se dar, fez uma expressão de rosto que se soubessem ler saberiam o que ele queria, mesmo que não pudessem dizer o quê. Que é mesmo que ele queria? não sabia, uma pessoa substitui tanto que termina por não saber.

Oh, também não vamos complicar demais. Pois afinal tudo, em última análise, se reduz a sim ou não. Ele queria "sim". Que poderia ser dado indiferentemente com a cabeça baixa ou com todos os membros da companhia no palco, é uma pequena questão de preferência pessoal, e gosto não se discute.

E a verdade é que Martim estava caindo de cansaço. Há meses aquele homem fazia um esforço superior à sua capacidade, pois tratava-se de uma pessoa menor. Seu fôlego era curto, a capacidade de seu estômago pequena. O próprio crime tinha sido uma performance esgotante. "Na prisão vou ver se tomo algumas vitaminas", pensou vago, ele que sempre tivera o desejo secreto de ser um homem gordo. Seu fôlego era curto, e ele já estava nauseado de ser gente: engolira mais do que pudera digerir.

Por cansaço, então, em visão rápida e balsâmica, ele se refugiou nas plantas grossas de seu terreno – que deviam estar agora tranquilamente anoitecendo entre as ratazanas. "Vão para o diabo", disse-se então olhando os homens, nauseado de ser gente. As plantas tranquilas chamavam-no. "Não ser", esta era a vasta noite de um homem. "Mesmo não é sequer com a inteligência que se dorme com uma mulher", pensou ele desvairando, e tão profundo que não entendeu propriamente o que queria dizer com isso. Pensou com desejo nas plantas do terreno terciário, com saudade das ratas negras. Uma moleza feita de sensualidade tirou-lhe a força de combate, deu-lhe uma nostálgica safadeza, uma melancolia à toa. Vagamente ainda tentou se aprumar e se refazer: "afinal sou brasileiro, que diabo!" Mas não conseguiu. Aquele homem estava saciado, queria refúgio e paz.

Mas para encontrar essa paz, teria que esquecer os outros.

Para encontrar esse refúgio, teria que ser ele mesmo: aquele ele mesmo que nada tem a ver com ninguém. Mas tenho direito a isso!, reivindicou cansado, que diabo! que tenho a ver com os outros! Há um lugar onde, antes da ordem e antes do nome, eu sou! e quem sabe se esse é o verdadeiro lugar-comum que saí para encontrar? esse lugar que é nossa terra comum e solitária, e aí é apenas como cegos que nos apalpamos – mas não é só isso o que queremos? Eu te aceito, lugar de horror onde os gatos miam contentes, onde os anjos têm espaço para na noite bater asas de beleza, onde entranhas de mulher são o futuro filho e onde Deus impera na grave desordem da qual somos os felizes filhos.

Por que então lutar? Havia dentro de uma pessoa um lugar que era pura luz, mas não reverberava nos olhos nem os empanava; era um lugar onde, fora de brincadeira, se é; onde, sem a menor pretensão, se é; onde, modéstia à parte, se é; e também não vamos fazer, do fato de ser, cavalo de batalha! não vamos complicar a vida: pois a este tranquilo gozo temos direito! E nem é coisa sobre a qual se possa sequer discutir pois, além do mais, falta-nos a capacidade do argumento – e, para falar a verdade, muito antes de sabermos, já os cães se amavam; afinal, por direito de nascença, temos direito de ser o que somos – então vamos aproveitar, não vamos exagerar o fato dos outros serem importantes! pois existe em mim um ponto tão sagrado como a existência dos outros, os outros que se arranjem! um homem tem por nascença o direito de dormir tranquilo – porque as coisas também não são assim tão perigosas e o mundo não acaba amanhã, o medo confundiu um pouco a realidade com o desejo, mas o cão em nós conhece o caminho, que diabo! que culpa tenho eu da cara silenciosa dos homens, é preciso também confiar um pouco, pois nós, graças a Deus, temos fortes instintos e bons dentes, sem falar na intuição, e afinal temos por nascença essa capacidade de nos sentarmos de noite calados à porta de casa. Do que nascem algumas ideias...

Sim, pois assim lhe acontecera. Algumas ideias, e o espanto. O espanto, a cólera, o amor, e então a porta da casa se torna pequena, e não bastam esses sentimentos e esses direitos, falta nascer alguma coisa a mais... Que é que falta? Quando a casa própria se torna pequena, o homem parte de madrugada para trazer de volta alguma coisa.

Martim se refez rápido. A moleza passara. Aquela era a sua chance! Ele não poderia perdê-la por mero cansaço, ele que passara a vida toda sem saber que fazer do fato de ser pequeno, e que agora enfim achara o que fazer de si, pequeno como era – agregar-se aos pequenos. Ele se refez rápido – agora que tinha chegado finalmente a sua vez de uma apoteosezinha!

– Bom, vamos, disse o investigador dobrando o mapa.

– Espero, minha senhora, disse o prefeito, que ele não lhe tenha causado prejuízos. A senhora foi muita corajosa, poucas mulheres aguentariam sem medo saber que tinham um criminoso em casa. Perdão, poucas senhoras, quero dizer. Nós, da Prefeitura, esperamos que ele não lhe tenha causado prejuízos.

– Não, não, disse Vitória rapidamente, enrubescendo confusa.

Prejuízos? não, não, tivera dele o que quisera, não tivera?

– Vamos então, disse o investigador olhando Martim com uma repugnância um pouco fingida pois na realidade ele estava habituado a presos. Você não me parece dos que fogem, mas é melhor eu lhe avisar que qualquer movimento seu, é bala.

Grande e desarmado, Martim apressou-se:

– Não, vou me comportar muito direito! disse com prazer e atenção, procurando com gosto repetir alguma situação anterior de modo a que esta atual se tornasse compreensível. E não se esqueçam de que não reagi, viu? não se esqueçam de dizer isso ao juiz: que não reagi! Não vê que eu até podia ter fugido? disse sabido.

– Experimente para ver.

– Oh, não estou querendo dizer que posso fugir agora! corrigiu Martim com respeito. Quero dizer que poderia ter fugido antes! porque antes dos senhores terem vindo, não se esqueçam, eu tive meses para fugir!

O que acabara de lhe passar rapidamente pela cabeça fora o seguinte: seria a seu favor se ele mentisse dizendo que não fugira porque pretendera se entregar... Aliás – pensando bem, e nos novos termos – como entender que não tivesse fugido, senão porque pretendia se entregar? Que não tivesse fugido por outros motivos, era uma verdade que não existia mais. Por um instante Martim se lembrou da folha de papel onde escrevera seus propósitos, e lembrou-se de como não fugira porque quisera ter tempo de cumpri-los – mas isso agora se tornara tão incompreensível e de tal modo não cabia no sistema dos quatro homens, que só tinha um valor real e final: o de havê-lo impedido de fugir. O que seria chamado de falta de resistência. O que seria uma atenuante. Como tudo terminava por ser perfeito! pestanejou ele.

– Podia ter fugido coisa nenhuma, respondeu o investigador. Desde que esta senhora falou de suas suspeitas ao professor, as investigações começaram e você foi vigiado. Se não atacamos antes é porque nosso método é trabalhar com a certeza, acrescentou digno.

Martim abanou a cabeça com surpresa e curiosidade: tinha esquecido completamente de como, de um modo geral, as pessoas são estúpidas.

– Mas eu não podia adivinhar que estava sendo vigiado, podia? argumentou com paciência. Eu não sabia que estava sendo vigiado, e não tentei fugir, tentei?

– Não, lá isso é verdade, concordou o investigador relutante, olhando-o um pouco fascinado: havia ali um equívoco mas o investigador não saberia dizer qual.

– Ele na certa sabia que era impossível fugir, aventurou o de fumo na lapela que era uma das pessoas mais espertas que Martim criara. Ele sabia que era impossível fugir, disse procurando esclarecer a confusão em que o preso os havia lançado – e sabendo que estava cercado, resolveu não fugir para dar um ar de quem se arrepende e se entrega! sugeriu com sagacidade.

Martim olhou-o surpreendido. Por tudo ele teria que passar! Inclusive pela inocência. Acusado injustamente, pela primeira vez Martim experimentou a inocência. Seus olhos piscaram úmidos, agradecidos. Outro símbolo se realizara.

E Martim compreendeu agora por que seu pai, já pelo fim da vida, dizia teimoso, inexplicável: "sempre consegui o que quis". Sim, de algum modo sempre se conseguia. E eu, que foi que consegui? Consegui a experiência, que é essa coisa para a qual a gente nasce; e a profunda liberdade está na experiência. Mas experimentar o quê? experimentar essa coisa que nós somos e que vós sois? É verdade que a maior parte do modo de experimentar vem com dor, mas também é verdade que esse é o modo inescapável de se atingir o único ponto máximo, pois tudo tem um único ponto máximo, e cada coisa tem uma vez, e depois nos preparamos para a outra vez que será a primeira vez – e se tudo isso é confuso, nisso tudo somos inteiramente amparados pelo que somos, nós que somos o desejo.

"Mas afinal que é que tive de tudo isso?" Muito. E muitas vezes nossa liberdade é tão intensa que desviamos o rosto. Sim, mas em tudo isso que tive, que fazer da maldade? Oh, mas é como se a maldade fosse a mesma coisa que a bondade, apenas com resultados práticos diversos: mas vem do mesmo desejo cego, como se a maldade fosse a falta de organização da bondade; muitas vezes a bondade muito intensa se transborda em maldade. Sendo que a maldade, naturalmente, é mais rápida como meio de comunicação. Mas de agora em diante organizarei minha maldade em bondade, agora que não tenho mais a mesma voracidade de ser bom. Agora que estou pronto para a minha própria alma, agora que eu amo os outros. "Será que consegui mesmo alguma coisa?" Mas consegui dar existência ao mundo! O que significa que eu agora entraria numa guerra de vingança ou de bondade ou de erro ou de glória, e que estou pronto para errar ou acertar, agora que enfim sou comum.

Com algum espanto, Martim compreendeu que não havia procurado a liberdade. Procurara se libertar, sim, mas apenas para ir sem empecilhos ao encontro do fatal. Quisera estar desimpedido – e na verdade se desimpedira com um crime – não para inventar um destino! mas para copiar alguma coisa importante, que era fatal no sentido em que era alguma coisa que já existia. E de cuja existência aquele homem sempre soubera, como quem tem a palavra na ponta da língua e não consegue se lembrar. Ele quisera estar livre para ir ao encontro do que existia. E que, nem por existir, era mais alcançável – era tão inatingível como inventar. Por mais liberdade que tivesse, ele só poderia criar o que já existia. A grande prisão. A grande prisão! Mas tinha a beleza da dificuldade. Afinal consegui o que quis. Criei o que já existe. E acrescentara ao que existia, algo mais: a imaterial adição de si mesmo.

– Vamos, disse Martim aproximando-se dos quatro homens e da segurança que eles lhe ofereciam. Vamos, disse com uma dignidade de bombeiro. Adeus, D. Vitória.

Lembrando-se com súbito prazer de uma frase muito antiga e humilde, palavras evangélicas, acrescentou então quase maravilhado, devagar, pouco a pouco:

– "Desculpe qualquer coisa que eu tenha feito sem querer."

O que imediatamente perturbou Martim é que ele sentiu que não repetira a frase com exatidão. Não, não era assim a frase de que vagamente se lembrava! – e ele fazia questão de reproduzi-la sem o mínimo erro como se uma simples modificação de sílaba já pudesse alterar o seu velho sentido, e tirar a perfeição da fórmula perfeita de despedida – qualquer transformação no rito torna um homem individual, o que deixa em perigo a construção toda e o trabalho de milhões; qualquer erro na frase torná-la-ia pessoal. E, francamente, não havia necessidade de ser pessoal: se não fosse essa teimosia, a pessoa descobriria que já existem fórmulas perfeitas para tudo o que se queira dizer: tudo o que se quisesse que um dia viesse a existir, na verdade já existia, a própria palavra era anterior ao homem – e aqueles quatro representantes sabiam disso: sabiam que toda a questão está em saber profundamente como imitar, pois quando a imitação é original ela é a nossa experiência. Martim passou a entender por que as pessoas imitavam.

E de repente, sem mais nem menos, Martim se lembrou de como era a frase!

– "Desculpe qualquer palavra mal dita!", corrigiu então com vaidade pois essa era a frase ritual!

– Ora, disse Vitória vermelha, desviando os olhos.

– Nós todos, disse Martim de repente ilógico, nós todos fomos muito felizes!

– Ora, repetiu Vitória.

Martim estendeu uma mão impulsiva. Mas como a mulher não esperara o gesto, atrasou-se espantada em estender a sua. Nessa fração de segundo, o homem recolheu sem ofensa a própria mão – e Vitória, que já agora adiantara a sua, ficou com o braço inutilmente e dolorosamente estendido, como se tivesse sido iniciativa sua a de procurar – num gesto que se tornou de repente de apelo – a mão do homem. Martim, percebendo a tempo o braço magro estendido, precipitou-se emocionado com as duas mãos estendidas, e apertou calorosamente os dedos gelados da mulher, que não pôde conter um movimento de recuo e medo.

– Magoei-a?! gritou ele.

– Não, não! protestou ela aterrorizada.

Então ficaram em silêncio. A mulher não disse mais nada. Algo tinha definitivamente terminado. Martim olhou aquela cara vazia e trêmula de mulher, aquela coisa informe e humana com dois olhos.

E então a misericórdia pela qual ele esperara a vida inteira quebrou seu peito em peso e em impotência, o coração de Jesus exposto, a misericórdia assaltou-o como uma dor. Os olhos do homem se tornaram vidrados, os traços se congestionaram numa beleza de que só Deus não tem nojo, ele parecia prestes a ter um ataque de paralisia. Balbuciou:

– A senhora desculpe eu não ter... – e o pior do que ele disse felizmente não se conseguiu mais ouvir como se a paralisia já tivesse avançado até aquela boca entortada pela piedade.

Vitória ergueu a cabeça. Seu rosto insultado tornou-se branco, trágico e duro. Mas seu olhar não estremeceu e a cara esbofeteada manteve-se altiva e vazia. Martim teve consciência de que sua própria bondade era um golpe cruel – teria ele o direito de ser bom?

– Desculpe eu não ter..., murmurou ele se escusando como um impotente.

Mas ela não perdoaria jamais. Porque ele pedira perdão, ela não o perdoaria jamais. Se até agora não houvera questão de acusá-lo, nesse momento em que ele pedia perdão ele abria um ferimento irreparável. E isso, ele viu: que ela não o perdoaria. Isso ele viu, embora não fosse coisa que ela tivesse pensado nem dito. Mas ele sabia: ela não perdoaria jamais. Isso não foi coisa que se dissesse, mas era coisa que estava acontecendo, e não seria a ausência de palavras que faria deixar de existir o que estava existindo, e a planta sente quando o vento é escuro porque ela estremece, e o cavalo no meio do caminho parece ter tido um pensamento, e quando os ramos da árvore se balançam no entanto não houve uma só palavra, e um dia se há de descobrir o que nós somos: ele sabia que ela não perdoaria jamais. Então Martim se ajoelhou diante dela e disse:

– Perdoe.

Do alto da cabeça levantada, ela o olhou de cima para baixo, inapelável, como uma rainha terrível, as severas asas abertas.

"Que diabo estou fazendo?", perguntou-se intrigado o homem de joelhos, e quase a ouviu anos depois dizendo a alguém: ele chegou a se ajoelhar.

Mas a mulher de repente segurou num movimento incoercível o ventre com as mãos, lá onde dói uma mulher, sua boca estremeceu atingida, o futuro era um parto difícil: num movimento de animal ela apertou o ventre, onde por destino uma mulher dói, e a alegria era tal miséria, sua boca estremeceu pobre, atingida.

– Que é que o senhor está fazendo! gritou-lhe.

Mas com o olhar implorante ele esperava, ele insistia implorante, ele agora queria mais que o gesto da mulher, esse gesto com o qual ela acabara de se conceder a si mesma enfim a misericórdia – ele queria também a sua misericórdia para com ele. E ela, involuntariamente, contra a sua própria força, fugindo torturada como podia – não pôde enfim deixar de obedecer, abaixou os olhos secos, e, fascinada, arrastada, com um gosto de sangue enchendo-lhe toda a boca, olhou-o com dura bondade – torturada obedecendo, glorificada obedecendo, em dores obedecendo. Oh não era coisa de que se pudesse escapar – assim já tinham sido esculpidas imagens de mulheres e de homens ajoelhados, havia um longo passado de perdão e amor e sacrifício, não era coisa de que se pudesse escapar. E fosse ela livre, estenderia obscuramente a mão sobre a cabeça do homem ajoelhado, há gestos que se podem fazer, ainda há gestos que se podem fazer:

– Que é que o senhor está fazendo! disse-lhe austera como se o erguesse.

O homem se levantou, limpou as calças. A mulher ergueu mais a cabeça. E foi só então que estranharam.

Mas então já era felizmente tarde demais: alguma coisa essencial se tinha feito. O que realmente acontecera – não se sabe, sobretudo nenhum dos dois sabia, a gente substitui muito. Acontecera algo essencial que eles não compreendiam e estranhavam, e que possivelmente não é para ser compreendido, quem sabe se o essencial não foi destinado a ser compreendido, se somos cegos por que insistimos em ver com os olhos, por que não tentamos usar estas nossas mãos entortadas por dedos? por que tentamos ouvir com os ouvidos o que não é som? E por que tentamos, de novo e de novo, a porta da compreensão? o essencial é destinado apenas a se cumprir, glória a Deus, glória a Deus, amém. E um dos indiretos modos de entender é achar bonito. Do lugar onde estou de pé, a vida é muito bonita. Um homem, impotente como uma pessoa, se ajoelhara. Uma mulher, ofendida no seu destino, erguera a cabeça sacrificada pelo perdão. E, por Deus, algo acontecera. Algo acontecera com cuidado, para não ferir a nossa modéstia.

Os dois evitaram se olhar, emocionados com eles próprios, como se enfim fizessem parte daquela coisa maior que às vezes chega a conseguir se exprimir na tragédia. Como se houvesse atos que realizam tudo o que não se pode, e o ato transpõe o poder; e quando este se cumpre, realiza-se alguma coisa que o pensamento não faria, nós que somos de uma perfeição atroz – e a dor é que não estamos à altura de nossa perfeição; e quanto à nossa beleza, nós mal a suportamos – Martim, por exemplo, olhou neste momento para os sapatos, oh por que disfarçamos tanto? encabulado na hora de sua morte, ele seria capaz de disfarçar assobiando. Como se tivessem acabado de realizar de novo o milagre do perdão, constrangidos com aquela cena miserável, evitaram se olhar, aborrecidos, há muita coisa inestética a perdoar. Mas, mesmo coberta de ridículo e de trapos, a mímica da ressurreição se tinha feito. Essas coisas que parecem não acontecer, mas acontecem.

Pois senão como explicar – sem a ressurreição e sua glória – que aquela mulher ali mesmo tivesse nascido para a vida diária; que ela, ali em pé, enfim, enfim nascida para o mistério da vida diária, fosse a mesma que amanhã daria ordens a Francisco; como explicar que aquela mulher ferida, e talvez só porque fora mortalmente ferida, fosse a mesma que amanhã se voltaria para o plantio, de novo inteira como uma mulher que teve um filho e cujo corpo de novo se fechou? Senão como explicar que aquele homem, esfrangalhado, desamparado, continuasse no entanto a ser aquela coisa a se olhar e a ser reconhecida até por olhos de criança: um homem, um homem com um futuro. A ressurreição, como fora prometida, se fizera. Desimportante como mais um milagre. Cuidadosamente discreta para não nos escandalizar. Exatamente como nós nos prometemos; e podeis deixar a nós a tarefa, e Deus é nossa tarefa, nós não somos a tarefa de Deus. Podeis deixar a nós a vida, oh nós bem sabemos o que fazemos! e com a mesma impassibilidade com que os mortos deitados sabem tão bem o que fazem.

O homem limpou de novo as calças, passou as costas da mão pelo nariz. Não olhou para a mulher porque estava envergonhado com o próprio exibicionismo, essa coisa de se ajoelhar; no entanto é também verdade que uma pessoa tem que se exprimir. Seus olhos pestanejaram várias vezes: também porque ele se dava conta de que na cena toda havia alguma coisa a lhe escapar. Ele se sentiu meio confuso, não estava entendendo muito bem e nem tinha tempo ou propriamente vontade de entender mais. Mas pelo menos fungou de novo, e de novo passou a mão pelo nariz molhado. Mas sentia que, além de ter "descortinado", acabara de cumprir outro lugar-comum atrás do qual andara em busca desde a infância: essa história de ajoelhar-se sempre o perseguira.

Afinal pode-se dizer que ele estava realizando tudo o que planejara, mesmo que não tivesse conseguido anotar no papel o que queria. É verdade também que muitas vezes aquele homem forçara a mão. Mas fora necessário. Não pudera ser de outro modo. Então, incerto, ansioso, desamparado, ele pensou: consegui o que queria. Não era muito. Mas afinal de contas é tudo, não é? Diga que é. Diga. Faça esse gesto, aquele que custa mais, o mais difícil, e diga: sim.

Então, com esforço sobre-humano, ele disse sim. E então – abatido, cansado – cumpriu-se para ele a outra promessa. Porque "sim" é, afinal, o conteúdo do "não". Ele acabara de tocar no objetivo do não. Ele acabara, enfim, de tocar no conteúdo de seu crime.

A náusea o tomou, aquele gosto suave como se tivesse atingido o outro lado da morte, aquele ponto mínimo que é o ponto vivo do viver, a veia no pulso. Em agonia, Martim desviou de si mesmo o rosto e procurou a cara compensadora dos outros.

Os outros esperavam curiosos depois de assistirem ao melodrama da genuflexão. Martim pestanejou várias vezes, indeciso, cansado: aquelas caras. Aquelas caras. E olhando os quatro homens e a mulher, uma esperança tão absurda o envolveu que só podia ser uma fé. E que nada tinha a ver com o que lhe sucedia, nem com os homens que esperavam, nem com ele próprio. De novo tivera, por um nauseante relance, o seguinte: a certeza. Que era uma esperança impessoal a um ponto de lágrimas. Como se esperança não significasse esperar, mas atingir. Com a esperança absurda, Martim atingia assim como um homem com uma criança pela mão.

Estonteado, sem saber a quem se dirigir, sob o golpe do cansaço ele os olhou um a um. E cada vez mais se aproximava de uma verdade que de tal forma se impôs que, mesmo ele não a entendendo, ela continuou a se impor.

Não a entendendo? Mas sim, de algum modo ele entendeu! Ele compreendeu como se compreende um número: é impossível pensar num número em termos de palavras, é apenas possível pensar num número com este próprio número. E foi desse modo inescapável que ele compreendeu – e se tentasse saber mais, então – então a verdade se tornaria impossível.

"Mas em quê? em que tinha ele esperança?", indagou-se, de repente estranhando de novo. Uma certa pena do mundo fez com que ele evitasse levar seu pensamento até o fim.

Então, sem responder a essa pergunta, já que em se fazê-la far-se-ia o absurdo, sem sequer tentar responder, ele pensou: que era na sua própria extrema carência que ele tinha esperança. Como se um homem fosse tão pobre que – que "assim não pode ser". Havia uma lógica secreta nesse pensamento absurdo, só que ele não conseguia tatear e localizar essa lógica impalpável. Se Martim soube que acertara, é porque doeu. Mas não poderia jamais explicar, e há alguma coisa que nunca saberemos. Mas nossa carência nos sustenta, disse-se ele, já que enfim perdera os limites da compreensão e admitia o que não se sabe.

Foi então que o homem de repente se animou de fato, e fungou. Não há dúvida, também concordo: a coisa é ilógica, e ter esperança é ilógico, pensou animadíssimo, pagando a bebida de todos. É tão ilógico, pensou ele sabido, como dois-e-dois-são-quatro, que até o dia de hoje ninguém jamais provou. Mas se na base de dois-e-dois-são--quatro você pode construir a própria realidade, então, por Deus, por que ter escrúpulos? Ora, se a coisa é assim mesmo, vamos aproveitar, pessoal! que a vida é curta! – Martim olhou com alguma imoralidade para os homens, o cinismo estava na sua cara. Mas ele não estava cínico, ele estava – ele estava tentando diverti-los e alegrá-los, e a impossibilidade faz o palhaço – ele estava dando por amor, por puro amor – Amor! – uma cambalhota para diverti-los, oh divertir os outros é um dos modos mais emocionantes de existir, é verdade que às vezes os artistas de rádio se exacerbam e se suicidam, mas é que às vezes se entra em contato com a dificuldade do amor.

Seu cinismo, ou o que quer que fosse, não se sustentou muito tempo.

Oh Deus, como aquele homem estava cansado e incerto, aquele homem não sabia muito bem o que era esperança. Bem que ele tentou raciocinar a esperança, oh bem que ele tentou. Mas, em vez de pensar no que se propôs pensar, pensou como uma mulher ocupada: "explicar nunca levou ninguém a nenhum lugar, e entender é uma futilidade", disse ele como uma mulher ocupada em dar de mamar ao filho.

Mas não! mas não! ele tinha que pensar, ele simplesmente não podia embarcar assim, sem mais nem menos! Então, perdendo o pé, ele se argumentou e se justificou: "Não ter esperança era a coisa mais estúpida que podia acontecer a um homem." Seria o fracasso da vida num homem. Assim como não amar era pecado de frivolidade, não ter esperança era uma superficialidade. Não amar, era a natureza errando. E quanto à perversão que havia em não ter esperança? bem, isso ele entendeu com o corpo. Além do mais – em nome dos outros! – é pecado não ter esperança. Não se tinha direito de não ter. Não ter esperança é um luxo. Oh, Martim sabia que sua esperança escandalizaria os otimistas. Ele sabia que os otimistas o fuzilariam se o ouvissem. Porque a esperança é assustadora. Há que ser homem para ter a coragem de ser fulminado pela esperança.

E então Martim se assustou de fato.

– Você está consciente, meu filho, do que está fazendo?

– Estou sim, meu pai.

– Você está consciente de que, com a esperança, você nunca mais terá repouso, meu filho?

– Estou sim, meu pai.

– Você está consciente de que, com a esperança, você perderá todas as outras armas, meu filho?

– Estou sim, meu pai.

– E que sem o cinismo você estará nu?

– Estou sim, meu pai.

– Você sabe que esperança é também aceitar não acreditar, meu filho?

– Sei sim, meu pai.

– Você está consciente de que acreditar é tão pesado a carregar como uma maldição de mãe?

– Estou sim, meu pai.

– Você sabe que o nosso semelhante é uma porcaria?

– Sei sim, meu pai.

– Você sabe que você também é uma porcaria?

– Sei sim, meu pai.

– Mas você sabe que não me refiro à baixeza que tanto nos atrai e que admiramos e desejamos, mas sim ao fato de que o nosso semelhante, além do mais, é muito chato?

– Sei sim, meu pai.

– Você sabe que esperança consiste às vezes apenas numa pergunta sem resposta?

– Sei sim, meu pai.

– Você sabe que no fundo tudo isso não passa de amor? do grande amor?

– Sei sim, meu pai.

– Mas você sabe que a pessoa pode encalhar numa palavra e perder anos de vida? E que esperança pode se tornar palavra, dogma e encalhe e sem-vergonhice? Você está pronto para saber que olhadas de perto as coisas não têm forma, e que olhadas de longe as coisas não são vistas? e que para cada coisa só há um instante? e que não é fácil viver apenas da lembrança de um instante?

– Esse instante...

– Cale a boca. Você sabe qual é o músculo da vida? se você disser que sabe, você está ruim; se você disser que não sabe, você está ruim. (O pai estava começando a descarrilhar.)

– Não sei, respondeu sem convicção, mas porque sabia que esta é a resposta que se deve dar.

– Você tem "descortinado" muito ultimamente, meu filho?

– Tenho, pai, disse contrafeito com a intrusão de intimidade, toda vez que o pai quisera "compreendê-lo", deixara-o constrangido.

– Como vão suas relações sexuais, meu filho?

– Muito bem, respondeu com vontade de mandar o pai para o inferno de onde o tirara.

– Você sabe que o amor é cego, que quem ama o feio bonito lhe parece, e que seria do amarelo se não fosse o mau gosto? e que em casa de ferreiro espeto de pau, e quem não tem cão caça com gato, e boca-não-erra? disse o pai descarrilhando um pouco mais, não faltava muito para começar a contar o que fazia com mulheres antes naturalmente de ser casado com tua mãe. Você sabe que esperança é duro combate que aos fracos abate, e aos fortes etc.?

– Sei sim, meu pai.

– Meu filho. Você está consciente de que de agora em diante, para onde você vá, será perseguido pela esperança?

– Estou sim, meu pai.

– Você está disposto a aceitar o duro peso da alegria?

– Estou sim, meu pai.

– Mas, meu filho! você sabe que é quase impossível?

– Sei sim, meu pai.

– Você ao menos sabe que esperança é o grande absurdo, meu filho?

– Sei sim, meu pai.

– Você sabe que há que ser adulto para ter esperança!!!

– Sei, sei, sei!

– Então vai, meu filho. Ordeno-te que sofras a esperança.

Mas já na primeira nostalgia, a última como antes de nunca mais, Martim gritou pelo amparo:

– Que luz é essa, papai? gritou já solitário na esperança, andando de quatro para fazer seu pai rir, fazendo uma perguntinha bem antiga e tola contanto que adiasse o momento de assumir o mundo. Que luz é essa, papaizinho! perguntou gaiato, com o coração batendo de solidão.

O pai hesitou severo e triste no seu túmulo.

– É a do fim do dia, disse apenas por piedade.

E assim era.

Era quase noite, e a beleza pesava no peito. Martim disfarçou-a como pôde, assobiou vagamente sem som, olhando para o teto.

De onde, devagar e com cautela, desceu os olhos para os outros – e olhou o próximo, um a um. Quem sois? Eram caras com narizes. Deveria ele investir toda a sua pequena fortuna num gesto de confiança? No entanto era uma vida que não se repete, a dele, aquela que ele lhes entregaria. Quem sois? Era difícil lhes dar. Amar era um sacrifício. E mesmo, e mesmo havia a descontinuidade: mal começara, e já havia a descontinuidade. Seria preciso aceitar também isto? a descontinuidade com que ele os olhou e – quem eram esses homens? quem sois? que coisa dúbia sois, como se eu absurdamente já tivesse visto tempos melhores e conhecido outra raça de gente e não pudesse vos aceitar, mas apenas vos amar? Em verdade, sois? e até que ponto? E – e poderei amar essa coisa que sois?

Ele os olhou, cansado, incrédulo. Ele os desconhecia. Uma pessoa era esporádica: ele já os desconhecia. Humilde, ainda quis se forçar a aceitar também isto: desconhecê-los.

Mas não suportou, ele não suportou. Como posso continuar a mentir! Eu não creio! eu não creio! E olhando os quatro homens e a mulher, ele só quis plantas, as plantas, o silêncio das plantas. Mas com a atenção ligeiramente desperta, ele repetiu devagar: não creio. Vagarosamente deslumbrado: não creio... Deslumbrado, sim. Porque, aleluia, aleluia, estou de novo com fome. Com tanta fome que preciso ser mais de um, preciso ser dois, dois? não! três, cinco, trinta, milhões; um é difícil de carregar, preciso de milhões de homens e mulheres, e da tragédia da aleluia. "Não creio": a grande carência renascera. Sua extrema penúria levou-o a uma vertigem de êxtase. Não creio, disse ele com fome, procurando na cara dos homens aquilo que um homem procurara. Estou com fome, repetiu desamparado. Deveria agradecer a Deus a sua fome? pois a necessidade o sustentava.

Estonteado, sem saber a quem se dirigir, examinou-os um a um. E ele – ele simplesmente não acreditava. *Eppur, si muove*, disse com uma teimosia de burro.

– Vamos, disse então aproximando-se incerto dos quatro homens pequenos e confusos. Vamos, disse. Porque eles deviam saber o que faziam. Eles certamente sabiam o que faziam. Em nome de Deus, eu vos ordeno que estejais certos. Porque toda uma carga preciosa e podre estava entregue nas mãos deles, uma carga a jogar no mar, e muito pesada também, e a coisa não era simples: porque essa carga de culpa devia ser jogada com misericórdia também. Porque afinal não somos tão culpados, somos mais estúpidos que culpados. Com misericórdia também, pois. Em nome de Deus, espero que vocês saibam o que estão fazendo. Porque eu, meu filho, eu só tenho fome. E esse modo instável de pegar no escuro uma maçã – sem que ela caia.

Washington, maio de 1956

POSFÁCIO
LUZ SOBRE *A MAÇÃ NO ESCURO*

Ao longo da vida fui constituindo uma família secreta cujo sangue invisível me corre nas veias. Percebi que Clarice era parte dessa família quando eu mal saíra da adolescência e seu primeiro livro, *Perto do coração selvagem*, me levou mais perto do selvagem coração da vida.

Passava o tempo e eu me aproximava mais e mais de Clarice, a cada livro um novo alumbramento e um lugar interior, secreto, mal conhecido, iluminado pela reverberação das palavras dessa desconhecida que me parecia tão próxima e familiar. Guardo por ela a gratidão por um legado incomensurável que fez a minha vida mais rica ainda que mais difícil.

Um encontro fundador, uma graça que me acompanha até hoje. Quisera aproximar os leitores dessa autora inclassificável em que a arte da escrita se realiza com rara excelência e alcança a liberdade maior que é a liberdade de criar.

Tenho genuína gratidão pelos artistas porque descobrem mundos. Artistas não querem descrever o mundo como ele é e sim dar a ver um outro mundo, invisível, alçando voo para além dos limites estreitos da linguagem e da única vida que nos é dado viver. Eles trabalham com o ambíguo instrumento da linguagem, uma faca de dois gumes, liberdade que constitui o humano e clausura que estabelece os limites de sua expressão.

Comentando o livro *Uma aprendizagem ou o livro dos prazeres*, publicado em 1969, o crítico Eduardo Portella escreveu: "Mas se nos perguntássemos qual o tema preciso desse romance nós diríamos que é a linguagem." E não só neste livro, digo eu. A linguagem em Clarice não é um instrumento submisso de descrição do mundo, mas um espaço de invenção, já que mundo não há além daquele que intuímos e aceitamos o risco de tentar dizê-lo, aceitando a insuficiência da palavra como tradutora.

Cada livro de Clarice – e *A maçã no escuro*, seu quarto livro, é um momento maior dessa trajetória – é uma busca incansável das portas secretas dessa clausura.

A escrita de Clarice é uma tentativa bem-sucedida de alcançar a liberdade pela criação, para além da limitação da palavra que ela admitia com humildade. "A palavra tem o seu terrível limite. Além desse limite é o caos orgânico. Depois do final da palavra começa o grande uivo eterno. Mas para algumas pessoas escolhidas pelo acaso, depois da possibilidade da palavra vem a voz de uma música que diz o que eu simplesmente não posso aguentar." É essa voz que diz o que ela não pode aguentar que dita seus romances, contos e crônicas.

Clarice é uma criadora que põe em cena o ato de criar como um músico que improvisa no palco. A literatura de Clarice é uma autobiografia encantatória de uma artista obcecada pela própria criação. "Eu tomo conta do mundo o tempo todo. Por quê? Porque já nasci incumbida."

Os artistas nascem incumbidos. Estão condenados a criar. Sejam pintores, escultores ou escritores, eles criarão e essa criação é intrínseca a cada um.

Algumas das personagens mais fortes de Clarice são artistas. G.H. é uma escultora, a narradora sem nome de *Água viva* é pintora. Macabéa, sua personagem mais dissonante, é como um avesso, a que não cria nada e ouve na Rádio Relógio o instante que passa em branco.

A literatura de Clarice não se explica, assim como não se explica porque uma fonte brota em um lugar e não em outro. "Escrever é o modo de quem tem a palavra como isca. A palavra pescando o que não é palavra. Quando essa não-palavra, a entrelinha, morde a isca, alguma coisa se escreveu. Uma vez que se pescou a entrelinha, pode-se jogar a palavra fora."

O substrato de sua literatura está nessas entrelinhas, naquilo que a palavra como isca pescou. Linguagem inventada, a forma em perfeita harmonia com o conteúdo.

Na crônica de mesmo título (publicada no *Jornal do Brasil* de 14 de agosto de 1971), Clarice assim se autodefine: "Eu sou uma pergunta." É o fascínio dessa pergunta que me anima a escrever sobre ela sem a ambição de explicá-la – as explicações aplainam mistérios – mas tão somente de me aproximar dela, garimpando aqui e lá, em seus diversos textos que ficaram gravados em mim, fulgurâncias.

Para evitar mal-entendidos é melhor ouvirmos a própria Clarice: "A melhor crítica é aquela que entra em contato com a obra do autor quase telepaticamente." Clarice não é uma autora para ser lida distraidamente, sem consequências. A sintonia com ela pressupõe condições: criar dentro de si um silêncio em que ela se possa fazer ouvir, uma qualidade de escuta, uma disponibilidade indispensável à magia de um encontro.

Um colega da Universidade de Genebra, onde lecionei por dez anos, o grande crítico e ensaísta Jean Starobinski, dizia que com certas obras melhor valia render-se ao olhar que a obra pousa sobre nós, porque a obra nos interroga.

Foi assim com Clarice, aceitei esse olhar que me interrogava e essa travessia que me espelhava, aceitei a convivência com o mistério que ela me revelava em seus livros. Sem tentar decifrá-la, apenas me deixando ler. Acompanhando-a nas interrogações que, sendo suas, também fiz minhas: "Não, nem a pergunta eu soubera fazer. No entanto a resposta se impunha a mim desde que eu nascera. Fora por causa da resposta contínua que eu, em caminho inverso, fora obrigada a buscar a que pergunta ela correspondia." Escolhi essa epígrafe para o meu primeiro livro, *Elogio da diferença*. Essa resposta que se impunha a ela desde que nascera é o seu poder criativo que, ao longo da vida, construiu uma obra literária luminosa onde a pergunta é ela mesma.

Clarice não se assumia como uma escritora porque só escrevia quando queria. Não tinha, dizia ela, nenhuma obrigação consigo mesma nem com os outros. E fazia questão que fosse assim para guardar a sua liberdade. A liberdade foi, em sua vida e obra, uma escolha inegociável. Nem gênero literário, nem teorias, nem crítica, nem incompreensões, nem louvores, nada a influenciou.

Clarice obedeceu unicamente ao chamado que vinha de dentro para tentar dizer o que nascia "atrás do pensamento". Talvez seja isso a sua arte maior, ir buscar no leitor o que cada um de nós guarda nessa zona de sombra e também de luz, o que guardamos atrás do pensamento.

A rebeldia face às normas da escrita, a revolta contra a condenação ao enredo, fazem dela uma autora inaugural na literatura brasileira. Em *Perto do coração selvagem*, Clarice descreve a menina Joana, sua heroína, como uma alma atribulada atenta ao ínfimo movimento de tudo que vive, respirando no fôlego do mundo, convivendo com o imaginário, pensando sem repouso. A ela, Sophia de Mello Breyner Andresen, poderia ter dedicado seus versos: "ia e vinha e a cada coisa perguntava que nome tinha."

Uma criança, e mais tarde uma mulher, que pergunta a cada coisa mais do que o seu nome, sua razão de ser mais secreta. *Perto do coração selvagem*, que chamei um dia de frasco de essências de Clarice, já anunciava *A maçã no escuro*. Joana prenuncia Martim, um homem que não cabe em seu próprio personagem, que não obedece ao seu enredo. *A maçã no escuro* confirma e acentua a pouca importância dos fatos, obscurecidos pelo mergulho na vida secreta dos personagens, lá onde se passa o que é o verdadeiro acontecimento, onde se esconde o real.

Martim, Vitória e Ermelinda se entrelaçam em um triângulo amoroso em que a existência concreta importa pouco, mesmo quando se trata de um suposto crime, porque a alta voltagem dramática é alcançada na complexidade sombria da alma de cada um.

Em *A maçã no escuro*, Clarice já começa a se desprender do enredo, fazendo os fatos flutuarem em um clima irreal, sujeitos a um desdobrar-se em sigilos e diálogos internos que atropelam os diálogos da vida real com muito mais peso do que esses.

Clarice não engana Clarice. Não é um sentimento banal qualquer que vai convencê-la da sua validade. Essa dúvida, esse diálogo interno, vai persistir constantemente e seus personagens se autodenunciam. No conto "As caridades odiosas" há essa denúncia e essa dúvida: quem habita essa mulher compassiva que comprou um doce para um menino miserável, que deu 2 mil cruzeiros para pagar o aluguel de uma mulher que estava sendo despejada? Quem é essa mulher compassiva, cheia de amor, de vergonha e de ódio?

Um processo de invenção literária que encontraria seu clímax, anos mais tarde, em *Água viva,* um improviso que se anuncia como tal, como uma peça de jazz. "Sei o que estou fazendo aqui: estou improvisando. Mas que mal tem isso? Improviso como no jazz improvisam música, jazz em fúria, diante da plateia. Luto por conquistar mais profundamente a minha liberdade de sensações e pensamentos, sem nenhum sentido utilitário. Sou sozinha, eu e minha liberdade."

Água viva, publicado em 1972, é um texto de criação sobre a criação. É a criação se criando, em improviso. Clarice precisa cada vez menos de enredo, de personagens nítidos, bem desenhados, para tornar visível o que procura.

Com *Água viva* o desinteresse pela trama, pela caracterização realista do personagem, que vinha amadurecendo ao longo de sua obra, atinge seu momento maior. Porque, afinal, o que é *Água viva*? É uma obra de ficção? É uma não crônica? É um não romance? A que gênero literário pertence? Clarice responde: "Estou lidando com a matéria-prima. Estou atrás do que fica atrás do pensamento. Inútil querer me classificar: eu simplesmente escapulo não deixando, gênero não me pega mais."

Quem narra o livro nos faz uma advertência definitiva. "Posso não ter sentido mas é a mesma falta de sentido que tem a veia que pulsa."

Seus textos são textos, quem quiser os classifique como romance, conto ou crônica. Para ela são textos, são o prodígio da escrita que diz o que quer dizer como quer dizer. Gênero não lhe pega mais. A criação para Clarice, em palavras suas, é uma aleluia e uma liberdade, é um cântico à alegria da escrita: "Estremeço de prazer por entre a novidade de usar palavras que formam intenso matagal."

Casada com um diplomata brasileiro em posto na Suíça, Clarice viveu em Berna alguns anos. Em Berna estava a maior coleção do pintor Paul Klee. Além de pintor, Klee foi um teórico da arte, professor da Bauhaus, autor de uma pequena obra-prima, a *Teoria da arte moderna*. Como outros pintores de seu tempo suas primeiras obras foram figurativas para progressivamente evoluírem para a essencialidade de linhas e cores. Klee, convicto de que a finalidade da arte não é reproduzir o visível e sim dar a ver o invisível, sonhava com um tempo em que fosse possível improvisar livremente no teclado cromático dos potes da aquarela. Como Klee, Clarice se entrega a esse improviso no seu amplo repertório linguístico, sua aquarela das palavras.

Não por acaso a narradora de *Água viva* é uma pintora – e que é pintora só sabemos por levíssimas pinceladas –, que se lança às palavras, à escrita, com o regozijo de quem descobre a liberdade do improviso, algo próximo da liberdade que Paul Klee almejava e que realizou, e anuncia essa aleluia, uma palavra recorrente em Clarice: "Esse não é um livro porque não é assim que se escreve. O que escrevo é um só clímax. Meus dias são um só clímax. Vivo à beira."

No ensaio "Atrás do pensamento" que escrevi sobre Clarice em meu livro *Liberdade*, tento mergulhar no mundo de Clarice por esta pista de sua convivência com a arte moderna tão nítida no texto de *Água viva*.

E talvez a chave do mistério de *Água viva* esteja na epígrafe que ela escolheu, de Michel Seuphor, um crítico de artes plásticas dedicado à pintura abstrata. "Tinha que existir uma pintura totalmente livre da dependência da figura – objeto – que, como a música, não conta uma história, não lança mão de um mito. Tal pintura contenta-se em evocar os reinos incomunicáveis do espírito, onde o traço se torna existência."

O conjunto da obra de Clarice realiza o que talvez se possa chamar de uma literatura abstrata assim como existe uma pintura abstrata. O despojamento e ao mesmo tempo a fulgurância de uma literatura – para usarmos uma construção dela própria – "mais real do que a realidade"– que joga sobre nós o seu olhar e nos interroga.

Por baixo dos fatos, do enredo, borbulha a matéria misteriosa de que é feita a existência e é ela que emerge fulgurante em sua literatura vinda de atrás do pensamento. E o que ela procura é essa vibração do que está atrás do pensamento.

Para tornar visível essa vibração bastam-lhe as palavras, como a um pintor abstrato as linhas e as cores, porque: "Não é um recado de ideias que te transmito e sim uma instintiva volúpia daquilo que está escondido na natureza e que adivinho."

Sim, não são ideias, é a carne viva da existência, quando a intensidade do sentimento é tão forte que mesmo a surda passagem do tempo é percebida no instante mesmo em que ele passa.

Joana, a menina de coração selvagem que bebe o mar e quer morder estrelas, flagra o tempo perguntando-se "o que vai acontecer agora, agora, agora? E sempre no pingo do tempo que vinha, nada acontecia se ela continuava a esperar o que ia acontecer". O tempo que ela chama de o "instante-já".

No conto "Amor", em *Laços de família*, a personagem Ana após um jantar bem-sucedido com a família em que tudo parecia em seu lugar "prendeu como uma borboleta, o instante entre os dedos antes que ele nunca mais fosse seu".

A menina Joana tem na adulta narradora de *Água viva* uma alma gêmea que ecoa e prolonga seu aflito estar no mundo. Seu tempo é o instante, o agora. Sem passado nem futuro ela se pergunta então: "Será que eu passei para o outro lado?" "O outro lado", diz ela, "é uma vida latejantemente infernal." Latejantemente infernal porque é um estar acordado, estar vivo permanentemente para todo o "instante-já". O instante que se está passando.

Essa vida latejantemente infernal não pode desembocar na morte, a morte inaceitável, o limite fatal de todo o criador. A morte que descria o criador, a injustiça última e imperdoável no destino humano. O silêncio de Deus é uma afronta à criação, e contra ele Clarice se revolta. É a alegria intensa da criação, que torna a morte – o grau zero da liberdade – inaceitável. O que foi Aleluia se transforma em Réquiem.

A obra de Clarice é um pedido de socorro, um pungente réquiem por ela mesma, um cântico à vida e um lamento, inconformidade frente ao escândalo da morte. Deslizamento de uma denúncia do "horror alucinante de morrer" para um apelo aflito à presença ou à ausência de Deus.

"Eu é que estou escutando o assobio no escuro. Eu que sou doente da condição humana. Eu me revolto, não quero mais ser gente. Quem? quem tem misericórdia de nós que sabemos sobre a vida e a morte quando um animal que eu profundamente invejo – é inconsciente da sua condição? Quem tem piedade de nós? Somos uns abandonados? uns entregues ao desespero? Não, tem que haver um consolo possível... Porque é cruel demais saber que a vida é única e que não temos como garantia senão a fé em trevas – porque é cruel demais, então respondo com a pureza de uma alegria indomável."

Tanto mais inaceitável para o criador que a morte incontornável descria. Daí o convite ao leitor: "Vamos não morrer, como desafio?" É aqui que Clarice tece armas com a morte, com Deus. "Não vou morrer, ouviu Deus? Não tenho coragem, ouviu? Não me mate, ouviu? Porque é uma infâmia nascer para morrer não se sabe quando nem onde. Vou ficar muito alegre, ouviu? Como resposta, como insulto. Uma coisa eu garanto: nós não somos culpados. E preciso entender enquanto estou viva, ouviu? porque depois será tarde demais."

Todo esse longo percurso de uma vida e de uma obra, as epifanias de Joana, a agonia de Martim, a paixão segundo G.H., o réquiem da pintora em *Água viva*, são a encenação em múltiplos cenários da mesma angústia com que Clarice encerra, em maio de 1956, com um gemido surdo, *A maçã no escuro*: "Porque afinal não somos tão culpados, somos mais estúpidos do que culpados. Com misericórdia também, pois. Em nome de Deus espero que vocês saibam o que estão fazendo. Porque eu, meu filho, eu só tenho fome. E esse modo instável de pegar no escuro uma maçã – sem que ela caia."

Clarice Lispector faleceu em 9 de dezembro de 1977, no Rio de Janeiro, às vésperas de completar 57 anos. No epitáfio gravado em sua sepultura lê-se uma frase de G.H.: "Dar a mão a alguém sempre foi o que esperei da alegria."

— ROSISKA DARCY DE OLIVEIRA

Este livro, publicado em nova edição no quadro das comemorações do centenário de nascimento de Clarice Lispector, foi impresso com as fontes Didot e Akzidenz Grotesk.